내신전략

고등 영어 구문

BOOK 1

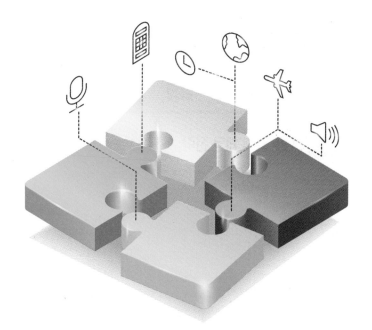

이 책의
구성과 활용

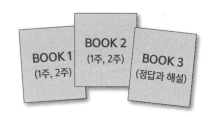

이 책은 3권으로 이루어져 있는데 본책인 BOOK 1·2의 구성은 아래와 같아.

도비라 1주·2주 + 1주·2주

이번 주에 배울 내용이 무엇인지 안내하는 부분입니다. 재미있는 만화를 통해 앞으로 공부할 내용을 미리 살펴봅니다.

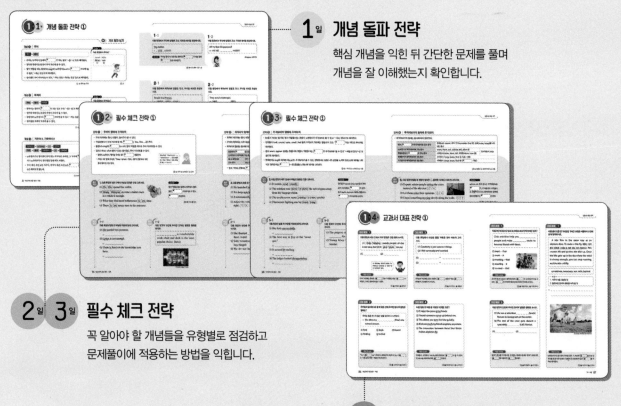

1일 개념 돌파 전략

핵심 개념을 익힌 뒤 간단한 문제를 풀며 개념을 잘 이해했는지 확인합니다.

2일 3일 필수 체크 전략

꼭 알아야 할 개념들을 유형별로 점검하고 문제풀이에 적용하는 방법을 익힙니다.

4일 교과서 대표 전략

교과서 문장으로 구성된 대표 유형의 문제를 풀어 볼 수 있습니다. 문제에 접근하는 것이 어려울 때는 '개념 Guide'를 참고할 수 있습니다.

주 마무리와 권 마무리의 특별 코너들로 영어 실력이 더 탄탄해 질 거야!

주 마무리 코너

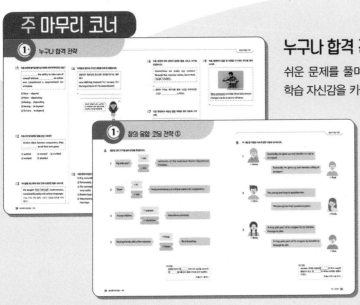

누구나 합격 전략

쉬운 문제를 풀며 공부할 내용을 정리하고
학습 자신감을 키울 수 있습니다.

창의·융합·코딩 전략

융복합적 사고력과 해결력을 길러 주는 문제를
풀며 한 주의 학습을 마무리합니다.

권 마무리 코너

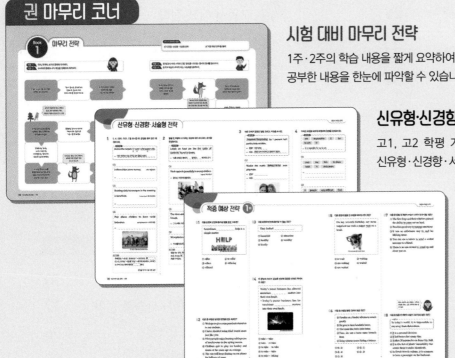

시험 대비 마무리 전략

1주·2주의 학습 내용을 짧게 요약하여 2주 동안
공부한 내용을 한눈에 파악할 수 있습니다.

신유형·신경향·서술형 전략

고1, 고2 학평 기출 문장을 바탕으로 한
신유형·신경향·서술형 문제를 제공합니다.

적중 예상 전략

실제 시험에 대비할 수 있는 모의 실전 문제를
2회로 구성하였습니다.

이 책의 차례

1주 문장의 구성 요소

❶ She and the new girl could become best friends.

❶ 그녀와 새로 온 소녀는 가장 친한 친구가 될 수 있었다.

❷ Reading more is a good habit.

❷ 독서를 더 많이 하는 것은 좋은 습관이다.

❸ He took hundreds of photographs of his family and town.

❸ 그는 수백 장의 가족사진과 마을 사진을 찍었다.

❹ Stop talking to me!

❺ They refused to speak.

❹ 나에게 말하는 것을 그만둬!

❺ 그들은 말하는 것을 거부했다.

❻ Your actions seem robotic.

❻ 네 행동은 로봇처럼 (어색해) 보여.

❼ A teenager saw me kick a tire in frustration.

❼ 십 대 한 명이 내가 절망에 빠져 타이어를 발로 차는 것을 보았다.

❽ Deep in the forest, he spotted a beautiful wild deer. It was a large stag.

❽ 숲 속 깊은 곳에서 그는 아름다운 야생 사슴을 발견했다. 그것은 큰 수사슴 이었다.

❾ Her mother hugged her tightly.

❾ 그녀의 어머니는 그녀를 꽉 껴안았다.

1주 1일 개념 돌파 전략 ①

개념 ❶ | 주어

> 주어 + 동사

- 주어는 동작이나 상태의 ❶[　　　]가 되는 말로 '~은/~는'으로 해석한다.
- 명사와 대명사는 문장의 주어 자리에 올 수 있다.
- 명사 역할을 하는 동명사(v-ing)와 to부정사(to-v)도 ❷[　　　] 자리에 올 수 있고, '~하는 것은'으로 해석한다.
- 명사절도 주어 자리에 올 수 있고, '~라는 것은/~하다는 것은' 등으로 해석한다.

답 ❶ 주체 ❷ 주어

Quiz 1

다음 문장에서 주어는?

Steve는　달렸다
Steve / ran.
　①　　②

답 ①

개념 ❷ | 목적어

> 주어 + 동사 + 목적어

- 목적어는 동작의 ❶[　　　]이 되는 말로 주로 '~을/~를'로 해석한다.
- 명사와 대명사는 문장의 목적어 자리에 올 수 있다.
- 동명사와 to부정사도 ❷[　　　] 자리에 올 수 있고 '~하는 것을'로 해석한다.
- 명사절도 목적어 자리에 올 수 있다.

답 ❶ 대상 ❷ 목적어

Quiz 2

다음 문장에서 목적어는?

의심이　가득 채웠다　그를
Doubts / filled / him.
　①　　　②　　　③

답 ③

개념 ❸ | 가주어 it, 가목적어 it

> 가주어 It + is [was] + ~ + 진주어
> 주어 + 동사 + 가목적어 it + ~ + 진목적어

- to부정사구나 명사절이 주어 또는 목적어로 쓰이면, 그 자리에 ❶[　　　]을 쓰고 to부정사구나 명사절을 문장 뒤로 보낸다.
- 주어 대신 쓰인 it은 가주어, 목적어 대신 쓰인 it은 ❷[　　　]이고, 이때의 it은 해석하지 않는다.

답 ❶ It[it] ❷ 가목적어

Quiz 3

다음 문장에서 진주어는?

x　~하다　가능한　숫자를 가지고
It / is / possible [to lie with
① ②　　③　　　　④
거짓말하는 것은
numbers].

답 ④

1-1

다음 문장에서 주어에 밑줄을 긋고, 우리말 해석을 완성하시오.

You matter.
➡ __당신은__ 소중하다.

Guide 주어는 동사가 나타내는 행위의 ❶[   ]가 되는 말로 ❷[   ]으로 해석한다.

답 ❶ 주체 ❷ ~은/~는

1-2

다음 문장에서 주어에 밑줄을 긋고, 우리말 해석을 완성하시오.

All my fear disappeared!
➡ 나의 모든 _____ 사라졌다!

disappear 사라지다

2-1

다음 문장에서 목적어에 밑줄을 긋고, 우리말 해석을 완성하시오.

People love heroes.
➡ 사람들은 __영웅들을__ 사랑한다.

Guide 목적어는 동사가 나타내는 행위의 ❶[   ]이 되는 말로 주로 ❷[   ]로 해석한다.

답 ❶ 대상 ❷ ~을/~를

2-2

다음 문장에서 목적어에 밑줄을 긋고, 우리말 해석을 완성하시오.

They avoid challenges.
➡ 그들은 _____ 피한다.

avoid 피하다
challenge 도전

동사 find 뒤에 목적어와 보어가 오면, '목적어가 ~하다고 생각하다'라고 해석할 수 있어.

3-1

다음 문장에서 진목적어에 밑줄을 긋고, 우리말 해석을 완성하시오.

Lower air pressure may make it easier to produce the burst of air.
➡ 더 낮은 기압은 __공기의 방출을 일으키는 것을__ 더 쉽게 만들 수 있다.

Guide 목적어 자리에 ❶[   ] it이 있으므로, 문장 뒤에 있는 ❷[   ]가 진목적어이다.

답 ❶ 가목적어 ❷ to부정사구

3-2

다음 문장에서 진목적어에 밑줄을 긋고, 우리말 해석을 완성하시오.

I have always found it hard to be creative in a doorless office.
➡ 나는 문이 없는 사무실에서는 _____ 어렵다고 늘 생각해 왔다.

creative 창의적인
doorless 문이 없는

개념 짚어 보기

개념 ❹ | 주격보어

주어 + 동사 + 보어

- 주격보어는 주어를 [①____]해 주는 말로, '주어가 ~이다/~하다'로 해석한다.
- 명사와 대명사는 주격보어로 쓰여 주어의 지위·자격을 나타낸다.
- to부정사, 동명사, 명사절도 주격보어 자리에 올 수 있다.
- 형용사, 현재분사, [②____]는 주격보어로 쓰여 주어의 성질·상태를 나타낸다.

Quiz 4

다음 문장에서 주격보어는?

Mary는 ~이다 인테리어 디자이너
Mary / is / an interior
①   ②   ③

designer.

답 ❶ 보충 설명 ❷ 과거분사   답 ③

개념 ❺ | 목적격보어

주어 + 동사 + 목적어 + 보어

- 목적격보어는 [①____]를 보충 설명해 주는 말이다.
- 명사와 형용사는 문장의 목적격보어 자리에 올 수 있다.
- to부정사, 원형부정사, 현재분사, 과거분사는 목적격보어 자리에 올 수 있고, 목적어와 '주어 – [②____]'의 관계를 이룬다.

Quiz 5

다음 문장에서 목적격보어는?

철학자들은   부른다 그것을
Philosophers / call / it
①   ②   ③

'공리주의'라고
/ *utilitarianism.*
④

답 ❶ 목적어 ❷ 술어   답 ④

개념 ❻ | 수식어

주어 / 목적어 / 보어 + 수식어
동사 / 수식어 / 문장 전체 + 수식어

- 수식어는 문장의 의미를 풍부하게 해 주는 말이다.
- 형용사적 수식어는 주어, 목적어, 보어로 쓰인 [①____]를 수식한다.
- 부사적 수식어는 동사, 다른 수식어 또는 [②____]를 수식한다.

Quiz 6

다음 문장에서 수식어는?

세상은   ~이다 재미있는
The world / is / a funny
①   ②   ③

장소
/ place.
④

답 ❶ 명사 ❷ 문장 전체   답 ③

4-1

다음 문장에서 주격보어에 밑줄을 긋고, 우리말 해석을 완성하시오.

The competition is fierce.

➡ 경쟁이 __치열__ 하다.

Guide 주격보어는 **❶** [　　　] 를 보충 설명하는 말로, '주어가 **❷** [　　　] '로 해석한다.

답 ❶ 주어 ❷ ~이다/~하다

4-2

다음 문장에서 주격보어에 밑줄을 긋고, 우리말 해석을 완성하시오.

I grew anxious.

➡ 나는 점점 _____졌다!

grow 점점 ~해지다 (–grew–grown)

5-1

다음 문장에서 목적격보어에 밑줄을 긋고, 우리말 해석을 완성하시오.

Her smile made me smile.

➡ 그녀의 미소는 나를 __미소 짓도록__ 만들었다.

Guide 목적격보어는 **❶** [　　　] 를 보충 설명하는 말로, 원형부정사가 목적격보어로 쓰이면 '**❷** [　　　] 가 ~하도록 /~하는 것을'으로 해석한다.

답 ❶ 목적어 ❷ 목적어

5-2

다음 문장에서 목적격보어에 밑줄을 긋고, 우리말 해석을 완성하시오.

We can watch people play music.

➡ 우리는 사람들이 음악을 _____ 볼 수 있다.

6-1

다음 문장에서 수식어에 밑줄을 긋고, 우리말 해석을 완성하시오.

She lay quite still.

➡ 그녀는 __아주__ 가만히 누워 있었다.

Guide 수식어는 문장의 **❶** [　　　] 를 풍부하게 해 주는 말로, 형용사적 수식어는 명사를 수식하고, 부사적 수식어는 동사, **❷** [　　　] , 문장 전체를 수식한다.

답 ❶ 의미 ❷ 수식어

부사를 수식하는 단어와 동사를 수식하는 단어 둘 다 찾아야 해.

6-2

다음 문장에서 수식어에 밑줄을 긋고, 우리말 해석을 완성하시오.

He learned pretty quickly.

➡ 그는 _____ 배웠다.

learn 배우다

개념 돌파 전략 ②

Example

> **Climbing stairs** provides a good workout.
>   주어(S)   동사(V)

- 구문 주어 자리에 [❶   ] 가 쓰였다. 주어 자리에는 명사 또는 명사 역할을 하는 어구들이 온다.
- 해석 [❷   ] 좋은 운동을 제공한다.

답 ❶ 동명사구 ❷ 계단을 오르는 것은

1

주어에 밑줄을 긋고, 문장을 해석하시오.

(1) She was busy with a school project.

➡ _____

(2) Introducing a new product category is difficult.

➡ _____

introduce 도입하다   product 제품

Example

> Later, you can start **to love them again**.
>   주어(S) 동사(V)   목적어(O)

- 구문 목적어 자리에 [❶   ] 가 쓰였다. 목적어 자리에는 주어와 마찬가지로 명사 또는 명사 역할을 하는 어구들이 온다.
- 해석 나중에, 당신은 [❷   ] 시작할 수 있다.

답 ❶ to부정사구 ❷ 그들을 다시 사랑하는 것을

2

목적어에 밑줄을 긋고, 문장을 해석하시오.

(1) Our teachers, coaches, and parents taught us.

➡ _____

(2) People started to follow the mechanical time of clocks.

➡ _____

follow 따르다   mechanical 기계식의

Example

> **It** can be helpful **to read your own essay**
> 가주어(S)   진주어(S')
> **aloud**.

- 구문 It은 가주어이고, 진주어는 [❶   ] 이다. it은 to부정사구나 that절 대신 가주어 또는 가목적어로 쓰인다.
- 해석 소리를 내어 [❷   ] 도움이 될 수 있다.

답 ❶ to부정사구 ❷ 자신의 수필을 읽는 것은

3

진주어 또는 진목적어에 밑줄을 긋고, 문장을 해석하시오.

(1) It is useful to make material *personally* meaningful.

➡ _____

(2) Some African countries find it difficult to feed their own people.

➡ _____

meaningful 의미 있는   feed 먹여 살리다

Example

Water is **essential** to all life.
주어(S) 동사(V) 보어(C)

- 구문 주격보어 자리에 [❶   ]가 쓰였다. 주격보어는 주어를 보충 설명하며, 명사와 형용사 등이 온다.
- 해석 물은 모든 생명체에게 [❷   ]이다.

답 ❶ 형용사 ❷ 필수적

4

주격보어에 밑줄을 긋고, 문장을 해석하시오.

(1) The rich man was unkind to them.

➡ _____

(2) Their job was to fix the leak.

➡ _____

fix 수리하다 leak (물이) 새는 곳

Example

We find special effects **interesting**.
주어(S) 동사(V) 목적어(O) 보어(C)

- 구문 목적격보어 자리에 [❶   ]가 쓰였다. 목적격보어는 목적어를 보충 설명하며, 명사와 형용사 등이 쓰인다.
- 해석 우리는 특수효과가 [❷   ] 알게 된다.

답 ❶ 형용사 ❷ 재미있다는 것을

명사, 형용사 목적격보어는 '목적어를 ~라고', '목적어를 ~하게'라고 해석해.

5

목적격보어에 밑줄을 긋고, 문장을 해석하시오.

(1) My friends call me Mina.

➡ _____

(2) Our automatic, unconscious habits can keep us safe.

➡ _____

call 부르다 unconscious 무의식적인

Example

Vogel made a **quick** decision.
수식어(M) ⤺ 명사

- 구문 목적어로 쓰인 명사를 [❶   ]가 수식하고 있다. 수식어는 문장의 다른 요소들을 꾸며 주어 문장의 의미를 풍부하게 해 준다.
- 해석 Vogel은 [❷   ] 내렸다.

답 ❶ 형용사 ❷ 빠른 결정을

6

밑줄 친 수식어가 꾸며 주는 말에 네모 표시를 하고, 문장을 해석하시오.

(1) Water is the ultimate commons.

➡ _____

(2) Unfortunately, such advertisements are quite typical.

➡ _____

ultimate 궁극적인 commons 공유 자원 typical 전형적인

1주 2일 필수 체크 전략 ①

- 주어 자리에는 명사, 대명사, 명사구가 올 수 있다.
- 인칭대명사가 주어 자리에 올 때, ❶ ⬚ (I, You, She, ...)을 쓴다.
- 동명사(v-ing)와 ❷ ⬚ (to-v)도 명사 역할을 하므로 주어 자리에 올 수 있다.
- 접속사 that, what 등이 이끄는 명사절도 주어 자리에 올 수 있다.
  * 동명사, to부정사, 명사절 주어는 모두 ❸ ⬚ 취급한다.
  * 주어는 주로 앞에 오지만, 「There + is/are + 명사」 구조의 문장에서 처럼 동사 뒤에 올 수도 있다.

  > 명사절은 「that+S+V ~」, 「what+(S+)V ~」 등의 형태로, 주어, 목적어, 보어 역할을 해. (☞ Book 2)

답 ❶ 주격 ❷ to부정사 ❸ 단수

필수 예제

1. 다음 문장의 네모 안에서 어법상 알맞은 것을 고르시오.

(1) He / His opened his wallet.

(2) Bring / Bringing in some cookies once in a while is enough.

(3) What they find most bothersome is / are time.

(4) There is / are many stars in the universe.

Guide

명사 역할을 하는 동명사, to부정사, 명사절은 ❶ ⬚ 자리에 올 수 있고, ❷ ⬚ 취급한다.

답 ❶ 주어 ❷ 단수

확인 문제 **1-1**

다음 문장의 밑줄 친 부분을 어법에 맞게 고치시오.

(1) <u>Her</u> peeled two potatoes.

　➡ _____

(2) <u>Listen</u> is not enough.

　➡ _____

(3) There <u>is</u> limits to the knowledge you have.

　➡ _____

확인 문제 **1-2**

다음 문장의 빈칸에 주어진 단어의 알맞은 형태를 쓰시오.

_____ a comfortable work chair and desk is the least popular choice. (have)

© Getty Images Korea

전략 ❷ | 목적어의 형태에 유의하자.

- 목적어 자리에는 명사, 대명사, 명사구, 명사절이 올 수 있다.
- 주어와 목적어는 다른 대상을 나타내지만, 재귀대명사(-self, -selves)가 오면 ❶ [　　　] 대상을 나타낸다.
- 목적어의 형태는 동사에 따라 달라질 수 있다.

동명사가 ❷ [　　] 로 오는 동사		avoid, enjoy, finish, keep, mind, quit, stop 등
to부정사가 목적어로 오는 동사		agree, decide, expect, hope, plan, refuse, want, vow 등
둘 다 목적어로 오는 동사	의미 차이 없는 것	begin, continue, like, love, hate, start 등
	의미 차이 있는 것	forget, remember, regret, try 등

★ 명사, 대명사, 동명사는 ❸ [　　　] 의 목적어로도 쓰일 수 있다.

답 ❶ 같은 ❷ 목적어 ❸ 전치사

필수 예제

2. 다음 문장의 밑줄 친 부분이 맞으면 ○, 틀리면 X표 하시오.

(1) He launched <u>himself</u> into the air. [○ / X]

(2) We keep <u>search</u> for answers on the Internet. [○ / X]

(3) It automatically stops <u>to run</u> after 8 minutes. [○ / X]

(4) Adjust the volume level by <u>moving</u> the joystick left or right. [○ / X]

Guide

avoid, keep, quit, stop 등의 동사는 ❶ [　　] 가 목적어로 오고, agree, decide 등의 동사는 to부정사가 ❷ [　　] 로 온다.

답 ❶ 동명사 ❷ 목적어

확인 문제

2-1

다음 문장의 빈칸에 주어진 단어의 알맞은 형태를 쓰시오.

(1) She finished _____ the book there. (wirte)

(2) Toby vowed not _____ the boy. (forget)

(3) We do not have to worry about _____. (starve)

확인 문제

2-2

다음 문장에서 어법상 틀린 부분을 찾아 바르게 고치시오.

> She decided becoming an artist.

_____ ➡ _____

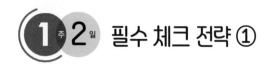

1주 2일 필수 체크 전략 ①

전략 ❸ | 주어 자리의 It에 유의하자.

- '그것'으로 해석하는 It은 대명사이다.

대명사 it과 달리, 비인칭 주어, 가주어, 강조구문의 주어 it은 따로 해석하지 않아.

- 시간, 날짜, 거리, 날씨, 명암 등을 표현하는 문장의 주어 It은 뜻이 없는 ❶ _____ 이다.

- 「It is [was] ~＋to부정사/that절」 형태의 문장에서 주어 It은 문장 뒤의 ❷ _____ 대신 주어 자리에 쓰인 가주어이다.

 * It is [was] ~ that .... 형태의 문장에서 that 뒤가 불완전하면 '…한 것은 바로 ~이다[이었다]'라는 의미의 ❸ _____ 이다.

🔑 ❶ 비인칭 주어 ❷ 진주어 ❸ 강조 구문

필수 예제

3. 밑줄 친 It의 쓰임으로 알맞은 것을 골라 기호를 쓰시오.

| ⓐ 대명사 | ⓑ 가주어 |
| ⓒ 비인칭 주어 | ⓓ 강조 구문의 주어 |

(1) It was the eye of a big dolphin. (　　)

(2) It was a beautiful September morning. (　　)

(3) It is important to identify these issues. (　　)

(4) It is tolerance that protects the diversity. (　　)

Guide

문장 뒤의 ❶ _____ 또는 명사절이 '~하는 것은'으로 해석될 때 주어 자리의 It은 ❷ _____ 이다.

🔑 ❶ to부정사구 ❷ 가주어

확인 문제 3-1

다음 문장의 네모 안에서 어법상 알맞은 것을 고르시오.

(1) [That / It] was August 18, 1999.

(2) It is important [identify / to identify] context related to information.

(3) It is known [it / that] 85% of our brain tissue is water.

확인 문제 3-2

주어진 표현을 바르게 배열하여 우리말을 영어로 옮기시오.

도착 게이트에서 수하물 보관소까지 도착하는 데 약 1분이 걸렸다.

(about a minute / to baggage claim / to get / it / from the arrival gate / took)

➡ _____

_____

© Danny Smythe/shutterstock

전략 ④ | 가목적어 it의 위치에 유의하자.

- 가목적어 it은 「주어 + 동사 + [❶⬚] + 목적격보어」 구조의 5형식 문장에 주로 쓰인다.

- 가목적어 it이 쓰인 문장은 「주어 + 동사 + [❷⬚] + 목적격보어 + to부정사구/that절」의 형태이다.

  * to부정사구의 의미상 주어가 함께 쓰이면 「주어 + 동사 + it + 목적격보어 + for + [❸⬚] + to부정사구」의 형태가 된다.

가목적어 it은 주로 consider, find, make 등의 동사와 함께 쓰이고, 따로 해석하지 않아.

답 ❶ 목적어 ❷ (가목적어) it ❸ 목적격

필수 예제

4. 우리말을 영어로 옮길 때, 가목적어 it이 들어갈 위치로 알맞은 곳의 기호를 쓰시오.

> 그의 반응은 그가 자신의 직감을 믿는다는 것을 분명히 했다.
> → His response (ⓐ) made (ⓑ) clear (ⓒ) that he trusted his gut feeling.

Guide

가목적어 it은 [❶⬚]형식 문장에 주로 쓰이며, 「주어 + 동사 + it + [❷⬚] + 진목적어」의 형태이다.

답 ❶ 5 ❷ 목적격보어

확인 문제

4-1

다음 문장에서 틀린 부분을 찾아 바르게 고치시오.

> You would find it very difficult indeed describe the *inside* of your friend.
> (당신은 친구의 '내면'을 묘사하는 것은 정말로 매우 어렵다는 것을 알게 될 것이다.)

_____ ➡ _____

확인 문제

4-2

〈조건〉에 맞게 우리말을 영어로 옮기시오.

> 그 환자는 더 쉽게 편안해진 것을 발견했다.

〈조건〉
1. 가목적어 it을 사용할 것
2. 주어진 표현을 이용할 것 (단, 필요 시 변형)
  the patient, find, easier, relax

➡ _____

1주 2일 필수 체크 전략 ②

1 (A), (B), (C)의 각 네모 안에서 어법에 맞는 표현을 고르시오.

Black and white, which have a brightness of 0% and 100%, respectively, (A) show / shows the most dramatic difference in perceived weight. In fact, black is perceived to be twice as heavy as white. (B) Carry / Carrying the same product in a black shopping bag, versus a white one, (C) feel / feels heavier. So, small but expensive products like neckties and accessories are often sold in dark-colored shopping bags or cases.

Words

brightness 밝기 respectively 각각 dramatic 극적인 perceive 인식하다 weight 무게
as ~ as ~만큼 …한/…하게 product 상품 versus ~대(對) expensive 값비싼

Tip

(A) 동사는 주어의 수에 일치시켜야 한다.
(B) 문장의 주어 자리이므로 명사 역할을 하는 ❶⬚가 알맞다.
(C) 동명사, to부정사, 명사절 주어는 모두 ❷⬚ 취급한다.

답 ❶ 동명사 ❷ 단수

© MJTH/shutterstock

2 다음 글의 밑줄 친 부분 중, 어법상 틀린 것은?

The good news is, where you end up ten years from now is up to you. You are free to choose what you want to make of your life. It's called *free will* and it's your basic right. What's more, you can turn ① it on instantly! At any moment, you can choose to start ② showing more respect for ③ yourself or stop ④ to hang out with friends who bring you down. After all, you choose ⑤ to be happy or miserable.

Words

end up 결국 ~되다 be free to 자유롭게 ~하다 free will 자유 의지 instantly 즉시
hang out with ~와 시간을 보내다 bring down ~를 힘들게 하다 miserable 끔찍한

Tip

①, ③ 주어와 목적어가 ❶⬚ 대상일 때 재귀대명사를 쓴다.
②, ④, ⑤ stop은 동명사, choose는 to부정사, start는 둘 다 ❷⬚로 온다.

답 ❶ 같은 ❷ 목적어

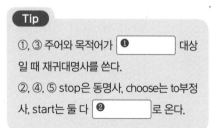

© Kaspars Grinvalds/shutterstock

[3~4] 다음 글을 읽고, 물음에 답하시오.

Words

acoustic 청각의, 소리의
concern 걱정, 염려
complex 복잡한
resource 장비
vital 아주 중요한, 필수적인
deal with 다루다, 처리하다
widespread 광범위한, 폭넓은
equipment 장비
instruction 설명
essential 필수적인
surroundings 환경
eliminate 제거하다
minimum 최소한도, 최저치

Acoustic concerns in school libraries (A) _____(be) much more important and complex today than they were in the past. Years ago, before electronic resources were such a vital part of the library environment, we had only to deal with noise produced by people. Today, the widespread use of computers, printers, and other equipment has added machine noise. People noise has also increased, because group work and instruction are essential parts of the learning process. So, the modern school library (B) _____(be) no longer the quiet zone it once was. Yet libraries must still provide quietness for study and reading, because many of our students want a quiet study environment. Considering this need for library surroundings, (C) 공간을 만드는 것이 중요하다 where unwanted noise can be eliminated or at least kept to a minimum.

© Kzenon/shutterstock

3 (A)와 (B)에 주어진 동사의 알맞은 형태를 쓰시오.

(A) _____ (B) _____

Tip

주어가 단수이면 ❶ [   ] 동사를, 복수이면 ❷ [   ] 동사를 써야 한다.

답 ❶ 단수 ❷ 복수

4 밑줄 친 (C)와 같은 뜻이 되도록 주어진 단어들을 알맞은 순서로 배열하시오.

important / is / spaces / it / to design

➡ _____

Tip

주어진 표현에 to부정사가 있고 '~하는 것이'의 의미이므로, 가주어 it을 ❶ [   ] 자리에 쓰고, 진주어 ❷ [   ]를 맨 뒤에 쓴다.

답 ❶ 주어 ❷ to부정사구

전략 ⑤ │ 주격보어의 형태에 유의하자.

- be동사 뒤에는 명사와, 명사 역할을 하는 동명사, to부정사가 주격보어로 올 수 있고 '∼하는 것이다'로 해석한다.
- 감각동사 look, sound, taste, smell, feel 등의 주격보어 자리에는 형용사가 오고, '❶ [   ]'라는 의미로 부사처럼 해석한다.
- 동사 seem, appear 뒤에는 형용사와 형용사 역할을 하는 ❷ [   ]가 주격보어로 올 수 있고 '∼처럼 보인다/∼인 것 같다'로 해석한다.
- 현재분사(v-ing)와 과거분사(p.p.)는 주격보어로 올 수 있고, 현재분사는 능동(∼한 감정을 느끼게 만드는)의 의미를 나타내고 과거분사는 ❸ [   ](∼한 감정을 느끼는)의 의미를 나타낸다.

📋 ❶ ∼하게 ❷ to부정사 ❸ 수동

---

 5. 다음 문장의 네모 안에서 어법상 알맞은 것을 고르시오.

(1) It sounds cruel / cruelly .

(2) The solution was move / to move the arrival gates away from the baggage claim.

(3) The results never seem coming / to come quickly.

(4) Fluorescent lighting can be tiried / tiring .

Guide

감각동사 sound, taste, feel 등의 주격 보어 자리에는 ❶ [   ]가 온다.

동사 seem, appear 뒤에는 형용사와 ❷ [   ]가 주격보어로 쓰인다.

📋 ❶ 형용사 ❷ to부정사

확인 문제 5-1

다음 문장의 밑줄 친 부분을 어법에 맞게 고치시오.

(1) She feels underline{successfully}.

➡ _____

(2) The best way is underline{live} at the "sweet spot."

➡ _____

(3) It seemed underline{be} smiling.

➡ _____

(4) The judges looked underline{disappointing}.

➡ _____

확인 문제 5-2

다음 문장의 빈칸에 주어진 단어의 알맞은 형태를 쓰시오.

(1) The purpose of setting goals is _____ the game. (win)

(2) Young Mary was _____. (excite)

전략 ❻ 목적격보어의 형태에 유의하자.

- 목적격보어의 형태는 동사에 따라 달라진다.

명사, ❶[ ]가 목적격보어로 오는 동사	호칭(call, name), 생각·인식(consider, find 등), 상태(make, keep)를 나타내는 동사	
to부정사가 목적격보어로 오는 동사	want, force, ask, advise, tell, allow 등	준사역동사 help
원형부정사가 ❷[ ]로 오는 동사	사역동사(make, have, let), 지각동사(see, hear 등)	
현재분사가 목적격보어로 오는 동사	지각동사, keep, leave, find 등 〈능동·진행〉	
과거분사가 목적격보어로 오는 동사	사역동사, keep, leave, find 등 〈❸[ ]·완료〉	

답 ❶ 형용사 ❷ 목적격보어 ❸ 수동

필수예제

6. 다음 문장의 밑줄 친 부분이 맞으면 ○, 틀리면 ✕표하고 바르게 고치시오.

(1) Experts advise people <u>taking</u> the stairs instead of the elevator. ○ / ✕

(2) Let them <u>voice</u> their opinions. ○ / ✕

(3) I heard something <u>moving</u> slowly along the walls. ○ / ✕

(4) We found a generator <u>parking</u> outside of our house. ○ / ✕

Guide

advise, ask 등의 동사는 목적격보어로 ❶[ ]가, 지각동사와 사역동사는 원형부정사 또는 목적어와의 관계에 따라 현재분사, ❷[ ]가 온다.

답 ❶ to부정사 ❷ 과거분사

확인문제

6-1

다음 문장의 빈칸에 주어진 단어의 알맞은 형태를 쓰시오.

(1) He asked the great pianist _____ and play. (come)

(2) Her desperate and urgent voice made Jacob _____ to enter the building instantly. (decide)

(3) You will feel your spirit _____. (lift)

확인문제

6-2

다음 문장에서 어법상 틀린 부분을 찾아 바르게 고치시오.

Emoticons allowed users correctly understand the level of emotion.

_____ ➡ _____

© flower travelin man/shutterstock

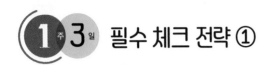
전략 **7** | 수식어(형용사)와 수식 대상을 정확하게 파악하자.

- 형용사는 주어, 목적어, 보어로 쓰인 [**❶**] 를 수식한다.
- to부정사는 [**❷**] 수식어 역할을 하며 '～할/～하는'의 의미로 명사를 뒤에서 수식한다.
- 현재분사는 '능동(～하는)'의 의미로, 과거분사는 '수동(～된)'의 의미로 명사를 수식한다.
- 「전치사 + 명사(구)」 형태의 [**❸**] 는 형용사처럼 명사를 수식할 수 있다.

  e.g. He developed his passion for photography. 〈his passion 수식〉

단독으로 쓰이는 부사는 명사를 앞에서 수식하고, 다른 어구를 동반하는 부사구는 명사를 뒤에서 수식해.

답 ❶ 명사 ❷ 형용사적 ❸ 전치사구

필수예제

7. 다음 문장의 네모 안에서 어법상 알맞은 것을 고르시오.

(1) We look forward to receiving a [positive / positively] reply.

(2) Dorothy Hodgkin became the first woman [receives / to receive] the Copley Medal.

(3) He was a responsible man [dealt / dealing] with an irresponsible kid.

(4) It is based on a story [called / calling] St. Benno and the Frog.

Guide

형용사는 명사를 수식하는 역할을 한다.

현재분사는 [**❶**] 의 의미로, 과거분사는 [**❷**] 의 의미로 명사를 수식한다.

답 ❶ 능동 ❷ 수동

확인문제 7-1

다음 문장의 밑줄 친 부분을 어법에 맞게 고치시오.

(1) She took a <u>quickly</u> bite of one apple.

　➡ ＿＿＿＿＿＿＿

(2) He pointed at a girl <u>walk</u> up the street.

　➡ ＿＿＿＿＿＿＿

(3) Rereading brings <u>renewing</u> understanding of the book.

　➡ ＿＿＿＿＿＿＿

확인문제 7-2

다음 문장의 빈칸에 주어진 단어의 알맞은 형태를 쓰시오.

> Eating together gives employees time ＿＿＿＿＿＿ connections with each other. (make)

(함께 먹는 것은 직원들에게 서로 관계를 맺을 시간을 제공한다.)

© Nejron Photo/shutterstock

전략 ⑧ | 수식어(부사)와 수식 대상을 정확하게 파악하자.

- 부사는 ^❶⬚ , 수식어(형용사, 부사), 문장 전체를 수식한다.
- to부정사는 부사적 수식어 역할을 하며, ^❷⬚ 또는 부사를 수식하거나 '~하기 위해서(목적)', '~해서(감정의 원인)', '~해서 …하다(결과)'의 의미를 나타낸다.
- 전치사구는 장소, 방법 시간 등을 나타내는 ^❸⬚ 수식어로도 쓰인다.

  e.g. He went to a forest. 〈장소〉

🔁 ❶ 동사 ❷ 형용사 ❸ 부사적

필수 예제

8. 밑줄 친 to부정사의 쓰임으로 알맞은 것을 골라 기호를 쓰시오.

> ⓐ 목적　　ⓑ 감정의 원인　　ⓒ 결과　　ⓓ 형용사, 부사 수식

(1) Joshua trees are hard <u>to eat</u> by today's standards. (　　)

(2) You don't need complex sentences <u>to express</u> ideas. (　　)

(3) He was happy <u>to send</u> each of them a check for a hundred dollars. (　　)

Guide

부사적 수식어 역할을 하는 to부정사는 형용사, 부사를 ^❶⬚ 하거나 '~하기 위해서(^❷⬚)', '~해서 (감정의 원인)', '~해서 …하다(결과)'의 의미를 나타낸다.

🔁 ❶ 수식 ❷ 목적

확인 문제

8-1

다음 문장의 네모 안에서 어법상 알맞은 것을 고르시오.

(1) Shirley [near / nearly] dropped her fork on the floor.

(2) A spectator several rows in front stands up [getting / to get] a better view.

(3) A single decision is easy [to ignore / ignore].

확인 문제

8-2

주어진 표현을 바르게 배열하여 우리말을 영어로 옮기시오.

> 그는 자신의 고향으로 가는 장거리 버스표를 사기에 너무 가난했다.
>
> (was / poor / too / to his hometown / for a long-distance bus / he / to buy a ticket)

➡ _____

_____

> 「too+형용사/부사+to부정사」는 '…하기에 너무 ~한/~하게'라는 의미로 자주 쓰이는 표현이야.

1주 3일 필수 체크 전략 ②

1 (A), (B), (C)의 각 네모 안에서 어법에 맞는 표현을 고르시오.

> Over the ten weeks of the study, contributions during the 'eyes weeks' were almost three times higher than those made during the 'flowers weeks.' It was suggested that 'the evolved psychology of cooperation is (A) high / highly sensitive to subtle cues of being watched,' and that the findings may have implications for how to provide (B) effective / effectively nudges toward (C) social / socially beneficial outcomes.

Words

contribution 기부　times ~배　suggest 암시하다　evolve 진전시키다　psychology 심리
cooperation 협력　sensitive 민감한　subtle 미묘한　cue 신호　implication 암시, 함축
nudge (팔꿈치로) 살짝 밀기　beneficial 이로운　outcome 결과

Tip

(A) '매우' 민감하다는 의미가 되어야 자연스럽다.

(B) 뒤에 명사 nudges가 있는 것으로 보아, ❶　　　　　　가 알맞다.

(C) '사회적으로 이익이 되는 성과'라는 의미가 되도록 ❷　　　　　　가 알맞다.

답 ❶ 형용사 ❷ 부사

2 다음 글의 밑줄 친 부분 중, 어법상 틀린 것은?

> Behavioral ecologists have observed clever copying behavior among many of our close animal relatives. One example was uncovered by behavioral ecologists ① studying behavior of a small Australian animal ② called the quoll. Its survival was being threatened by the cane toad, an invasive species ③ introducing to Australia in the 1930s. Scientists fed small groups of quolls toad sausages ④ containing harmless but nausea-inducing chemicals, conditioning them ⑤ to avoid the toads. Groups of these 'toad-smart' quolls were then released back into the wild: they taught their own offspring what they'd learned.

Words

behavioral ecologist 행동 생태학자　observe 관찰하다　relative 동족　uncover 발견하다
quoll 주머니고양이　survival 생존　threaten 위협하다　cane toad 수수두꺼비
invasive species 외래유입종　nausea-inducing 메스꺼움을 유발하는　offspring 새끼

Tip

①~④ 분사가 수식하는 명사와의 관계가 ❶　　　　이면 현재분사를, 수동이면 ❷　　　　를 쓴다.

⑤ condition은 5형식 동사로 쓰일 때 목적격보어 자리에 to부정사가 온다.

답 ❶ 능동 ❷ 과거분사

© Craig Dingle/shutterstock

[3~4] 다음 글을 읽고, 물음에 답하시오.

Every event that causes you to smile makes you (A) _____ (feel) happy and produces feel-good chemicals in your brain. Force your face (B) _____ (smile) even when you are stressed or feel unhappy. The facial muscular pattern produced by the smile is linked to all the "happy networks" in your brain and will in turn naturally calm you down and change your brain chemistry by releasing the same feel-good chemicals. Researchers studied the effects of a genuine and forced smile on individuals during a stressful event. (C) <u>그 연구자들은 실험 참가자들이 스트레스가 심한 과업을 수행하게 했다</u> while not smiling, smiling, or holding chopsticks crossways in their mouths (to force the face to form a smile). The results of the study showed that smiling, forced or genuine, during stressful events reduced the intensity of the stress response in the body and lowered heart rate levels after recovering from the stress.

Words

cause ~으로 하여금 …하게 하다
produce 생산하다
chemical 화학 물질
muscular 근육의
chemistry 화학, 화학 반응
release 내보내다, 방출하다
genuine 진짜의
intensity 강도
stress response 스트레스 반응
heart rate 심장 박동률
task 과업
perform 수행하다

© Oksana Mizina/shutterstock

3 (A)와 (B)에 주어진 동사의 알맞은 형태를 쓰시오.

(A) _____　　(B) _____

Tip
사역동사 make의 목적격보어 자리에는 ❶ [　　　] 가 오고, allow, force 등의 목적격보어 자리에는 ❷ [　　　] 가 온다.

답 ❶ 원형부정사 ❷ to부정사

4 밑줄 친 (C)와 같은 뜻이 되도록 주어진 단어들을 알맞은 순서로 배열하시오.

> had / stressful tasks / the researchers / participants / perform

➡ _____

Tip
주어진 표현에 사역동사와 원형부정사가 있으므로 「주어+동사+❶ [　　　]+목적격보어」 순으로 쓴다. 사역동사의 ❷ [　　　] 자리에는 원형부정사가 온다.

답 ❶ 목적어 ❷ 목적격보어

대표 예제 1

다음 문장의 네모 안에서 각각 알맞은 것을 골라 쓰시오.

(1) Help / Helping needy people all day is not easy, but (2) it give / gives me joy.

(1) _____ (2) _____

> 이 문장에는 주어가 2개야. 등위접속사 but으로 두 개의 절이 연결되어 있어.

개념 Guide

주어 자리에는 명사와 ❶[ ], 명사 역할을 하는 ❷[ ], to부정사, 그리고 명사절이 올 수 있다.

🖹 ❶ 대명사 ❷ 동명사

대표 예제 2

우리말과 일치하도록 할 때 괄호 안에 주어진 동사의 알맞은 형태는?

우리는 종종 하나의 옳은 답을 찾으려고 노력한다.
➡ We often try _____(find) one correct answer.

① find   ② finds   ③ found

④ finding   ⑤ to find

개념 Guide

「try + ❶[ ]」는 '~하려고 노력하다'의 의미이고, try + ❷[ ]는 '시험 삼아 한번 ~해보다'의 의미이다.

🖹 ❶ to부정사 ❷ 동명사

대표 예제 3

다음 문장에서 어법상 틀린 부분을 찾아 바르게 고치시오.

(1) Creativity is just connect things.
(2) I felt nervously and worried.

(1) _____ ➡ _____
(2) _____ ➡ _____

개념 Guide

주격보어 자리에는 명사, 대명사, ❶[ ], 동명사 또는 ❷[ ], 현재분사, 과거분사가 쓰인다.

🖹 ❶ to부정사 ❷ 형용사

대표 예제 4

다음 밑줄 친 부분 중 어법상 어색한 것은?

① It helps the grass grow freely.

② I heard someone come up behind me.

③ This allows you turn the kite quickly.

④ It lets me reach my friends anytime, anywhere.

⑤ The interaction between these four forces makes airplanes fly.

개념 Guide

지각동사, 사역동사, help는 목적격보어로 ❶[ ]가 올 수 있지만, allow는 목적격보어로 ❷[ ]가 온다.

🖹 ❶ 원형부정사 ❷ to부정사

대표 예제 5

다음 빈칸에 들어갈 말이 순서대로 바르게 짝지어진 것은?

> Club activities help you _____ people and make _____ easier to become friends with them.

① meet – that

② meet – it

③ meeting – that

④ meeting – it

⑤ to meet – that

© Syda Productions/shutterstock

개념 Guide

준사역 동사 help는 목적격보어로 **❶**　와 to부정사가 올 수 있다. **❷**　은 진목적어를 대신해 목적어 자리에 쓰인다.

답 ❶ 원형부정사 ❷ 가목적어 it

대표 예제 6

다음 문장의 빈칸에 주어진 단어의 알맞은 형태를 쓰시오.

> (1) He was a volunteer _____(teach) Korean to immigrants at the center.
>
> (2) The rest of the crew gets aboard a spaceship _____ (call) *Hermes*.

(1) _____　　(2) _____

개념 Guide

분사가 명사를 수식할 때, 수식받는 명사와 분사의 관계가 능동이면, **❶**　를 수동이면 **❷**　를 쓴다.

답 ❶ 현재분사 ❷ 과거분사

대표 예제 7

다음 글의 밑줄 친 우리말을 주어진 표현을 이용하여 조건에 맞게 영작하시오.

> A kite flies in the same way as an airplane does. To make a kite fly, <u>때로는 여러분의 뒤쪽에 그것을 둔 채로 뛰는 것이 필요하다.</u> This creates lift and pushes the kite up. Once the kite gets up in the sky where the wind is strong enough, you can stop running, and the kite will fly.

> sometimes, necessary, run, with, behind

조건 •
---
1. 가주어 it을 사용할 것

2. 필요하면 단어의 형태를 바꿔 쓸 것

➡ _____

_____

© Sergey Novikov/shutterstock

개념 Guide

to부정사구나 명사절이 주어로 오면, 그 자리에 **❶**　을 쓰고 진주어를 문장 뒤로 보낸다. 이때의 it은 해석하지 않고 **❷**　를 주어로 해석한다.

답 ❶ 가주어 it ❷ 진주어

대표 예제 8

다음 문장에서 어법상 어색한 부분을 찾아 바르게 고치시오.

> Lots of people enjoy riddles because they offer a chance think in fun ways.

_____ ➡ _____

> because가 이끄는 부사절이 「주어+동사+목적어 ~」 형태의 완전한 구조를 이루고 있어.

개념 Guide

'~할'의 의미로 [❶ _____]를 뒤에서 수식하는 형용사적 수식어로 [❷ _____]가 알맞다.

답 ❶ 명사 ❷ to부정사

대표 예제 9

우리말과 같도록 주어진 표현을 바르게 배열하시오.

> 나는 그들의 행복한 표정을 보니 기뻤다.
> (their happy faces / was delighted / I / to see)

➡ _____

_____

개념 Guide

부사적 수식어 역할을 하는 [❶ _____]는 '~해서'라는 의미로 [❷ _____]을 나타낼 수 있다.

답 ❶ to부정사 ❷ 감정의 원인

대표 예제 10

다음 글의 밑줄 친 우리말을 주어진 표현을 이용하여 조건에 맞게 영작하시오.

© tmcphotos/shutterstock

> Speaker A appeals to tradition to back up her opinion. However, tradition cannot be the basis for our judgment. <u>무엇인가를 오랫동안 하는 것이 그것이 옳다는 것을 보장하지는 않는다.</u> In other words, making friends face to face, which is the traditional way, cannot be the reason to reject social media.

> do, something, for a long time, guarantee

조건 •
1. 동명사를 포함하여 부정문으로 쓸 것
2. 필요하면 단어의 형태를 바꿔 쓸 것

➡ _____

_____ it is correct.

개념 Guide

'~하는 것은'으로 해석하는 [❶ _____] 주어는 단수 취급하므로 [❷ _____] 동사가 와야 한다.

답 ❶ 동명사 ❷ 단수

대표 예제 11

다음 글의 밑줄 친 부분 중, 어법상 틀린 것을 찾아 바르게 고쳐 쓰시오.

> Mina ① is a high school student. Her dream is ② to become a comics artist, so ③ she joins an after-school art program. However, after a few weeks, she starts ④ skipping classes. Mr. Jo, the art teacher, asks her ⑤ come to the art classroom for a talk.

© Getty Images Korea

_____ , _____ ➡ _____

주어, 목적어, 보어 자리에 오는 것들이 무엇인지 잘 생각해 봐.

개념 Guide

ask, allow 등의 동사는 목적격보어로 ❶ [ ]가 오고, 사역동사는 목적격보어로 ❷ [ ]가 온다.

답 ❶ to부정사 ❷ 원형부정사

대표 예제 12

(A), (B), (C)의 각 네모 안에서 어법에 맞는 표현으로 가장 적절한 것은?

> The word "mentor" originates from Homer's *Odyssey*. Odysseus, King of Ithaca, had to leave home (A) [fight / to fight] in the Trojan War. Before he left, he asked an old, wise, trusted friend, Mentor, (B) [to take / taking] care of his son, Telemachus. While King Odysseus was away, Mentor was a friend and a teacher to Telemachus. Thus, Telemachus grew up (C) [being / to be] a fine young man.

	(A)		(B)		(C)
①	fight	……	taking	……	being
②	to fight	……	taking	……	to be
③	fight	……	taking	……	to be
④	to fight	……	to take	……	to be
⑤	fight	……	to take	……	being

개념 Guide

(A) 목적을 나타내는 ❶ [ ]가 알맞다. (B) 동사 ask가 쓰였으므로 목적격보어로 ❷ [ ]가 와야 한다. (C) 결과를 나타내는 to부정사가 알맞다.

답 ❶ to부정사 ❷ to부정사

01 다음 글의 빈칸에 알맞은 것을 <u>모두</u> 고르면?

> I heard my mother _____ sorry to my father for the burnt bread.

① say

② says

③ saying

④ said

⑤ was said

Tip

hear는 ❶ _____ 로 목적격보어 자리에 ❷ _____ 또는 현재분사가 온다.

🖆 ❶ 지각동사 ❷ 원형부정사

02 다음 중 어법상 <u>어색한</u> 문장은?

① There are six extra space suits in perfect condition.

② The homeroom teacher looked very strictly.

③ Telemachus was able to protect himself in times of difficulty.

④ Dad showed me a wonderful picture of the Northern Lights.

⑤ The keystone makes the whole arch stay strong.

Tip

주격보어 자리에는 명사와 ❶ _____ 가 올 수 있다. 부사는 ❷ _____ 로만 쓰이며 주어, 목적어, 보어 자리에 올 수 없다.

🖆 ❶ 형용사 ❷ 수식어

03 다음 빈칸에 알맞은 말이 순서대로 짝지어진 것은?

> • It warns people about the dog sleds _____ through this area.
> • She gave me a thank you note _____ in Korean.

① passed – write

② passed – writing

③ passing – writing

④ passing – written

⑤ to pass – written

Tip

'통과하는'의 의미로 the dog sleds를 수식하는 ❶ _____ 와 '쓰여 진'의 의미로 a thank you note를 수식하는 ❷ _____ 가 알맞다.

🖆 ❶ 현재분사 ❷ 과거분사

04 다음 중 빈칸에 알맞은 동사의 형태가 나머지 넷과 <u>다른</u> 것은?

① You need to keep _____ new things. (learn)

② I couldn't stop _____ about her rudeness. (think)

③ I wanted _____ to Emma. (talk)

④ Creativity is the result of _____ differently. (think)

⑤ I am enjoying _____ the books more and more. (read)

Tip

keep, stop, enjoy는 목적어로 ❶ _____ 가 오고, want는 목적어로 ❷ _____ 가 온다.

🖆 ❶ 동명사 ❷ to부정사

05 다음 문장에서 어법상 **틀린** 부분을 찾아 바르게 고치시오.

> You may find some of them difficult understanding.

_____ ➡ _____

Tip
'~하기에 …한'의 의미로 **❶**[　　] difficult를 뒤에서 수식하는 **❷**[　　]가 필요하다.

📋 ❶ 형용사 ❷ to부정사

06 다음 우리말과 같도록 빈칸 (A), (B)에 주어진 동사의 알맞은 형태를 쓰시오.

© Photo Melon/shutterstock

100cm 꼬리와 같이 더 긴 꼬리를 추가하는 것은 연이 잘 날도록 도와줄 수 있다.

➡ (A) _____(add) a longer tail, such as a 100 cm tail, can help the kite (B) _____(fly) well.

(A) _____　　(B) _____

Tip
주어 자리에는 **❶**[　　] 또는 to부정사가 올 수 있고, 준사역동사 help의 목적격보어 자리에는 원형부정사 또는 **❷**[　　]가 올 수 있다.

📋 ❶ 동명사 ❷ to부정사

[07 ~ 08] 다음 글을 읽고, 물음에 답하시오.

> When I started high school, I was caught up in popularity contests. I often spent all my pocket money ⓐ <u>buying</u> snacks for my classmates. To make friends with the "cool kids," I often acted as if I were the kind of person they wanted me ⓑ <u>be</u>. I was afraid to show my true self. However, it did not take long ⓒ <u>to learn</u> that all the effort was useless. When I was in the hospital for two weeks, not one of the kids I had tried ⓓ <u>to impress</u> visited me. To my surprise, the two quiet boys I had barely talked to came and cheered me up. I learned an important lesson: ⓔ <u>pretending</u> to be someone else does you no good. (A) (<u>better / and show / is / yourself / it / your true colors / to be</u>).

07 윗글의 밑줄 친 ⓐ~ⓔ 중, 어법상 **틀린** 것을 찾아 바르게 고쳐 쓰시오.

_____ , _____ ➡ _____

Tip
want는 목적격보어로 **❶**[　　]가 오고 지각동사와 사역동사는 **❷**[　　]가 온다.

📋 ❶ to부정사 ❷ 원형부정사

08 밑줄 친 (A)의 표현을 바르게 배열하시오.

➡ _____

_____

Tip
가주어 **❶**[　　]을 문장 앞에 쓰고, 진주어 to부정사 구를 문장 **❷**[　　]에 쓴다.

📋 ❶ it ❷ 뒤

01 다음 빈칸에 들어갈 말이 순서대로 바르게 짝지어진 것은?

> _____ the ability to take care of oneself without _____ on others was considered a requirement for everyone.

① Have — depend

② Have — depending

③ Having — depending

④ Having — to depend

⑤ To have — to depend

02 다음 빈칸에 알맞은 말을 모두 고르면?

> Unlike other famous companies, they _____ to set their own pace.

① quitted　　② wanted　　③ avoided

④ minded　　⑤ decided

03 우리말을 참고하여 네모 안에서 알맞은 말을 고르시오.

> He taught him / himself mathematics, natural philosophy and various languages.
> (그는 수학, 자연 철학, 그리고 다양한 언어를 독학했다.)

04 우리말과 같도록 주어진 표현을 바르게 배열하시오.

> 결정적인 한순간의 중요성을 과대평가하기는 매우 쉽다.
> (one defining moment / is / so easy / it / the importance of / to overestimate)

➡ _____

_____

주어진 표현에 it과 to부정사가 포함되어 있어. 둘의 관계를 파악하고 위치를 정해야 해.

05 다음 문장의 밑줄 친 부분 중 어법상 틀린 것은?

① It <u>is</u> a smooth exchange.

② Fortunately, now there <u>are</u> food labels.

③ The principles of gradual exposure <u>is</u> still very useful.

④ Babies <u>have</u> poor eyesight.

⑤ Volunteering <u>helps</u> to reduce loneliness in two ways.

06 다음 문장의 네모 안에서 알맞은 말을 고르고, 해석을 완성하시오.

> Sometimes we make eye contact through the rearview mirror, but it feels weak / weakly .

➡ _____

➡ 때때로 우리는 백미러를 통해 시선을 마주치지만, 그것은 _____ 느껴진다.

07 다음 문장에서 어법상 틀린 부분을 찾아 바르게 고치시오.

© Syda Productions/shutterstock

> Providing an occasional snack or paying for a lunch now and then can make the office to feel more welcoming.

_____ ➡ _____

08 다음 밑줄 친 동사를 알맞은 형태로 고치시오.

> One of the most important aspects of (A) <u>provide</u> good care is (B) <u>make</u> sure that an animal's needs are being met consistently and predictably.

(A) _____ (B) _____

09 다음 문장에서 밑줄 친 부분을 수식하는 어구를 찾아 쓰시오.

© Dean Drobot/shutterstock

> <u>Time pressures</u> to make these last-minute changes can be a source of stress.

➡ _____

10 다음 글의 네모 안에서 각각 알맞은 말을 골라 쓰시오.

> One such emergency involved a leak in the pipe (A) supplied / supplying water to the camp. The researchers assigned the boys to teams (B) made / making up of members of both groups. Their job was to look into the pipe and fix the leak.

(A) _____ (B) _____

창의·융합·코딩 전략 ①

A 알맞은 단어 조각을 골라 문장을 완성하시오.

1 My wife and I

□ are

□ am

residents of the Lakeview Senior Apartment Complex.

2 There

□ is

□ are

many evolutionary or cultural reasons for cooperation.

3 Young children

□ express

□ expresses

themselves creatively.

4 Having friends with other interests

□ keep

□ keeps

life interesting.

> **Tip**
>
> 문장의 주어가 ❶ [   ]이면 단수 동사를, 복수이면 ❷ [   ] 동사를 쓴다. 동명사 주어는 단수 취급한다.
>
> 답 ❶ 단수 ❷ 복수

B 두 사람 중 어법상 바르게 말한 사람에 표시하시오.

1

□ Jenny

> Eventually, he gives up and decides to call in an expert.

> Eventually, he gives up and decides calling in an expert.

□ Paul

2

□ Chris

> The young man kept to question him.

> The young man kept questioning him.

□ Emily

3

□ Betty

> A frog gets part of its oxygen by to breathe through its skin.

> A frog gets part of its oxygen by breathing through its skin.

□ Ron

> **Tip**
>
> decide는 목적어 자리에 [❶   ]가 오고, keep은 동명사가 온다. 전치사의 목적어 자리에는 [❷   ]가 온다.
>
> 답 ❶ to부정사 ❷ 동명사

창의·융합·코딩 전략 ②

C 구조에 맞게 주어진 표현을 바르게 배열하여 문장을 완성하시오.

1

S	V	O	C(원형부정사구)
웃음 이모티콘을 사용하는 것은	만든다	당신이	무능력하게 보이게

look / smiley faces / makes / using / incompetent / you

2

M	S	V	O	C(to부정사구)
불행하게도,	자동차 사고 부상이	~하도록 했다	그녀가	그녀의 일을 그만두도록

her career / unfortunately, / her / forced / a car accident injury / to end

3

S	V	O	C(현재분사구)
나는	보았다	새로 출시된 휴대 전화가	바로 내 옆에 놓여 있는 것을

me / saw / sitting / next to / right / a brand new cell phone / I

> **Tip**
> 목적어를 보충 설명하는 **❶**〔　　　〕는 「주어 + 동사 + 목적어 + 목적격보어」의 형태로 **❷**〔　　　〕 뒤에 쓰인다.
>
> 답 ❶ 목적격보어 ❷ 목적어

D 각 사람이 하는 말과 일치하도록 알맞은 카드를 두 개씩 골라 문장을 완성하시오.

1  그녀는 직접 그를 만나게 되어 감격했어.

➡ _____

2  저는 여러분에게 한 프로젝트에 관해 이야기하기 위해 이 자리에 나왔습니다.

➡ _____

3  약 40억 년 전에 분자는 서로 결합해서 세포를 형성했어.

➡ About four billion years ago, _____.

She was thrilled	to form cells
molecules joined together	to see him in person
I am here	to talk to you about a project

> **Tip**
> to부정사는 '~하기 위해서(❶ 목적)', '~해서(감정의 원인)', '~해서 …하다(결과)'의 의미를 나타내는 부사적 ❷ 수식어 로 쓰인다.
> 답 ❶ 목적 ❷ 수식어

2주 동사 : 시제와 태

❶ The chemical formula for water is H₂O.

❶ 물의 화학식은 H₂O입니다.

❷ Dinosaurs existed around 200 million years ago.

❷ 공룡들은 약 2억 년쯤 전에 존재했습니다.

❸ Our brains are constantly solving problems.

❸ 우리의 뇌는 끊임없이 문제를 해결하고 있다.

❹ We have successfully raised enough money.

❹ 우리는 성공적으로 충분한 돈을 모았습니다.

❺ A wild animal attacked them.

❻ They were attacked by a wild animal.

❺ 야생 동물이 그들을 공격했다.
❻ 그들은 야생 동물에 의해 공격당했다.

❼ The phone is being ignored.

❼ 휴대 전화가 무시되고 있다.

❽ Central America has been hit by a series of hurricanes.

❽ 중앙아메리카는 일련의 허리케인에 의해 심하게 피해를 당했습니다.

❾ That shelf is filled with healthy snacks.

❾ 저 선반은 건강에 좋은 간식들로 가득 차 있어.

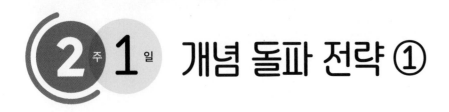

2주 1일 개념 돌파 전략 ①

개념 ❶ | 단순 시제: 현재/과거/미래

> | 주어 | + | am [are, is]/was [were]/will be |
>
> | 주어 | + | 동사원형(+(e)s)/동사원형 + (e)d/will + 동사원형 |

- 현재 시제는 현재의 동작이나 상태, 반복적인 습관, [❶   ] 등을 나타낸다.
- 과거 시제는 과거의 동작이나 상태, [❷   ] 등을 나타낸다.
- 미래 시제는 미래에 일어날 일에 대한 계획이나 예측 등을 나타낸다.
- 현재/과거/미래 시제는 '~하다/~했다/~할 것이다'로 해석한다.

답 ❶ 불변의 진리 ❷ 역사적 사실

Quiz 1

다음 문장의 시제는?

> 전화벨이   울렸다
> The phone / rang.
>   ∨

① 현재
② 과거
③ 미래

답 ②

개념 ❷ | 진행형: 현재/과거/미래 진행

> | 주어 | + | am [are, is]/was [were]/will be + v-ing |

- 진행형은 현재/과거/미래의 특정 시점에 [❶   ] 인 일을 나타낸다.
- 진행형은 「be + v-ing」의 형태이고, '~하고 있다/~하고 있었다/~하고 있을 것이다'로 해석한다.
- be동사 뒤의 v-ing는 동사원형에 -ing를 붙인 [❷   ] 로, 진행의 의미를 나타낸다.

답 ❶ 진행 중 ❷ 현재분사

Quiz 2

다음 문장의 시제는?

> 그녀는   청소하고 있다   그녀의 방을
> She / is cleaning / her room.
>   ∨

① 현재진행
② 과거진행
③ 미래진행

답 ①

개념 ❸ | 완료형: 현재/과거/미래 완료

> | 주어 | + | have [has]/had/will have + p.p. |

- 완료 시제는 두 시점을 연결하여 이전 시점에 시작된 일이 나중 시점까지 [❶   ] 을 미치고 있음을 나타낸다.
- 완료형은 「have [has]/had + p.p.」의 형태이고, 완료(막 ~했다), 경험(~해 본 적이 있다), [❷   ] (~해 왔다), 결과(~해 버렸다) 등의 의미이다.

답 ❶ 영향 ❷ 계속

Quiz 3

다음 문장의 시제는?

> 그는   잃어버렸다   그의 열쇠를
> He / has lost / his key.
>   ∨

① 현재완료
② 과거완료
③ 미래완료

답 ①

1-1

다음 문장의 시제를 고르고, 우리말 해석을 완성하시오.

> The earth is round. (<u>현재</u> / 과거)
> ➡ 지구는 __둥글다__ .

Guide 불변의 진리는 ❶ [　　　　] 시제(~이다/~하다)로 나타내고, 역사적 사실은 ❷ [　　　　] 시제(~이었다/~했다)로 나타낸다.

📖 ❶ 현재 ❷ 과거

1-2

다음 문장의 시제를 고르고, 우리말 해석을 완성하시오.

> King Sejong invented *hangeul* in 1443. (과거 / 미래)
> ➡ 세종대왕은 1443년에 한글을 _____ .

invent 발명하다
hangeul 한글

2-1

다음 문장의 시제를 고르고, 우리말 해석을 완성하시오.

> Two puppies are running around on the sofa.
> (현재 / <u>현재진행</u>)
> ➡ 강아지 두 마리가 소파 위에서 __뛰어다니고 있다__ .

Guide 현재/과거/미래 진행형은 특정 시점에 ❶ [　　　　]인 일을 나타내고, ❷ [　　　　]/~하고 있었다/~하고 있을 것이다'로 해석한다.

📖 ❶ 진행 중 ❷ ~하고 있다

2-2

다음 문장의 시제를 고르고, 우리말 해석을 완성하시오.

> My younger brother was snoring loudly then.
> (과거 / 과거진행)
> ➡ 내 남동생은 그때 심하게 _____ .

snore 코를 골다

3-1

다음 문장의 시제를 고르고, 우리말 해석을 완성하시오.

> Amy and Jenny have known each other since 2012. (현재 / <u>현재완료</u>)
> ➡ Amy와 Jenny는 2012년부터 서로를 __알아 왔다__ .

Guide 현재/과거/미래 완료는 ❶ [　　　　]에 시작된 일이 나중 시점까지 ❷ [　　　　]을 미치고 있음을 나타낸다.

📖 ❶ 이전 시점 ❷ 영향

3-2

밑줄 친 부분의 시제를 고르고, 우리말 해석을 완성하시오.

> I <u>had just finished</u> my chemistry assignment when dinner was ready. (과거 / 과거완료)
> ➡ 저녁이 준비되었을 때, 나는 화학 과제를 막 _____ .

chemistry 화학
assignment 과제

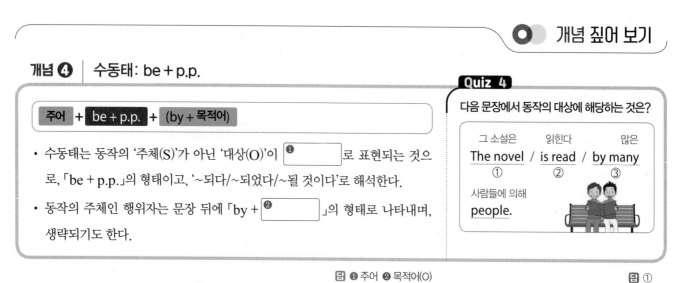

개념 짚어 보기

개념 ❹ | 수동태: be + p.p.

| 주어 | + | be + p.p. | + | (by + 목적어) |

- 수동태는 동작의 '주체(S)'가 아닌 '대상(O)'이 ❶[   ]로 표현되는 것으로, 「be + p.p.」의 형태이고, '~되다/~되었다/~될 것이다'로 해석한다.
- 동작의 주체인 행위자는 문장 뒤에 「by + ❷[   ]」의 형태로 나타내며, 생략되기도 한다.

Quiz 4

다음 문장에서 동작의 대상에 해당하는 것은?

그 소설은 · · · · 읽힌다 · · · · 많은
The novel / is read / by many
① ② ③
사람들에 의해
people.

답 ❶ 주어 ❷ 목적어(O)　　답 ①

개념 ❺ | 수동태의 진행형, 완료형

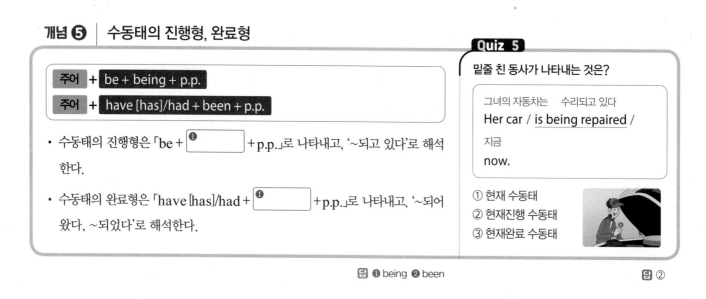

| 주어 | + | be + being + p.p. |
| 주어 | + | have [has]/had + been + p.p. |

- 수동태의 진행형은 「be + ❶[   ] + p.p.」로 나타내고, '~되고 있다'로 해석한다.
- 수동태의 완료형은 「have [has]/had + ❶[   ] + p.p.」로 나타내고, '~되어 왔다, ~되었다'로 해석한다.

Quiz 5

밑줄 친 동사가 나타내는 것은?

그녀의 자동차는 · · · 수리되고 있다
Her car / is being repaired /
지금
now.

① 현재 수동태
② 현재진행 수동태
③ 현재완료 수동태

답 ❶ being ❷ been　　답 ②

개념 ❻ | 수동태와 함께하는 전치사

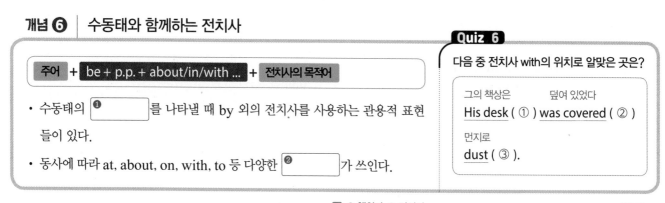

| 주어 | + | be + p.p. + about/in/with ... | + | 전치사의 목적어 |

- 수동태의 ❶[   ]를 나타낼 때 by 외의 전치사를 사용하는 관용적 표현들이 있다.
- 동사에 따라 at, about, on, with, to 등 다양한 ❷[   ]가 쓰인다.

Quiz 6

다음 중 전치사 with의 위치로 알맞은 곳은?

그의 책상은 · · · · · · 덮여 있었다
His desk (①) was covered (②)
먼지로
dust (③).

답 ❶ 행위자 ❷ 전치사　　답 ②

4-1

다음 문장에서 수동태 동사에 밑줄을 긋고, 우리말 해석을 완성하시오.

> New articles <u>are posted</u> on this website every day.
> ➡ 새로운 기사들이 매일 이 웹 사이트에 <u>게시된다</u> .

Guide 수동태는 동작의 ❶[ ]이 주어로 표현된 문장이다. 동사는 「be + ❷[ ]」 형태이고, '~되다/~되었다/~될 것이다'로 해석한다.

🗝 ❶ 대상 ❷ p.p.

4-2

다음 문장에서 수동태 동사에 밑줄을 긋고, 우리말 해석을 완성하시오.

> The suit was made by a famous tailor.
> ➡ 그 정장은 유명한 재봉사에 의해서 _____ .

suit 정장
tailor 재봉사

5-1

다음 문장에서 수동태 동사에 밑줄을 긋고, 우리말 해석을 완성하시오.

> A lot of new houses <u>are being built</u> in my town.
> ➡ 우리 마을에 많은 새 집들이 <u>지어지고 있다</u> .

Guide 「be + being + p.p.」는 수동태의 ❶[ ]이고, 완료형은 「have [has]/had + been + ❷[ ]」 이다.

🗝 ❶ 진행형 ❷ p.p.

5-2

다음 문장에서 수동태 동사에 밑줄을 긋고, 우리말 해석을 완성하시오.

> The highway construction will be completed in 3 years.
> ➡ 고속도로 공사는 3년 후에는 _____ .

highway 고속도로
construction 공사

6-1

다음 문장에서 수동태와 전치사에 밑줄을 긋고, 우리말 해석을 완성하시오.

> She <u>was satisfied with</u> her new car.
> ➡ 그녀는 자신의 새 차에 <u>만족했다</u> .

Guide 수동태의 ❶[ ]를 나타낼 때 특정 동사 뒤에는 by 이외에 at, on, with 등 다양한 ❷[ ]가 온다.

🗝 ❶ 행위자 ❷ 전치사

6-2

다음 문장에서 수동태와 전치사에 밑줄을 긋고, 우리말 해석을 완성하시오.

> His opinion was based on a trustworthy source.
> ➡ 그의 의견은 신뢰할 수 있는 출처에 _____ .

opinion 의견
be based on ~에 근거하다
trustworthy 신뢰할 수 있는

Example

> The earth **moves** around the sun.
> V(현재)

- 구문 불변의 진리를 나타내는 **❶** ⬜ 시제 문장이다. 현재/과거/미래 시제는 '~하다/~했다/~할 것이다'로 해석한다.
- 해석 지구는 태양 주위를 **❷** ⬜ .

답 ❶ 현재 ❷ 돈다

1

동사에 밑줄을 긋고, 문장을 해석하시오.

(1) He was diligent and punctual.

➡ _____

(2) Janet will go on a business trip to Australia next month.

➡ _____

diligent 부지런한 punctual 시간을 잘 지키는

Example

> People **are shooting** a movie at the park.
> V(현재진행)

- 구문 「be + v-ing」 형태의 **❶** ⬜ 이 쓰였다. 진행형은 '~하고 있다/~하고 있었다/~할 것이다'의 의미를 나타낸다.
- 해석 사람들이 공원에서 영화를 **❷** ⬜ .

답 ❶ 진행형 ❷ 촬영하고 있다

2

진행형 동사에 밑줄을 긋고, 문장을 해석하시오.

(1) I was ordering some food over the phone then.

➡ _____

(2) My grandmother will be harvesting the crops this fall.

➡ _____

order 주문하다 harvest 수확하다 crop 농작물

Example

> I **have watched** this musical before.
> V(현재완료)

- 구문 「have [has]/had + p.p.」 형태의 **❶** ⬜ 시제가 쓰였다. 완료 시제는 완료, 계속, 경험, 결과 등을 나타낸다.
- 해석 나는 전에 이 뮤지컬을 **❷** ⬜ .

답 ❶ 완료 ❷ 본 적이 있다

3

완료형 동사에 밑줄을 긋고, 문장을 해석하시오.

(1) The bank robbers had escaped before the police officers arrived.

➡ _____

(2) We will have fixed your car by 5 p.m. tomorrow.

➡ _____

bank robber 은행 강도 escape 달아나다

Example

Some diseases **are caused** by bacteria.
V(현재 수동태)

- 구문 「be + p.p.」 형태의 ❶ [＿＿＿＿] 문장으로, 주어는 동작의 대상이고, 문장 뒤의 「by + 목적어」가 동작의 주체이다.
- 해석 어떤 질병들은 박테리아에 의해 ❷ [＿＿＿＿].

🔑 ❶ 수동태 ❷ 유발된다

4

수동태 동사에 밑줄을 긋고, 문장을 해석하시오.

(1) The teacher was impressed by her answer.
➡ ＿＿＿＿＿＿＿＿＿＿＿＿＿＿＿＿＿

(2) The audition will be held in the auditorium.
➡ ＿＿＿＿＿＿＿＿＿＿＿＿＿＿＿＿＿

impress 깊은 인상을 주다 auditorium 강당

Example

A girl **is being chased** by a furious dog.
V(현재진행 수동태)

- 구문 현재진행 수동태가 쓰였다. 수동태의 진행형은 「be + ❶ [＿＿＿] + p.p.」로, 수동태의 완료형은 「have [has] had + been + p.p.」로 나타낼 수 있다.
- 해석 한 소녀가 사나운 개에게 ❷ [＿＿＿＿].

🔑 ❶ being ❷ 쫓기고 있다

5

수동태 동사에 밑줄을 긋고, 문장을 해석하시오.

(1) All the rooms were being occupied.
➡ ＿＿＿＿＿＿＿＿＿＿＿＿＿＿＿＿＿

(2) X-ray machines have been used by doctors.
➡ ＿＿＿＿＿＿＿＿＿＿＿＿＿＿＿

occupy 사용하다

Example

The whole mountain **is covered with** autumn leaves.
수동태 + 전치사

- 구문 수동태 동사 뒤에 by가 아닌 다른 ❶ [＿＿＿] 가 쓰인 관용적 표현이다.
- 해석 산 전체가 단풍으로 ❷ [＿＿＿＿].

🔑 ❶ 전치사 ❷ 덮여 있다

6

수동태와 전치사에 밑줄을 긋고, 문장을 해석하시오.

(1) She was worried about the surgery.
➡ ＿＿＿＿＿＿＿＿＿＿＿＿＿＿＿＿＿

(2) Customers were satisfied with our new products.
➡ ＿＿＿＿＿＿＿＿＿＿＿＿＿＿＿＿＿

surgery 수술 customer 고객 satisfy 만족시키다

2주 2일 필수 체크 전략 ①

전략 ① │ 현재/과거/미래 시제를 알아두자.

- 동사는 크게 be동사와 [①＿＿＿＿]로 나뉜다.
- 동사의 형태로 현재, 과거, 미래 시제를 나타낼 수 있다.

현재	am/are/is, 동사원형/동사원형＋(e)s	~이다, ~하다
과거	was/were, 동사원형＋(e)d/불규칙	~이었다, ~했다
미래	will be, will＋동사원형	~일 것이다, ~할 것이다

- be동사는 주어와 [②＿＿＿＿]에 따라 am/are/is 또는 was/were를 구별하여 쓴다.
- 주어가 [③＿＿＿＿]일 때 일반동사의 현재형은 「동사원형＋(e)s」이다.

계획된 미래를 나타낼 때 「be going to+동사원형」도 쓸 수 있어.

답 ❶ 일반동사 ❷ 시제 ❸ 3인칭 단수

필수 예제

1. 다음 문장의 네모 안에서 어법상 알맞은 것을 고르시오.

(1) The colors' roles ⃞ isn't / aren't ⃞ always obvious.

(2) The brain ⃞ use / uses ⃞ 20 percent of our energy.

(3) In 1824, Peru ⃞ wons / won ⃞ its freedom from Spain.

(4) Your subscription to *Winston Magazine* ⃞ will end / will ends ⃞ soon.

Guide

동사는 주어와 [①＿＿＿]에 따라 형태가 달라진다. 주어가 3인칭 단수이고, [②＿＿＿] 시제일 때 일반동사는 「동사원형＋(e)s」를 쓴다.

답 ❶ 시제 ❷ 현재

확인 문제 1-1

다음 문장의 밑줄 친 부분을 어법에 맞게 고치시오.

(1) Most of us <u>is</u> suspicious of rapid cognition.

　➡ ＿＿＿＿＿＿＿＿

(2) Twenty years ago I <u>come</u> into this town in a boxcar.

　➡ ＿＿＿＿＿＿＿＿

(3) The opening celebration <u>will is</u> from 9 a.m. to 9 p.m.

　➡ ＿＿＿＿＿＿＿＿

확인 문제 1-2

우리말을 참고하여 빈칸에 주어진 단어의 알맞은 형태를 쓰시오.

The average grocery store ＿＿＿＿＿ over 10,000 items. (carry)

(보통의 식료품점은 만 개가 넘는 품목을 취급한다.)

전략 ❷ │ 현재/과거/미래 진행형을 알아두자.

- 진행형은 「be + v-ing」 형태로, 특정 시점에 [①   ]인 일을 나타낸다.

- be동사는 주어와 시제에 따라 am/are/is 또는 was/were를 구별하여 쓴다.

- be동사 뒤의 v-ing는 동사원형에 -ing를 붙인 [②   ]로, 진행의 의미를 나타낸다.

> 「be+v-ing」는 가까운 미래를 나타낼 때도 쓸 수 있어.

현재진행	am/are/is + v-ing	~하고 있다, ❸ [ ]이다
과거진행	was/were + v-ing	~하고 있었다, ~하던 중이다
미래진행	will be + v-ing	~하고 있을 것이다, ~하는 중일 것이다

[립] ❶ 진행 중 ❷ 현재분사 ❸ ~하는 중

필수예제

2. 다음 문장의 밑줄 친 부분이 맞으면 ○, 틀리면 X표 하시오.

(1) I <u>am get</u> into heavier weather. ○ / X

(2) Advertising exchanges <u>is gaining</u> in popularity. ○ / X

(3) Something <u>was moving</u> in the tunnels. ○ / X

(4) From next week, you <u>will being working</u> in the Marketing Department. ○ / X

Guide

진행형은 현재/과거/미래의 특정 시점에 [❶   ]인 일을 나타낼 때, 「be + [❷   ]」 형태로 쓴다.

[립] ❶ 진행 중 ❷ v-ing

확인문제 2-1

다음 문장의 빈칸에 주어진 단어를 조건에 맞게 쓰시오.

(1) More countries _____ nature's rights.
(acknowledge / 현재진행형)

(2) People _____ and seemed friendly. (smile / 과거진행형)

(3) This month, we _____ a "parent-child" look-alike contest!
(hold / 미래진행형)

확인문제 2-2

다음 문장에서 어법상 틀린 부분을 찾아 바르게 고치시오.

> Many companies hiring employees regardless of their age.
> (많은 회사들이 나이에 상관없이 근로자들을 고용하고 있다.)

_____ ➡ _____

© Rawpixel.com/shutterstock

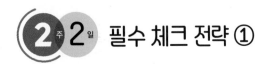

전략 ❸ | 현재완료의 다양한 의미를 알아두자.

- 현재완료는 「have [has] + p.p.」 형태로, 과거에 일어난 일이 [❶   ]까지 영향을 미치고 있음을 나타낸다.
- have [has]는 조동사이고, p.p.는 [❷   ]의 의미를 나타내는 과거분사(동사원형 + (e)d/불규칙)이다.
- 현재완료는 '과거~현재'의 두 시점을 연결하므로, 명확한 과거 시점을 나타내는 표현과 함께 쓸 수 없다.

현재완료	have [has] + p.p.	〈완료〉 이미[막] ~했다	just, already, yet 등
		〈경험〉 ~한 적이 있다	ever, never, before, once 등
		〈계속〉 [❸]	since, for, so far, how long 등
		〈결과〉 ~해 버렸다	go, come, leave, lose, buy 등

답 ❶ 현재 ❷ 완료 ❸ ~해 왔다

필수 예제

3. 우리말을 참고하여 네모 안에서 알맞은 것을 고르시오.

(1) You have [complete / completed] your three months in the Sales Department.

(당신은 판매부에서 3개월을 막 끝마쳤다.)

(2) Have you ever [want / wanted] to learn how to take photographs using your smartphone or tablet?

(여러분은 자신의 스마트폰이나 태블릿을 사용하여 사진을 찍는 방법을 배우고 싶은 적이 있나요?)

Guide

현재완료는 [❶   ]~현재'의 두 시점이 연결된 것이다. 「have [has] + [❷   ]」의 형태로, 문맥에 따라 다양한 의미를 나타낸다.

답 ❶ 과거 ❷ p.p.

확인 문제

3-1

우리말을 참고하여 빈칸에 주어진 단어의 알맞은 형태를 쓰시오.

(1) China _____ only a single writing system from the beginning. (have)

(중국은 처음부터 단 하나의 문자 체계를 가지고 있어 왔다.)

(2) You _____ the expression, "first impressions matter a lot". (hear, probably)

(여러분은 아마도 '첫인상이 매우 중요하다'라는 표현을 들어본 적이 있을 것이다.)

확인 문제

3-2

다음 문장에서 어법상 틀린 부분을 찾아 바르게 고치시오.

> Last year, Roberta Vinci has had a tennis match with No. 1-ranked Serena Williams in the US Open.

_____ ➡ _____

© Morrowind/shutterstock

전략 ④ | 과거완료와 미래완료의 쓰임을 알아두자.

- 과거완료는 「had + p.p.」로 나타내며, '과거 이전~ ❶ ⬚ '를 연결하여 완료, 경험, 계속, 결과의 의미를 나타내거나 과거의 시간적 ❷ ⬚ 를 강조하는 대과거*로 사용한다.
- 미래완료는 「will have + p.p.」로 나타내며, 미래의 어느 시점까지 예상되는 완료, 경험, 계속, 결과를 나타낸다.

과거완료	had + p.p.	완료, 경험, 계속, 결과 또는 ❸ ⬚	
미래완료	will have + p.p.	완료, 경험, 계속, 결과	by the time + 미래 시점

* 대과거: 과거에 일어난 두 가지 일 중 먼저 일어난 일을 과거완료로 나타내는 것

답 ❶ 과거 ❷ 순서 ❸ 대과거

필수 예제

4. 다음 문장의 밑줄 친 부분이 맞으면 ○, 틀리면 X표하고 바르게 고치시오.

(1) The boy learned that he <u>has misspelled</u> the word. ○ / X

(그 소년은 자신이 단어 철자를 틀렸다는 것을 알았다.)

(2) One of the brothers <u>had left</u> the twenty-dollar bill on the counter and walked outside with a friend.

○ / X

(형제 중 한 명이 카운터에 20달러 지폐를 두고 친구와 밖으로 나갔다.)

Guide

과거완료(had + p.p.)는 '과거 이전~ ❶ ⬚ '의 두 시점을 연결하거나 과거의 두 가지 일 중 ❷ ⬚ 일 어난 일을 나타낸다.

답 ❶ 과거 ❷ 먼저

확인 문제 4-1

다음 문장에서 어법상 틀린 부분을 찾아 바르게 고치시오.

> William Miller stayed up after the family has gone to bed, then read until the morning.
> (William Miller는 가족이 잠자리에 든 후 자지 않고 아침까지 책을 읽었다.)

➡ _____

확인 문제 4-2

우리말과 같도록 주어진 표현을 바르게 배열하시오.

> 나는 다가오는 4월이면 이 아파트에 10년 동안 살게 된다. (in this apartment / lived / will / I / as of / for ten years / have / this coming April)

➡ _____
_____

'다가오는 4월이면'은 미래의 시점을, '10년 동안'은 계속의 의미를 나타내고 있어.

2주 2일 필수 체크 전략 ②

1 (A), (B), (C)의 각 네모 안에서 어법에 맞는 표현을 고르시오.

> Amy told Grandmother that she (A) has seen / had seen angels in pictures. But she also (B) wants / wanted to know if her grandmother had ever actually seen an angel. Her grandmother said she had, but they looked different than in pictures. "Then, I am going to find one!" said Amy. "That's good! But I (C) go / will go with you, because you're too little," said Grandmother.

Words

ever 한번이라도 (= at any time) actually 실제로 than ~와는 (다른)

2 다음 글의 밑줄 친 부분 중, 어법상 틀린 것은?

> Kevin was in front of the mall wiping off his car. He ① had just come from the car wash and was waiting for his wife. An old man whom society would consider a beggar ② is coming toward him from across the parking lot. From the looks of him, he ③ seemed to have no home and no money.

Words

wipe off 닦다 car wash 세차장 society 사회 beggar 거지 parking lot 주차장

[3~4] 다음 글을 읽고, 물음에 답하시오.

Words

complain 불평하다
work 작동하다
refund 환불
warranty 품질 보증
replace 교환하다
faulty 결함 있는
receipt 영수증
dealer 판매인
satisfaction 만족
customer 고객
hesitate 주저하다

Dear Ms. Spadler,

You have written to our company complaining that your toaster, which you ⓐ <u>have bought</u> only three weeks earlier, doesn't work. You ⓑ <u>were asking</u> for a new toaster or a refund. Since the toaster ⓒ <u>has</u> a year's warranty, our company is happy to replace your faulty toaster with a new toaster. To get your new toaster, simply take your receipt and the faulty toaster to the dealer from whom you bought it. (A) <u>그 판매인이 그 자리에서 바로 귀하께 새 토스터를 드릴 것입니다.</u> Nothing ⓓ <u>is</u> more important to us than the satisfaction of our customers. If there ⓔ <u>is</u> anything else we can do for you, please do not hesitate to ask.

Yours sincerely,
Betty Swan

© gresei/shutterstock

3 밑줄 친 ⓐ~ⓔ 중, 어법상 **틀린** 것을 찾아 바르게 고쳐 쓰시오.

_____ , _____ ➡ _____

Tip

현재완료는 '과거~현재'의 두 시점을 연결하므로, 명백한 ❶ [   ]를 나타내는 표현과 함께 쓸 수 ❷ [   ].

답 ❶ 과거 ❷ 없다

4 밑줄 친 (A)와 같은 뜻이 되도록 주어진 표현을 이용하여 영작하시오.

dealer, give, you, on the spot

➡ _____

목적어가 두 개이므로, 「간접목적어(~에게)+직접목적어(~을/~를)」의 순으로 써야 해.

Tip

'~할 것이다'는 ❶ [   ]시제이므로, 「❷ [   ]+동사원형」의 형태로 쓴다.

답 ❶ 미래 ❷ will

 **2**주 **3**일 **필수 체크 전략 ①**

전략 ⑤ | 3형식 문장의 수동태를 알아두자.

- 수동태는 동작의 [①_____]이 주어로 쓰인 문장이므로, 목적어가 있는 문장에서 변환할 수 있다.
- 「S + V + O」의 수동태는 「S + be + p.p.(+ by + [②_____])」의 형태이다.
- be동사의 형태로 시제를 나타낼 수 있고, be동사 뒤의 p.p.는 '수동'의 의미를 나타내는 [③_____]이다.

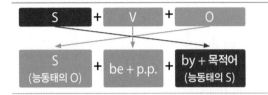

| S | + | V | + | O | | S가 O를 V하다 |

| S (능동태의 O) | + be + p.p. + | by + 목적어 (능동태의 S) | | S가 (…에 의해) V되다 |

> 동작의 주체인 행위자가 불분명하거나 일반인일 때 「by+목적어(O)」는 생략돼.

답 ❶ 대상 ❷ 목적어(O) ❸ 과거분사

필수 예제 **5.** 다음 문장의 네모 안에서 어법상 알맞은 것을 고르시오.

(1) Static electricity [produces / is produced] by friction.

(2) The invention of the mechanical clock was [influencing / influenced] by monks.

(3) Booking will [be accepted / been accepted] up to 1 hour before entry.

Guide

수동태 문장의 동사는 「be + p.p.」 형태이고, '[①_____]'라는 의미이다. 「be + v-ing」는 '~하고 있다'라는 의미의 [②_____]이다.

답 ❶ ~되다 ❷ 진행형

확인 문제 **5-1**

다음 문장의 밑줄 친 부분을 어법에 맞게 고치시오.

(1) Everyone is influencing by the familiarity of an image.

➡ _____

(2) His presentation did not well receive by the German executives.

➡ _____

(3) A summer vacation will recall for its highlights.

➡ _____

확인 문제 **5-2**

다음 문장을 수동태 문장으로 바꿔 쓰시오.

> On Christmas Eve, Maria and Alice visited Karen's house with Christmas gifts.

➡ _____

_____

전략 ⑥ | 4형식, 5형식 문장의 수동태를 알아두자.

- 「S + V + IO + DO」의 수동태는 「S + be + p.p. + [❶] (+ by + 목적어)」의 형태이다.
- 「S + V + O + C」의 수동태는 「S + be + p.p. + [❷] (+ by + 목적어)」의 형태이다.

S	+	V	+	IO	+	DO		S가 IO에게 DO를 V하다
S (능동태의 O)	+	be + p.p.	+	O (능동태의 다른 O)	+	by + 목적어 (능동태의 S)		S가 (…에 의해) O를 V되다
S	+	V	+	O	+	C		S가 O를 C하도록 V하다
S (능동태의 O)	+	be + p.p.	+	C (능동태의 C)	+	by + 목적어 (능동태의 S)		S가 (…에 의해) C하도록 V되다

답 ❶ O ❷ C

필수예제

6. 우리말과 같도록 주어진 표현을 바르게 배열하시오.

(1) 그 개들 중 한 마리는 더 나은 보상을 받았다.

(a better reward / was / one of the dogs / given)

➡ _____

(2) 자신감은 자주 긍정적인 특성으로 여겨진다.

(a positive trait / is / confidence / often / considered)

➡ _____

Guide

4형식 문장의 수동태는 수동태 동사 뒤에 [❶] 가 남아 있고, 5형식 문장의 수동태는 수동태 동사 뒤에 [❷] 가 남아 있다.

답 ❶ 목적어 ❷ 보어

확인문제 6-1

다음 문장에서 어법상 **틀린** 부분을 찾아 바르게 고치시오.

> At 2:00 p.m. during the weekend, one winner of our dinosaur quiz will give a real fossil as a prize.

_____ ➡ _____

확인문제 6-2

다음 문장을 〈조건〉에 맞게 바꿔 쓰시오.

> In 1844, the Royal Society awarded him a gold medal for mathematics.

〈조건〉 he를 주어로 쓸 것

➡ _____

_____

전략 ❼ | 수동태의 진행형과 완료형을 알아두자.

- 수동태의 진행형은 「be + ❶[   ] + p.p.」로 나타낸다.
- 수동태의 완료형은 「have [has]/had + ❷[   ] + p.p.」로 나타낸다.

진행	현재진행 수동태	am/are/is + being + p.p.	~되고 있다
	과거진행 수동태	was/were + being + p.p.	~되고 있었다
완료	현재완료 수동태	have [has] + been + p.p.	~되었다, ~되어 왔다 〈완료, 경험, 계속, 결과〉
	과거완료 수동태	had + been + p.p.	
	미래완료 수동태	will have + been + p.p.	~되어 있을 것이다

> 미래진행 수동태(will be +being+p.p.)는 사용되지 않아.

답 ❶ being ❷ been

필수예제

7. 우리말을 참고하여 네모 안에서 알맞은 것을 고르시오.

(1) An animal's needs are [meeting / being met] consistently and predictably.
(동물의 욕구가 일관되게 그리고 예측 가능하게 충족되고 있다.)

(2) Hydropower dams have [been identified / being identified] as significant sources of greenhouse emissions.
(수력 발전 댐은 온실가스 배출의 중요한 원인으로 확인되었다.)

Guide

수동태의 ❶[   ]은 「be+being +p.p.」 형태이고, 완료형은 「have [has] /had + ❷[   ] + p.p.」이다.

답 ❶ 진행형 ❷ been

확인문제 7-1

주어진 표현을 바르게 배열하여 문장을 완성하시오.

(1) It _____ by another.
(preyed / not / upon / is / being)

(2) One of her novels _____ _____ more than eighty languages.
(translated / been / has / into)

© Getty Images Korea

확인문제 7-2

우리말을 참고하여 빈칸에 주어진 단어의 알맞은 형태를 쓰시오.

More land _____ from local food production to "cash crops" for export and exchange. (divert)
(더 많은 땅이 수출과 교환을 위해 지역 식량 생산에서 '환금 작물'로 전환되고 있다.)

전략 ⑧ | 수동태와 함께하는 전치사를 알아두자.

- 특정 동사의 [❶_____] 뒤에는 with, to, in, about, of, on 등의 by가 아닌 다른 [❷_____]가 온다.

be concerned about	~을 걱정하다	be disappointed about	~에 실망하다
be known as [to]	~으로[에게] 알려지다	be amazed at	~에 놀라다
be frightened of	~을 무서워하다	be based on	~에 근거하다
be involved in	~에 참여하다	be interested in	~에 관심이 있다
be related to	~와 관계가 있다	be faced with	~에 직면하다
be filled with	~으로 가득 차다	be covered with	~으로 덮여 있다

답 ❶ 수동태 ❷ 전치사

필수예제

8. 빈칸에 알맞은 전치사를 골라 쓰시오.

| in | about | of | with |

(1) The king was filled _____ pride.

(2) Two people are involved _____ an honest and open conversation.

(3) Most people were frightened _____ flying.

Guide

fill, involve, frighten 등의 동사는 [❶_____]로 쓰이면, 행위자를 나타낼 때 by가 아닌 다른 [❷_____]를 쓴다.

답 ❶ 수동태 ❷ 전치사

확인문제 8-1

다음 문장의 네모 안에서 어법상 알맞은 것을 고르시오.

(1) One variable is related | of / to | a second variable.

(2) The boy's parents were concerned | in / about | his bad temper.

© Nikodash/shutterstock

확인문제 8-2

우리말과 같도록 주어진 표현을 바르게 배열하시오.

소음에 대한 지속적인 노출은 아이들의 학업 성취와 관계가 있다.

(noise / to / academic achievement / related / constant exposure to / is / children's)

➡ _____

_____

2주 3일 필수 체크 전략 ②

1 (A), (B), (C)의 각 네모 안에서 어법에 맞는 표현을 고르시오.

Captain Charlie Plumb was a U.S. Navy jet pilot. He flew many successful combat missions. However, on his 75th mission, his fighter plane was (A) shooting / shot down. He ejected, and safely parachuted to the ground. But he (B) captured / was captured and spent six years in a Vietnamese prison. He survived the ordeal and in 1973, returned to his hometown, where he (C) awarded / was awarded the Silver Star Medal.

Words

navy 해군 combat 전투 shoot (총 등을) 쏘다 eject (조종사가) 탈출하다
parachute 낙하산을 타고 낙하하다 capture 포로로 잡다 ordeal 시련 award 수여하다

2 다음 글의 밑줄 친 부분 중, 어법상 틀린 것은?

Our challenge isn't that we're running out of energy. It's that we ① have been focused on the wrong source — the small, finite one that we're ② used up. Indeed, all the coal, natural gas, and oil we use today is just solar energy from millions of years ago, a very tiny part of which ③ was preserved deep underground. Our challenge, and our opportunity, is to learn to efficiently and cheaply use the *much more abundant* source that is the new energy striking our planet each day from the sun.

Words

challenge 당면 과제 run out of ~을 다 써버리다 finite 한정된 indeed 사실 coal 석탄
solar energy 태양에너지 tiny 작은 preserve 보존하다 opportunity 기회 abundant 풍부한

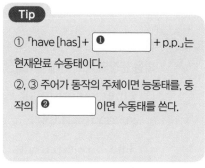

[3~4] 다음 글을 읽고, 물음에 답하시오.

Words
underwater 물속의, 수중의
waterproof 방수처리하다
attach 부착하다
lower 내리다
beneath ~의 아래에
wave 파도
coast 해안
exposure 노출
flood 차오르다
surface 표면
inexpensive 저렴한
principal 주요한
explore 탐험하다

The first underwater photographs (A) _____(take) by an Englishman named William Thompson. In 1856, he waterproofed a simple box camera, attached it to a pole, and lowered it beneath the waves off the coast of southern England. During the 10-minute exposure, the camera slowly flooded with seawater, but the picture survived. Underwater photography (B) _____(bear). Near the surface, where the water is clear and there is enough light, it is quite possible for an amateur photographer to take great shots with an inexpensive underwater camera. At greater depths — it is dark and cold there — photography is the principal way of exploring a mysterious deepsea world, (C) <u>그곳의 95%는 예전에는 전혀 보인 적이 없었다.</u>

© V_E/shutterstock

3 (A)와 (B)에 주어진 동사를 알맞은 형태로 쓰시오.

(A) _____ (B) _____

Tip
주어가 동작의 ❶ [____] 일 때 「be + ❷ [____] 」의 수동태를 써야 한다.

답 ❶ 대상 ❷ p.p.

4 밑줄 친 (C)와 같은 뜻이 되도록 주어진 단어들을 알맞은 순서로 배열하시오.

never / before / seen / 95 percent / has / been / of which

➡ _____

Tip
'~된 적이 없었다(경험)'는 ❶ [____] 수동태 「have [has] + ❷ [____] + p.p.」 형태로 나타낸다.

답 ❶ 현재완료 ❷ been

2주 4일 교과서 대표 전략 ①

대표 예제 **1**

다음 문장의 네모 안에서 알맞은 것을 골라 쓰시오.

> Dr. Gregory House from the TV series *House M.D.* [say / says] metaphorically, "I'm a night owl. Wilson's an early bird."

➡ _____

개념 Guide

주어(Dr. Gregory House)가 **①**[   ]이므로 일반동사의 현재형은 「**②**[   ]」이다.

답 **①** 3인칭 단수 **②** 동사원형 + (e)s

대표 예제 **2**

다음 문장에서 어법상 틀린 부분 **두 곳**을 찾아 바르게 고치시오.

> The United States will win all three medals in 1904 when the Olympic Games held in St. Louis.

_____ ➡ _____

_____ ➡ _____

개념 Guide

명백한 과거를 나타내는 표현(in 1904)이 있으므로 **①**[   ] 시제를 써야 한다. 올림픽은 '개최되는' 것이므로 **②**[   ]로 써야 한다.

답 **①** 과거 **②** 수동태

대표 예제 **3**

우리말과 일치하도록 할 때 괄호 안에 주어진 동사의 알맞은 형태는?

> 나는 그날 오후 역사 시험 시간에 다시 Emma 뒤에 앉아 있었다.
>
> ➡ I _____(sit) behind Emma again at the history exam that afternoon.

① sit   ② sitting   ③ was sitting

④ was sat   ⑤ have sat

개념 Guide

과거의 특정 시점에 **①**[   ]인 일(~하고 있었다)을 나타낼 때 과거진행형(was/were + **②**[   ])을 쓴다.

답 **①** 진행 중 **②** v-ing

대표 예제 **4**

다음 우리말을 영어로 옮길 때 빈칸에 알맞은 말을 쓰시오.

> 나는 내일 이 시간쯤이면 화성 표면 탐사 차들 중 적어도 한 대는 운전하고 있을 것이다.
>
> ➡ I _____ at least one of the rovers at this time tomorrow.

© Pavel Chagochkin/shutterstock

개념 Guide

미래의 **①**[   ](at this time tomorrow)에 진행 중인 일을 나타내므로, **②**[   ]을 쓴다.

답 **①** 특정 시점 **②** 미래진행형

대표 예제 **5**

밑줄 친 부분에 유의하여 다음 문장을 우리말로 옮기시오.

> The singers <u>have never met</u> each other or <u>practiced</u> together.

➡ _____

_____

> have never met과 (have never) practiced가 or로 연결되어 있어.

개념 Guide

현재완료(have [has] + p.p.)는 never, before 등과 함께 쓰일 때 [❶   ]을 나타내며, '[❷   ]'로 해석한다.

답 ❶ 경험 ❷ ~해 본 적이 있다

대표 예제 **6**

다음 우리말을 영어로 옮길 때 빈칸에 들어갈 말로 알맞은 것은?

> 갑자기, 나는 선물로 받았던 슬리퍼 한 켤레가 기억났다.
> ➡ Suddenly, I remembered a pair of slippers that I _____ as a present.

① receive ② am receiving

③ have received ④ had received

⑤ will receive

개념 Guide

기억난(remembered) 것보다 슬리퍼를 받은 것이 [❶   ] 일어난 일이므로 [❷   ]를 써야 한다.

답 ❶ 먼저 ❷ 과거완료

대표 예제 **7**

다음 글의 밑줄 친 우리말을 조건에 맞게 영작하시오.

> At the end of the day, the homeroom teacher assigned each of us a locker. I got locker number thirteen! <u>난 항상 이 숫자를 싫어해 왔다.</u> I thought my high school life would not be easy. When I opened the locker, I found a small notebook with some words written on the cover: "To an Unknown Freshman." I felt curious and opened the notebook.

┌─ 조건 ●
1. 주어진 표현을 이용할 것
   (always, hate, number)
2. 시제에 맞게 동사의 형태를 바꿔 쓸 것

➡ _____

_____

> 과거 시제는 이미 과거에 끝난 일을 나타낼 때 쓰지만, 현재완료는 과거의 일이 현재까지 영향을 미쳐 현재와 관련이 있을 때 써.

개념 Guide

'과거~현재'의 두 시점을 연결하여 [❶   ](~해 왔다)의 의미를 나타내는 [❷   ]를 써야 한다.

답 ❶ 계속 ❷ 현재완료

대표 예제 8

다음 문장에서 어법상 **틀린** 부분을 찾아 바르게 고치시오.

> One day in 2009, the modern music composer told by a friend about a young fan.

_____ ➡ _____

> 주어와 동사의 관계, 동사의 시제와 태를 잘 살펴봐야 해.

개념 Guide

친구의 이야기를 '듣게 된' 것이고, ❶ [_____](in 2009)의 일이므로 ❷ [_____]로 써야 한다.

🔲 ❶ 과거 ❷ 과거 수동태

대표 예제 9

우리말과 같도록 괄호 안의 말을 바르게 배열하여 문장을 완성하시오.

> '잠자는 집시'는 환상적이고 신비한 작품으로 여겨진다.
> (is / *The Sleeping Gypsy* / a fantastic and mysterious work / considered)

➡ _____
_____

개념 Guide

❶ [_____]형식 문장의 수동태는 「S + be + p.p. + C(+ by + O)」의 형태로, 수동태 동사 뒤에 ❷ [_____]가 있다.

🔲 ❶ 5 ❷ 보어

대표 예제 10

다음 글의 밑줄 친 부분을 바르게 배열하고, 해석하시오.

> This is what I'm going to talk about today: upcycling. It is a new trend in recycling. Let me show you some examples. These are pieces of broken dishes. What would you do with them? Would you throw them in the trash? After looking at the next picture, you may change your mind. (into / the broken pieces / turned / a lovely item / been / one of / has). Isn't it beautiful?

➡ _____
_____

➡ 해석: _____
_____

> 리사이클링(recycling)은 사용한 물건을 다시 쓰는 것을 말하지만, 업사이클링(upcycling)은 버려지는 물건으로 품질이나 가치가 더 높은 새 제품을 만드는 과정을 말해.

개념 Guide

「have [has]/had + ❶ [_____] + p.p.」는 수동태의 ❷ [_____]이고, '～되었다'～되어 왔다' 등으로 해석한다.

🔲 ❶ been ❷ 완료형

대표 예제 11

다음 글의 밑줄 친 부분 중 틀린 것을 찾아 바르게 고쳐 쓰시오.

Sensors attached to cows check their temperature, movement, behavior, and so on. When changes ① are observed, the sensors send a message to the farmer's phone or computer. For example, these sensors ② are been used to detect if an animal's back legs begin to lower, which is one of the first signs of illness. They can also sense if a cow is pregnant. This technology ③ saves farmers dozens of hours a week that would otherwise ④ be spent closely monitoring each cow. It also saves money for vets' bills by allowing farmers to deal with cows' illnesses before they ⑤ get too serious.

_____ , _____ ➡ _____

© goodluz/shutterstock

개념 Guide

'~되다(수동)'의 의미를 나타내는 수동태의 기본형은 「be + p.p.」이고, 진행형과 완료형은 각각 「be + ❶_____ + p.p.」, 「have[has]/had + ❷_____ + p.p.」이다.

답 ❶ being ❷ been

대표 예제 12

(A), (B), (C)의 각 네모 안에서 어법에 맞는 표현으로 가장 적절한 것은?

Four main forces are involved (A) [by / in] flight: lift, weight, thrust, and drag. Lift is created by the difference in air pressure between the air flowing over an airplane's wings and the air flowing under them. Lift is opposed by weight, which is the force of gravity that is constantly pulling the airplane down. If the amount of lift is greater than the amount of weight, the airplane will rise. At the same time, thrust is (B) [creating / created] by the airplane's engines and propellers pushing the airplane forward. Opposed to that force is drag, which is the air pushing the airplane back. If thrust is greater than drag, the airplane will move forward. The interaction between these four forces (C) [make / makes] airplanes fly.

	(A)		(B)		(C)
①	by	……	creating	……	make
②	in	……	creating	……	make
③	by	……	creating	……	makes
④	in	……	created	……	makes
⑤	by	……	created	……	make

© Getty Images Korea

개념 Guide

(A) be involved ❶_____ : ~와 관계가 있다 (B) 「be + v-ing」는 진행형, 「be + p.p.」는 ❷_____ 이다. (C) 「동사원형 + (e)s」는 주어가 3인칭 단수일 때 쓴다.

답 ❶ in ❷ 수동태

01 다음 중 어법상 어색한 문장은?

① Every day we face a lot of questions.

② The Imjin War broke out in 1592.

③ There will be humans back on Mars in about four years.

④ Many elephants in Tanzania have disappeared.

⑤ My dad has had a heart attack two weeks ago.

> **Tip**
> 역사적 사실을 나타낼 때 ❶[　　　] 시제를 쓴다. 현재완료는 명백한 ❷[　　　]를 나타내는 표현과 함께 쓸 수 없다.
>
> 🅰 ❶ 과거 ❷ 과거

by 이외에 다른 전치사를 쓰는 수동태 표현들을 잘 생각해봐.

02 다음 빈칸에 알맞은 말이 순서대로 짝지어진 것은?

> • Creativity is based _____ knowledge and experience.
> • I was filled _____ total confusion.

① of − with　　　② on − with

③ of − to　　　④ on − to

⑤ for − on

> **Tip**
> be based ❶[　　　]은 '~에 근거하다', be filled ❷[　　　]는 '~으로 가득차다'라는 의미의 수동태 표현이다.
>
> 🅰 ❶ on ❷ with

03 다음 중 빈칸에 들어갈 동사의 형태가 다른 것은?

① He is _____ a lot. (bleed)

② A tail is sometimes _____ to a kite. (add)

③ I was _____ on my couch after a long day. (rest)

④ Today, we'll be _____ an important topic. (discuss)

⑤ Enormous icebergs of different shapes were _____ in the sea. (float)

> **Tip**
> 진행형은 be동사 뒤에 ❶[　　　]가 오고, 수동태는 be 동사 뒤에 ❷[　　　]가 온다.
>
> 🅰 ❶ 현재분사 ❷ 과거분사

© Yongyut Kumsri/shutterstock

04 다음 우리말과 같도록 할 때 빈칸에 알맞은 것은?

> 수천 명의 사람들이 몇 개의 큰 프로젝트에 참여해 왔다.
> ➡ Thousands of people _____ in several big projects.

① participate　　　② is participating

③ is participated　　　④ have participated

⑤ will participate

> **Tip**
> '~해 왔다(계속)'의 의미는 ❶[　　　]로 나타내며, 「have [has] + ❷[　　　]」의 형태이다.
>
> 🅰 ❶ 현재완료 ❷ p.p.

05 다음 문장을 수동태 문장으로 바꿀 때 빈칸에 알맞은 말을 쓰시오.

© Sean Xu/shutterstock

One day, Dad showed me a wonderful picture of the Northern Lights.

➡ One day, I _____

_____ .

> **Tip**
>
> 목적어가 두 개인 [❶   ]형식 문장(S + V + IO + DO)의 수동태는 「S + be + p.p. + [❷   ](+ by + O)」의 형태이다.
>
> 답 ❶ 4 ❷ O

06 주어진 표현을 바르게 배열하여 우리말을 영어로 옮기시오.

> ICT는 교육이나 보건과 같은 많은 분야에서 점점 더 사용되고 있다.
>
> (used / education and health / being / such as / ICT / is / in many areas / increasingly)

➡ _____

_____

> **Tip**
>
> '~되고 있다'는 수동태의 [❶   ]으로 나타내며, 「be + [❷   ] + p.p.」의 형태이다.
>
> 답 ❶ 진행형 ❷ being

[07~08] 다음 글을 읽고, 물음에 답하시오.

> The *Sillok* is one of the most well-preserved cultural records in the world. How was it able to survive for such a long time? The secret (A) [lie / lies] in the preservation system and our ancestors' devotion to maintaining the *Sillok*. When (B) (of / completed / had / a king's *Sillok* / been / the original copy), three additional copies were made, and each one was deposited in a different location: Hanyang (the former name of Seoul), Chungju, Jeonju, and Seongju. The *Sillok* in each archive (C) [opened / was opened] up and aired out once every two to five years to eliminate moisture, which prevented the paper from rotting or being eaten by insects.

07 (A)와 (C)에서 알맞은 말을 골라 쓰시오.

(A) _____ (C) _____

> **Tip**
>
> (A) 주어가 [❶   ]일 때 일반동사의 현재형은 「동사원형 + (e)s」이다. (B) 주어가 동작의 [❷   ]일 때 수동태를 써야 한다.
>
> 답 ❶ 3인칭 단수 ❷ 대상

08 밑줄 친 (B)의 표현을 바르게 배열하시오.

➡ _____

> **Tip**
>
> 수동태의 [❶   ]은 '~되었다/~되어 왔다'의 의미이고 「have [has]/had + [❷   ] + p.p.」의 형태이다.
>
> 답 ❶ 완료형 ❷ been

01 다음 문장에서 동사에 밑줄 긋고, 문장을 바르게 해석하시오.

> Every aspect of human language has evolved.
>
>
>
> © dizain/shutterstock

➡ _____

02 다음 문장의 네모에서 알맞은 말을 고른 후, 우리말로 해석하시오.

> A cell phone placed / was placed on a nearby table.

➡ _____

03 다음 문장에서 by가 들어갈 위치로 알맞은 곳은?

> (①) Primary care doctors (②) will (③) probably (④) be replaced (⑤) AI doctors.

04 다음 빈칸에 들어갈 말로 가장 적절한 것은?

>
>
> I _____ diving alone in about 40 feet of water when I got a terrible stomachache.

① am   ② was   ③ will be

④ have   ⑤ had

05 다음 우리말과 같도록 빈칸 (A), (B)에 들어갈 동사의 알맞은 형태를 쓰시오.

> 인터넷상에는 수천만 개의 웹페이지가 존재하고, 훨씬 더 많은 수가 매일 추가되고 있다.
>
> ➡ Tens of millions of pages (A) _____ on the Internet, and many more (B) _____ every day.

(A) _____ (exist)

(B) _____ (add)

06 다음 중 수동태 문장으로 바꿀 수 <u>없는</u> 것을 <u>모두</u> 고르면?

① We are open rain or shine.

② Stripes don't keep zebras cool.

③ Buffalo appeared in the distance.

④ In Britain many people dislike rodents.

⑤ Kinzler and her team showed the babies two videos.

수동태는 동작의 대상(O)이 주어로 표현되기 때문에 목적어가 없는 문장은 수동태로 바꿀 수 없어.

07 다음 문장의 빈칸에 들어갈 말로 알맞은 것은?

> Back in 1996, an American airline was faced _____ an interesting problem.

① about   ② of   ③ in

④ to   ⑤ with

08 다음 문장에서 어법상 <u>틀린</u> 부분을 찾아 바르게 고치시오.

> A while later, after the wound had treated, the family sat around the kitchen table and talked.

_____ ➡ _____

09 다음 문장을 The games를 주어로 하는 문장으로 바꿔 쓰시오.

> Many college coaches scouting prospective student athletes will attend the games.
>
>
>
> © Stefan Schurr/shutterstock

➡ The games _____

_____ .

10 다음 글의 밑줄 친 (A), (B)를 알맞은 형태로 고쳐 쓰시오.

> The customer said, "Twenty years ago I (A) <u>come</u> into this town in a boxcar. I hadn't eaten for three days. I came into this store and saw a twenty-dollar bill on the counter. I put it in my pocket and walked out. All these years I haven't (B) <u>being</u> able to forgive myself. So I had to come back to return it."

(A) _____   (B) _____

A 각 사람이 하는 말과 일치하도록 알맞은 카드를 두 개씩 골라 문장을 완성하시오.

1 우리는 가십의 대상들 중에서 잠재적인 적을 만들어내고 있어.

➡ We _____ potential enemies in the targets of our gossip.

2 모두가 군중 속에서 주위를 둘러보던 중이었어.

➡ Everyone _____ around in the crowd.

3 드론 배달 시스템으로, 더 적은 수송 수단들이 도로 위를 주행하고 있을 거야.

➡ With drone delivery systems, fewer transportation carriers _____ on roads.

is	are	creating	created
was	were	looked	looking
will be	be	traveling	traveled

Tip

진행 중인 일을 나타낼 때 현재/과거/미래 ❶[ ]을 쓰며, 「be동사 + ❷[ ]」 형태이다.

답 ❶ 진행형 ❷ v-ing

B 연결된 문장의 두 조각 중에서 먼저 일어난 일에 1, 나중에 일어난 일에 2를 쓰시오.

1 After the conversations had ended,   the researchers asked the participants what they thought of each other.

☐   ☐

2 He replied   that he had been there all his life.

☐   ☐

3 The company turned down tremendous growth   because company leadership had set an upper limit for growth.

☐   ☐

4 By 1906, he had moved to New York   and was taking jobs to support his growing family.

☐   ☐

Tip

과거에 일어난 두 가지 일 중 **❶** [   ] 일어난 일(대과거)은 **❷** [   ]로 나타낼 수 있다.

답 ❶ 먼저 ❷ 과거완료

창의·융합·코딩 전략 ②

C 구조에 맞게 주어진 표현을 바르게 배열하여 문장을 완성하시오.

1

S	V(과거진행 수동태)	M
나의 팔은	들어 올려지고 있었다	강제로

was / my arm / being / forcibly / lifted

2

S	V(과거완료 수동태)	M
그것은	물들여졌었다	빨간색 염료로

a red dye / been / coloured / it / with / had

3

S	V(현재완료 수동태)
모든 음식이	분배되었다

been / has / all food / distributed

> **Tip**
> 수동태의 진행형과 완료형은 각각 「be + ❶ ▢ + p.p.」와 「have [has]/had + ❷ ▢ + p.p.」로 나타낸다.
>
> 圓 ❶ being ❷ been

D 두 사람의 말이 의미가 통하도록 수동태는 능동태로, 능동태는 수동태로 바꿔 쓰시오.

1 The new logo will convey our brand message.

_____

_____

2 An interesting study about facial expressions was recently published by the American Psychological Association.

_____

_____

_____

3 Your mind makes your last thoughts part of reality.

_____

_____

> **Tip**
>
> 능동태 문장을 수동태로 바꿀 때 ❶[   ]가 주어 자리로 가고, 주어는 「❷[   ]＋목적어」의 형태로 문장 뒤로 간다.
>
> 답 ❶ 목적어 ❷ by

Book 1 마무리 전략

적중 1 주어, 목적어, 보어의 형태에 유의하자.
적중 2 수식어의 형태와 수식 대상을 정확하게 파악하자.

문장의 구성 요소는 주어, 동사, 목적어, 보어, 수식어야.

「주어+동사」는 문장의 최소 단위이고, 동사에 따라 목적어, 보어를 동반하기도 해.

주어는 동작이나 상태의 주체가 되는 말로 '~은/~는'으로 해석해.

목적어 자리에는 명사, 대명사 등이, 보어 자리에는 명사, 대명사, 형용사 등이 올 수 있어.

주어 자리에는 명사, 대명사 등이 올 수 있어.

보어는 주어나 목적어를 보충 설명하는 말로, 주격보어와 목적격보어가 있어.

목적어는 동작이나 상태의 대상이 되는 말로 주로 '~을/~를'로 해석해.

주격보어는 '주어는 ~이다/~하다'로, 목적격보어는 '목적어가 ~하도록' 등으로 해석해.

수식어는 주어, 동사, 목적어, 보어와 달리 문장의 필수 요소는 아니야.

수식어는 문장의 의미를 풍부하게 해 주는 말로, 크게 형용사적 수식어와 부사적 수식어로 나눌 수 있어.

형용사적 수식어는 명사를 수식하고, 부사적 수식어는 동사, 다른 수식어 또는 문장 전체를 수식해.

적중 3 현재/과거/미래 시제와 진행, 완료를 나타내는 동사의 형태를 알아두자.

적중 4 동작의 대상이 주어가 되는 수동태를 알아두자.

동사는 주어의 동작이나 상태를 나타내는 말로, '~이다/~하다' 등으로 해석해.

동사는 주어의 영향을 받아. 주어가 단수이면 단수 동사를, 복수이면 복수 동사를 써야 해.

동사는 크게 be동사와 일반동사로 나눌 수 있고, 시제에 따라 형태가 달라져.

시제는 동작이나 상태의 시간적 범주를 나타내는 말로, 현재/과거/미래 등이 있어.

이전 시점에 일어난 일이 나중 시점까지 영향을 줄 때 「have[has]/had+p.p.」의 완료형을 쓰면 돼.

동작이나 상태가 진행 중임을 나타낼 땐 「be+v-ing」 형태의 진행형을 쓸 수 있어.

수동태 문장에서 동작의 주체는 「by+목적어」로 표시해.

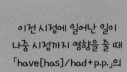

동작의 대상이 주어로 표현되는 것을 수동태라고 해. 「be+p.p.」로 나타내고 '~되다'로 해석해.

수동태의 진행형과 완료형은 「be+being+p.p.」, 「have[has]/had+been+p.p.」의 형태야.

GOOD JOB!

신유형·신경향·서술형 전략

1 S, V, O(IO, DO), C를 표시한 뒤, 문장을 끊어 읽고 해석하시오.

> **sample**
>
> Across the carpet / I / saw / a fat paper clip.
>   S V   O
>
> ➡ 카펫 너머에서 나는 두꺼운 종이 클립을 보았다.

(1)

> I offered him some money.   offer 제공하다
>
> ➡ _____

(2)

> Reading daily horoscopes in the morning is beneficial.   horoscopes 별자리 운세
>
> ➡ _____

(3)

> Play allows children to learn social behaviors.   social behavior 사회적 행동
>
> ➡ _____
>
>
> © Iakov Filimonov/shutterstock

> **Tip**
>
> 주어(S)는 '~은/는', 동사(V)는 '~이다/하다', ❶ [____] (O, IO, DO)는 '~을/를' 또는 '~에게'로 해석하고, 보어(C)는 주어 또는 목적어를 ❷ [____] 한다.
>
>   답 ❶ 목적어 ❷ 보충 설명

2 밑줄 친 부분이 수식하는 대상에 네모 표시하고, 해석을 완성하시오.

> **sample**
>
> Labels on food are like the table of contents found in books.
>
> ➡ 식품 라벨은 책에서 _____ 발견되는 _____ 목차와 같다.

(1)

> Music appeals <u>powerfully</u> to young children.   appeal 호소하다
>
> ➡ 음악은 어린아이들에게 _____.
>
> © Monkey Business Images/shutterstock

(2)

> The slave and the lion became <u>very close</u> friends.
>
> ➡ 그 노예와 사자는 _____ 되었다.

(3)

> Microplastics are difficult <u>to measure</u>.   measure 측정하다
>
> ➡ 미세플라스틱은 _____.

> **Tip**
>
> 형용사는 주어, 목적어, 보어로 쓰인 ❶ [____] 를 수식하고, 부사는 ❷ [____] , 수식어(형용사, 부사), 문장 전체를 수식한다.
>
>   답 ❶ 명사 ❷ 동사

3 네모 안에서 알맞은 말을 고르고, 이유를 쓰시오.

sample

Improve / Improving by 1 percent isn't particularly notable.

➡ 정답: Improving

➡ 이유: 문장의 주어 자리이므로 동명사가 알맞다.

(1)

Maybe she wants being / to be your playmate.

➡ 정답: ＿＿＿＿＿＿＿＿

➡ 이유: ＿＿＿＿＿＿＿＿

(2)

Suddenly, I saw a hand reach / reached out from between the steps and grab my ankle.

➡ 정답: ＿＿＿＿＿＿＿＿

➡ 이유: ＿＿＿＿＿＿＿＿

Tip

주어와 목적어 자리에는 ❶ ＿＿＿ 역할을 하는 어구가 오고, 보어 자리에는 명사 또는 ❷ ＿＿＿ 역할을 하는 어구가 온다.

❶ 명사 ❷ 형용사

4 주어진 표현을 바르게 배열하여 문장을 완성하시오.

sample

| me | impossible | it | for |
| to win | is | | |

➡ It is impossible for me to win.

(1)

| over | me | this | to draw |
| took | it | sixty years | |

➡ ＿＿＿＿＿＿＿＿＿＿＿＿

＿＿＿＿＿＿＿＿＿＿＿＿

(2)

| it | people | very difficult | find |
| fruit-flavoured drinks | to correctly identify | | |

➡ ＿＿＿＿＿＿＿＿＿＿＿＿

＿＿＿＿＿＿＿＿＿＿＿＿

© VICUSCHKA/shutterstock

Tip

it은 to부정사구 또는 that절을 대신하여 ❶ ＿＿＿ 또는 ❷ ＿＿＿ 자리에 올 수 있다.

❶ 주어 ❷ 목적어

5 두 문장 중 옳은 것을 고르고, 이유를 쓰시오.

sample

ⓐ A stressful meeting with our boss become an opportunity to learn.

ⓑ A stressful meeting with our boss becomes an opportunity to learn.

➡ 정답: ⓑ

➡ 이유: 주어가 3인칭 단수이므로, 일반 동사의 현재형으로 becomes가 알맞다.

(1)

ⓐ Every participant will receive a camp backpack.

ⓑ Every participant will receives a camp backpack.

➡ 정답: _____

➡ 이유: _____
_____

(2)

ⓐ In 1930, she became the first female flight attendant in the U.S.

ⓑ In 1930, she has become the first female flight attendant in the U.S.

➡ 정답: _____

➡ 이유: _____
_____

Tip

현재 시제는 am/are/is, 동사원형(+ (e)s), ❶ [_____] 시제는 was/were, 동사원형 + (e)d/불규칙, 미래 시제는 will be, 「will + ❷ [_____]」이다.

🅑 ❶ 과거 ❷ 동사원형

---

6 주어진 표현 중 필요한 것만 골라 바르게 배열하여 문장을 완성하시오.

sample

| incorporated | become | becoming |
| have | has | is | are |

➡ Agriculture _has become incorporated_ into the global economy.
(농업이 세계 경제에 통합되어 왔다.)

(1)

| shaking | shaken | shook | have |
| has | was | were |

➡ Salva's knees _____ as he walked to the microphone.
(그가 마이크로 걸어갈 때 Salva의 무릎이 후들거리고 있었다.)

(2)

| filled | filling | it | is |
| was | has | had |

➡ Jason said he _____ with every piece of wood.
(Jason은 자신이 그것을 모든 나무 조각으로 채워 넣었다고 말했다.)

Tip

진행형은 「be동사 + ❶ [_____]」이고, ❷ [_____]은 「have [has]/had + p.p.」이다.

🅑 ❶ v-ing ❷ 완료형

7 다음 문장의 빈칸에 알맞은 말에 표시하시오.

sample

Finally, her prayers were _____!

☐ answer ☑ answered ☐ answering

(1)

Food and drink will be _____ before the start of the fireworks display for your enjoyment throughout the event.

☐ provide ☐ provided ☐ providing

© encikAn/shutterstock

(2)

These ideas have _____ supported by research on many aspects of learning and development.

☐ be ☐ being ☐ been

Tip

수동태 동사는 「be + ❶ ____」의 형태이고, 진행형과 완료형은 각각 「be + being + p.p.」, 「have [has]/had + ❷ ____ + p.p.」이다.

🔑 ❶ p.p. ❷ been

8 다음 문장을 표시된 부분으로 시작하는 문장으로 다시 쓰시오.

sample

The Radio Music Festival team will select the top five designs.

➡ The top five designs will be selected by the Radio Music Festival team.

(1)

Our efforts to develop technologies have shown meaningful results.

➡ _____

© Wichy/shutterstock

(2)

A god called Moinee was defeated by a rival god called Dromerdeener in a terrible battle up in the stars.

➡ _____

Tip

「S + V + O」 형태의 능동태 문장은 「S + be + p.p. + by + 목적어」 형태의 ❶ ____로 바꿔 쓸 수 있다. 반대로 ❷ ____가 표시된 수동태 문장은 능동태 문장으로 바꿔 쓸 수 있다.

🔑 ❶ 수동태 ❷ 행위자

01 다음 문장의 빈칸에 들어갈 말을 모두 고르면?

Sometimes _____ help is a simple matter.

© Rawpixel.com/shutterstock

① offer
② to offer
③ offers
④ offering
⑤ offered

02 다음 중 어법상 어색한 문장을 모두 고르면?

① We hope to give some practical education to our students.
② I have decided using kind words more just like you.
③ Many people enjoy hunting wild species of mushrooms in the spring season.
④ Children quit to play ice hockey and tennis at the same age on average.
⑤ The sun will keep shining on our planet for billions of years.

03 다음 문장의 빈칸에 들어갈 수 없는 것은?

They looked _____.

① beautiful
② attractive
③ healthy
④ wealthy
⑤ kindly

04 두 문장의 의미가 같도록 빈칸에 알맞은 것끼리 짝지어진 것은?

Today's music business has allowed musicians _____ matters into their own hands.
= Today's music business has let musicians _____ matters into their own hands.

© kviktor/shutterstock

① take — take
② take — to take
③ to take — to take
④ to take — take
⑤ to take — taking

05 다음 문장의 밑줄 친 부분을 바르게 고친 것은?

On my seventh birthday, my mom surprised me with a puppy <u>wait</u> on a leash.

© Hannamariah/shutterstock

① to wait
② waiting
③ are waiting
④ waited
⑤ are waited

06 다음 중 어법상 옳은 것끼리 묶은 것은?

ⓐ Paradise on a Sunday afternoon sounds greatly.

ⓑ He gave to them bendable knees.

ⓒ That made him feel a little better.

ⓓ Then, she saw a horse came towards them.

ⓔ Being virtuous means finding a balance.

① ⓐ, ⓑ
② ⓑ, ⓒ
③ ⓐ, ⓓ
④ ⓑ, ⓓ
⑤ ⓒ, ⓔ

07 다음 중 밑줄 친 부분의 쓰임이 나머지 넷과 <u>다른</u> 것은?

① The first frogs and their relatives gained the ability <u>to come</u> out on land.

② Food is a good way <u>to manage</u> emotions.

③ It was an unfortunate way <u>to end</u> his lifelong career.

④ You can use a mirror <u>to send</u> a coded message to a friend.

⑤ There is no one around <u>to stand</u> up and cheer you on.

주어 자리의 it은 대명사, 가주어, 비인칭 주어, 강조 구문의 주어 등이 있어.

08 다음 중 밑줄 친 부분의 쓰임이 〈보기〉와 같은 것은?

• 보기 •

In today's world, <u>it</u> is impossible to run away from distractions.

① <u>It</u> is a personal decision.

② <u>It</u> had been a hot sunny day.

③ <u>It</u> takes 20 minutes by car from City Hall.

④ <u>It</u> is this fact of plants' immobility that causes them to make chemicals.

⑤ In Dutch bicycle culture, <u>it</u> is common to have a passenger on the backseat.

09 우리말과 같도록 주어진 표현을 바르게 배열하시오.

> 예술가 Pablo Picasso는 우리가 세상을 다르게 보는 것을 돕는 방법으로써 큐비즘을 이용했다.
> (Cubism / the artist Pablo Picasso / as / us / see / a way / the world / to help / used / differently)

➡ _____

_____

10 다음 문장의 네모 안에서 각각 알맞은 말을 골라 쓰시오.

> (1) Paying / Pay attention to some people and not others (2) don't mean / doesn't mean you're being dismissive or arrogant.
>
>
> © George Rudy/shutterstock

(1) _____ (2) _____

11 우리말과 같도록 빈칸에 주어진 동사를 알맞은 형태로 쓰시오.

> 나는 "음, 내가 그쯤은 할 수 있을 거야."라고 마음속으로 생각했던 것이 기억난다.
> ➡ I remember _____ (think) to myself, "Well, I could do that."
>
>
> © rnl/shutterstock

12 다음 문장의 빈칸 (A), (B)에 주어진 동사의 알맞은 형태를 쓰시오.

> In 2009, Emily Holmes asked a group of adults (A) _____ (watch) a video (B) _____ (feature) "eleven clips of traumatic content including graphic real scenes of human surgery and fatal road traffic accidents."

(A) _____ (B) _____

[13~14] 다음 글을 읽고, 물음에 답하시오.

In a study, psychologist Laurence Steinberg of Temple University and his co-author, psychologist Margo Gardner divided 306 people into three age groups: young adolescents, with a mean age of 14; older adolescents, with a mean age of 19; and adults, aged 24 and older. Subjects played a (A) _____(computerize) driving game in which the player must avoid crashing into a wall that appears, without (B) _____(warn), on the roadway. (C) Steinberg 와 Gardner는 무작위로 몇몇 참가자들을 혼자 게임을 하게 했다 or with two same-age peers looking on.

13 (A)와 (B)에 주어진 동사의 알맞은 형태를 쓰시오.

(A) _____   (B) _____

14 밑줄 친 (C)와 같은 뜻이 되도록 주어진 단어들을 알맞은 순서로 배열하시오.

some participants / randomly assigned / alone / to play / Steinberg and Gardner

➡ _____

_____

[15~16] 다음 글을 읽고, 물음에 답하시오.

Intellectual humility is ⓐ admitting you are human and there ⓑ are limits to the knowledge you have. It involves recognizing that you possess cognitive and personal biases, and that your brain tends to see things in such a way that your opinions and viewpoints are favored above others. It is being willing to work to overcome those biases in order to ⓒ being more objective and make informed decisions. People who display intellectual humility are more likely to be receptive to learning from others who think differently than they do. They tend to be well-liked and respected by others because (A) (they / it / value / that / make / clear / they) what other people bring to the table. Intellectually humble people want to learn more and are open to ⓓ finding information from a variety of sources. They are not interested in trying ⓔ to appear or feel superior to others.

15 밑줄 친 ⓐ~ⓔ 중, 어법상 틀린 것을 골라 바르게 고쳐 쓰시오.

_____ , _____ ➡ _____

16 밑줄 친 (A)를 바르게 배열하시오.

➡ _____

01 다음 빈칸에 들어갈 말을 순서대로 바르게 짝지은 것은?

> - The feathers on a snowy owl's face
>   _____ sounds to its ears.
> - During World War II, she _____
>   as a captain in the Army Nurse Corps.
> - He will _____ this year.

① guide — serves — graduates

② guide — served — graduate

③ guides — served — graduate

④ guided — served — graduates

⑤ guided — serve — graduated

02 다음 중 밑줄 친 부분의 쓰임이 어색한 것은?

① We have learned new skills.

② You have never met them before.

③ You still haven't learned the language.

④ They have adapted to their way of life.

⑤ Our after-school swimming coach has retired from coaching last month.

03 다음 우리말을 영어로 바르게 옮긴 것은?

> 우리는 에너지를 다 써버리고 있다.
>
>
>
> © VLADJ55/shutterstock

① We ran out of energy.

② We will run out of energy.

③ We are running out of energy.

④ We were running out of energy.

⑤ We will be running out of energy.

04 다음 중 어법상 어색한 것을 모두 고르면?

① In 1793-94, Füstenau has made his first concert tour in Germany.

② The old man was wearing an old turban on his head.

③ Each student will leaves with a hand-crafted side table.

④ Fred thought he has done his cultural homework.

⑤ They had never seen such 'informal' paintings before.

05 다음 문장의 빈칸에 공통으로 알맞은 말은?

In a grassland, grass is _____ by rabbits while rabbits in turn are _____ by foxes.

① eat ② eats
③ eating ④ ate
⑤ eaten

06 다음을 수동태 문장으로 바르게 바꾼 것은?

In life, we call our fruits our results.

① In life, our fruits call our results.
② In life, our fruits are calling our results.
③ In life, our fruits called our results.
④ In life, our fruits are called our results.
⑤ In life, our fruits have been called our results.

07 다음 빈칸에 알맞은 말이 바르게 짝지어진 것은?

- He was amazed _____ the power of the wind.
- Employees' selections are based _____ their needs.

① at – for ② at – on
③ for – on ④ to – at
⑤ for – to

08 다음 글에서 어법상 어색한 부분을 찾아 바르게 고친 것은?

Since our hotel was opened in 1976, we have been committed to protecting our planet by reducing our energy consumption and waste. In an effort to save the planet, we have been adopted a new policy and we need your help. We appreciate your cooperation on our eco-friendly policy.

© Elnur/shutterstock

① was opened → was opening
② have been committed → committed
③ have been adopted → have adopted
④ need → are needed
⑤ appreciate → are appreciated

09 다음 문장의 빈칸 (A), (B)에 주어진 동사의 알맞은 형태를 쓰시오.

At the event, we will be (A) _____ (introduce) new wonderful dishes that our restaurant will be (B) _____(offer) soon.

(A) _____ (B) _____

10 다음 문장의 네모 안에서 알맞은 것을 골라 쓰시오.

(1) Throughout time, communities forge / have forged their identities through dance rituals.

(2) The teacher started reading her students' answers aloud and the majority has answered / had answered correctly.

(1) _____ (2) _____

11 우리말을 참고하여 밑줄 친 부분을 바르게 고치시오.

과학적 발견들은 과거 어느 때보다 더 빠른 속도로 결실이 맺어지고 있다.

➡ Scientific discoveries <u>are bringing to fruition</u> at a faster rate than ever before.

➡ _____

12 어법상 어색한 부분을 찾아 바르게 고쳐 문장을 다시 쓰시오.

(1) Public issues have been discussing in such public forums.

➡ _____
_____

(2) Your dog is covered by pieces of the cushion's stuffing.

➡ _____
_____

[13~14] 다음 글을 읽고, 물음에 답하시오.

Today car sharing movements have appeared all over the world. In many cities, car sharing (A) [has made / has been made] a strong impact on how city residents travel. Even in strong car-ownership cultures such as North America, car sharing has gained popularity. In the U.S. and Canada, membership in car sharing now exceeds one in five adults in many urban areas. Strong influence on traffic jams and pollution can (B) [be feeling / be felt] from Toronto to New York, as each shared vehicle replaces around 10 personal cars. City governments with downtown areas struggling with traffic jams and lack of parking lots (C) 차량 공유의 늘어나는 인기를 추종하고 있다.

© gyn9037/shutterstock

13 (A)와 (B)의 네모 안에서 알맞은 것을 골라 쓰시오.

(A) _____ (B) _____

14 밑줄 친 (C)와 같은 뜻이 되도록 주어진 단어들을 알맞은 순서로 배열하시오.

car sharing / are / popularity of / driving / the growing

➡ _____

_____

[15~16] 다음 글을 읽고, 물음에 답하시오.

When I was very young, I ⓐ had a difficulty telling the difference between dinosaurs and dragons. But there is a significant difference between them. Dragons ⓑ appear in Greek myths, legends about England's King Arthur, Chinese New Year parades, and in many tales throughout human history. But even if they feature in stories created today, they ⓒ have always been the products of the human imagination and never existed. Dinosaurs, however, did once live. They ⓓ walked the earth for a very long time, even if human beings never saw them. They ⓔ have existed around 200 million years ago, and we know about them (A) 그들의 뼈가 화석으로 보존되어 왔기 때문에.

15 밑줄 친 ⓐ~ⓔ 중, 어법상 틀린 것을 찾아 바르게 고쳐 쓰시오.

_____ , _____ ➡ _____

16 밑줄 친 (A)와 같은 뜻이 되도록 〈조건〉에 맞게 쓰시오.

— 조건 •
1. 수동태의 완료형을 이용할 것
2. bones, preserve, as, fossils를 이용할 것

➡ because _____

Memo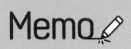

내신전략
고등 영어 구문

BOOK 2

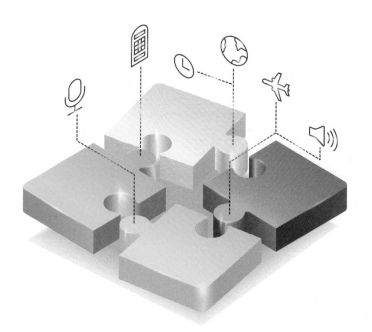

이 책의
구성과 활용

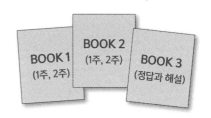

BOOK 1 (1주, 2주)
BOOK 2 (1주, 2주)
BOOK 3 (정답과 해설)

이 책은 3권으로 이루어져 있는데 본책인 BOOK 1·2의 구성은 아래와 같아.

도비라 1주·2주 + 1주·2주

이번 주에 배울 내용이 무엇인지 안내하는 부분입니다. 재미있는 만화를 통해 앞으로 공부할 내용을 미리 살펴봅니다.

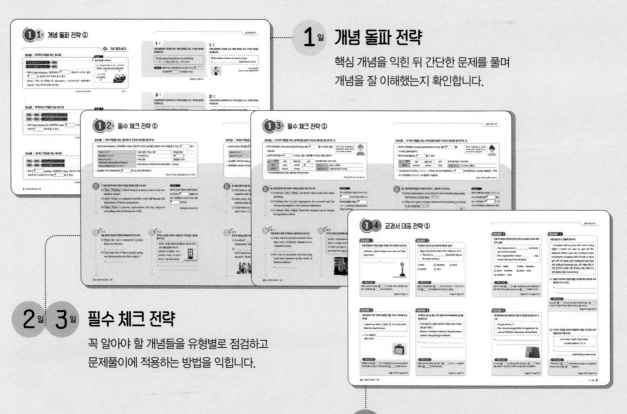

1일 개념 돌파 전략

핵심 개념을 익힌 뒤 간단한 문제를 풀며 개념을 잘 이해했는지 확인합니다.

2일 3일 필수 체크 전략

꼭 알아야 할 개념들을 유형별로 점검하고 문제풀이에 적용하는 방법을 익힙니다.

4일 교과서 대표 전략

교과서 문장으로 구성된 대표 유형의 문제를 풀어 볼 수 있습니다. 문제에 접근하는 것이 어려울 때는 '개념 Guide'를 참고할 수 있습니다.

부록 시험에 잘 나오는 개념BOOK

부록은 뜯으면 미니북으로 활용하실 수 있습니다.
시험 전에 개념을 확실하게 짚어 주세요.

주 마무리와 권 마무리의 특별 코너들로 영어 실력이 더 탄탄해 질 거야!

주 마무리 코너

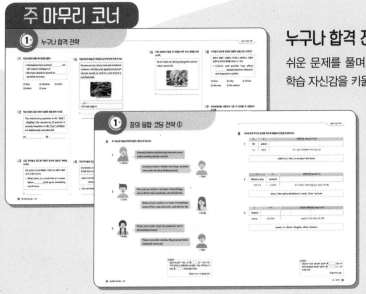

누구나 합격 전략

쉬운 문제를 풀며 공부할 내용을 정리하고
학습 자신감을 키울 수 있습니다.

창의·융합·코딩 전략

융복합적 사고력과 해결력을 길러 주는 문제를
풀며 한 주의 학습을 마무리합니다.

권 마무리 코너

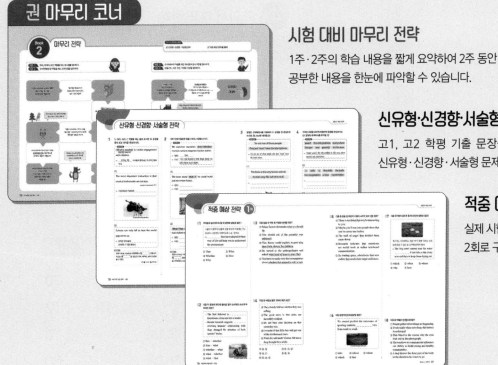

시험 대비 마무리 전략

1주·2주의 학습 내용을 짧게 요약하여 2주 동안
공부한 내용을 한눈에 파악할 수 있습니다.

신유형·신경향·서술형 전략

고1, 고2 학평 기출 문장을 바탕으로 한
신유형·신경향·서술형 문제를 제공합니다.

적중 예상 전략

실제 시험에 대비할 수 있는 모의 실전 문제를
2회로 구성하였습니다.

이 책의 차례

1주 명사절과 형용사절

❶ She's amazing!

❷ **That** a woman in her 80s can breakdance surprises younger people.

❶ 그녀는 놀라워! ❷ 팔십 대의 여인이 브레이크 댄스를 출 수 있다는 것은 젊은 사람들을 놀라게 한다.

❸ Do you work for the airline?

❹ I asked **if** she worked for the airline.

❸ 당신은 저 항공사에서 일하나요? ❹ 나는 그녀가 그 항공사에 근무하는지를 물어보았다.

❺ Tree rings can tell us **how old the tree is**, and **what the weather was like during each year of the tree's life.**

❺ 나이테는 그 나무의 나이가 몇 살인지를, 그리고 그 나무가 매해 살아오는 동안 날씨가 어떠했는지를 우리에게 말해 줄 수 있다.

❻ How about this?

❼ Well, I don't like the design.

❽ For all the home products, her main concern was **whether they looked attractive.**

❻ 이건 어때? ❼ 글쎄, 디자인이 마음에 안 들어. ❽ 모든 가정용 제품에 대한 그녀의 주된 관심은 그것들이 매력적으로 보이는가 하는 것이었다.

⑨ People **who** are engaged in service to others, such as volunteering, tend to be happier.

⑨ 자원봉사와 같이 다른 사람에게 도움이 되는 일을 하는 사람이 더 행복한 경향이 있다.

⑩ Ants in groups can do things **that** no single ant can do.

⑩ 무리를 지은 개미들은 한 마리의 개미가 전혀 할 수 없는 일을 할 수 있다.

⑪ Someone is singing. Let's go over there.

⑫ Events **where** we can watch people perform or play music attract many people.

⑪ 누군가 노래하고 있어. 저쪽으로 가 보자. ⑫ 우리가 사람들이 공연하거나 음악을 연주하는 것을 볼 수 있는 행사는 많은 사람들을 끌어들인다.

⑬ Plastic tends to float, **which** allows it to travel in ocean currents for thousands of miles.

⑬ 플라스틱은 물에 떠다니는 경향이 있는데, 이것은 플라스틱이 해류를 따라 수천 마일을 돌아다니게 합니다.

1주 1일 개념 돌파 전략 ①

개념 ❶ │ 주어(S) 역할을 하는 명사절

> That/Whether + S + V ~ + **동사**
> What/의문사 + (S +)V ~ + **동사**

- 접속사 that/whether, 관계대명사 ❶[   ], 의문사가 이끄는 절은 ❷[   ]로, 문장의 주어 자리에 올 수 있다.
- that은 '~라는 것/~하다는 것', whether는 '~인지(아닌지)', 관계대명사 what은 '~하는 것'의 의미를 나타낸다.

답 ❶ what ❷ 명사절

Quiz 1

다음 문장에서 주어는?

> 내가 경주에서 우승했다는 것은 기쁘게 했다
> [That I won the race] pleased /
> ①   ②
> 나의 가족을
> my family.
> ③

답 ①

개념 ❷ │ 목적어(O) 역할을 하는 명사절

> **주어** + **동사** + that/whether [if] + S + V ~
> **주어** + **동사** + what/의문사 + (S +)V ~

- 접속사 that/whether [if], 관계대명사 what, ❶[   ]가 이끄는 명사절은 문장의 ❷[   ] 자리에 올 수 있다.

답 ❶ 의문사 ❷ 목적어

Quiz 2

다음 문장에서 목적어는?

> 나는 궁금하다   네가 그녀를 좋아하는지
> I / wonder / [whether you like
> ①   ②   ③
> her].

답 ③

개념 ❸ │ 보어(C) 역할을 하는 명사절

> **주어** + **동사** + that/whether + S + V ~
> **주어** + **동사** + what/의문사 + (S +)V ~

- 접속사 ❶[   ]/whether, 관계대명사 what, 의문사가 이끄는 명사절은 문장의 보어 자리에 쓰여 주어를 ❷[   ]할 수 있다.

답 ❶ that ❷ 보충 설명

Quiz 3

다음 문장에서 보어는?

> 사실은 ~이다 그가 내게 거짓말했다는 것
> The fact / is [that he lied to me].
> ①   ②   ③

답 ③

1-1

다음 문장에서 주어로 쓰인 절에 밑줄을 긋고, 우리말 해석을 완성하시오.

That he drew this picture is so surprising.
➜ 그가 __이 그림을 그렸다는 것은__ 매우 놀랍다.

Guide 접속사 that, 관계대명사 what 등이 이끄는 ❶ [   ] 은 문장의 ❷ [   ] 자리에 올 수 있다.

답 ❶ 명사절 ❷ 주어

1-2

다음 문장에서 주어로 쓰인 절에 밑줄을 긋고, 우리말 해석을 완성하시오.

What matters to her is to keep in shape.
➜ _____ 건강을 유지하는 것이다.

matter 중요하다
keep in shape 건강을 유지하다

2-1

다음 문장에서 목적어로 쓰인 절에 밑줄을 긋고, 우리말 해석을 완성하시오.

I heard that you will leave this town.
➜ 나는 네가 __이 도시를 떠날 것__ 이라고 들었다.

Guide 접속사 that, 의문사 등이 이끄는 ❶ [   ] 은 문장의 ❷ [   ] 자리에 올 수 있다.

답 ❶ 명사절 ❷ 목적어

2-2

다음 문장에서 목적어로 쓰인 절에 밑줄을 긋고, 우리말 해석을 완성하시오.

I can't remember where I lost my wallet.
➜ 나는 내가 _____ 기억하지 못한다.

wallet 지갑

3-1

다음 문장에서 보어로 쓰인 절에 밑줄을 긋고, 우리말 해석을 완성하시오.

The problem is that we don't have enough time to fix it.
➜ 문제는 __우리가 그것을 바로잡을 충분한 시간이 없다는__ 것이다.

Guide 접속사 that, 관계대명사 ❶ [   ] 등이 이끄는 명사절은 문장의 ❷ [   ] 자리에 올 수 있다.

답 ❶ what ❷ 보어

3-2

다음 문장에서 보어로 쓰인 절에 밑줄을 긋고, 우리말 해석을 완성하시오.

This shirt is what I bought him last year.
➜ 이 셔츠는 _____ 이다.

개념 ❹ | 수식어(M) 역할을 하는 형용사절 ①

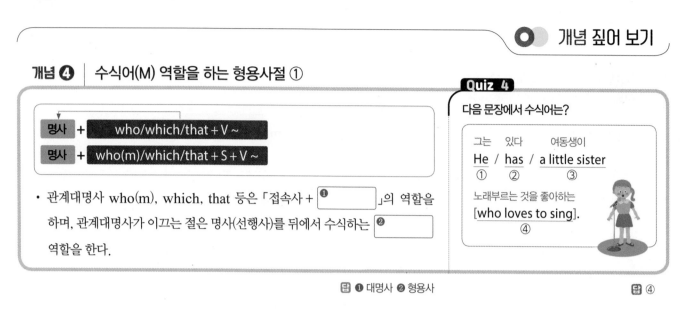

| 명사 | + | who/which/that + V ~ |
| 명사 | + | who(m)/which/that + S + V ~ |

- 관계대명사 who(m), which, that 등은 「접속사 + ❶ [   ]」의 역할을 하며, 관계대명사가 이끄는 절은 명사(선행사)를 뒤에서 수식하는 ❷ [   ] 역할을 한다.

Quiz 4

다음 문장에서 수식어는?

그는   있다   여동생이
He / has / a little sister
①   ②   ③

노래부르는 것을 좋아하는
[who loves to sing].
④

답 ❶ 대명사 ❷ 형용사   답 ④

개념 ❺ | 수식어(M) 역할을 하는 형용사절 ②

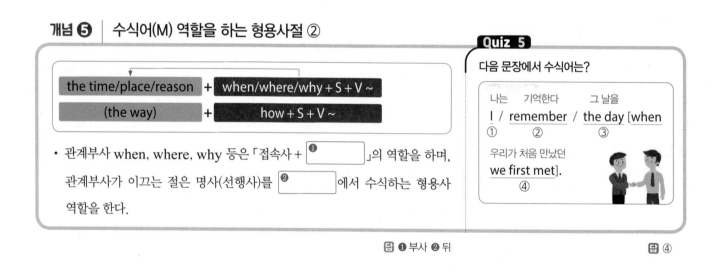

| the time/place/reason | + | when/where/why + S + V ~ |
| (the way) | + | how + S + V ~ |

- 관계부사 when, where, why 등은 「접속사 + ❶ [   ]」의 역할을 하며, 관계부사가 이끄는 절은 명사(선행사)를 ❷ [   ]에서 수식하는 형용사 역할을 한다.

Quiz 5

다음 문장에서 수식어는?

나는   기억한다   그 날을
I / remember / the day [when
①   ②   ③

우리가 처음 만났던
we first met].
④

답 ❶ 부사 ❷ 뒤   답 ④

개념 ❻ | 콤마 + 관계사절

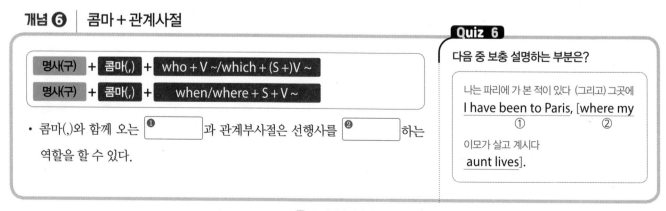

| 명사(구) | + | 콤마(,) | + | who + V ~/which + (S +)V ~ |
| 명사(구) | + | 콤마(,) | + | when/where + S + V ~ |

- 콤마(,)와 함께 오는 ❶ [   ]과 관계부사절은 선행사를 ❷ [   ] 하는 역할을 할 수 있다.

Quiz 6

다음 중 보충 설명하는 부분은?

나는 파리에 가 본 적이 있다 (그리고) 그곳에
I have been to Paris, [where my
①   ②

이모가 살고 계시다
aunt lives].

답 ❶ 관계대명사절 ❷ 보충 설명   답 ②

4-1

다음 문장에서 수식어로 쓰인 절에 밑줄을 긋고, 우리말 해석을 완성하시오.

> We are looking for an actor <u>who can play the piano</u>.
> ➡ 우리는 <u>피아노를 연주할 수 있는</u> 배우를 찾고 있다.

Guide 관계대명사 who(m), **❶**〔　　　　〕, that 등이 이끄는 절은 앞의 명사를 꾸며 주는 **❷**〔　　　　〕 역할을 한다.

답 ❶ which ❷ 수식어

4-2

다음 문장에서 수식어로 쓰인 절에 밑줄을 긋고, 우리말 해석을 완성하시오.

> Broccoli is a vegetable which contains lots of vitamin C.
> ➡ 브로콜리는 ＿＿＿＿＿＿＿＿＿ 채소이다.

contain ~이 함유되어 있다

5-1

다음 문장에서 수식어로 쓰인 절에 밑줄을 긋고, 우리말 해석을 완성하시오.

> Tell me about the place <u>where you grew up</u>.
> ➡ <u>당신이 자랐던 장소에 관해</u> 나에게 말해 주세요.

Guide 관계부사 when, where, why 등이 이끄는 절은 앞의 **❶**〔　　　　〕를 꾸며 주는 **❷**〔　　　　〕 역할을 한다.

답 ❶ 명사 ❷ 수식어

5-2

다음 문장에서 수식어로 쓰인 절에 밑줄을 긋고, 우리말 해석을 완성하시오.

> This is the reason why I couldn't tell you the truth.
> ➡ 이것이 ＿＿＿＿＿＿＿＿＿ 이유이다.

tell the truth 사실대로 말하다

6-1

다음 문장에서 보충 설명하는 절에 밑줄을 긋고, 우리말 해석을 완성하시오.

> She gave me a letter, <u>which was written in a secret code</u>.
> ➡ 그녀는 나에게 편지를 하나 주었는데, <u>그것은 암호로 쓰여</u> 있었다.

Guide 관계대명사 who, **❶**〔　　　　〕와 관계부사 when, where는 콤마 뒤에 쓰여 선행사를 **❷**〔　　　　〕한다.

답 ❶ which ❷ 보충 설명

6-2

다음 문장에서 보충 설명하는 절에 밑줄을 긋고, 우리말 해석을 완성하시오.

> His family moved to Boston, where he studied music.
> ➡ 그의 가족은 보스턴으로 이사를 갔고, 그곳에서 ＿＿＿＿＿
> ＿＿＿＿＿.

1주 1일 개념 돌파 전략 ②

Example

What I want now is something to drink.
S(명사절: What+S+V ~) V

- 구문 what이 이끄는 [❶   ] 이 주어로 쓰였다. that, what, 의문사 등이 이끄는 절은 주어 자리에 올 수 있다.
- 해석 [❷   ] 것은 마실 것이다.

      📖 ❶ 명사절 ❷ 내가 지금 원하는

1

주어로 쓰인 절에 밑줄을 긋고, 문장을 해석하시오.

(1) That he is a great cook is interesting.

➡ _____

(2) Whether you trust me really matters to me.

➡ _____

        cook 요리사 trust 신뢰하다

Example

She found **that his new book was very sad**.
   V   O(명사절: that+S+V ~)

- 구문 접속사 that이 이끄는 명사절이 [❶   ] 로 쓰였다. 명사절은 주어뿐만 아니라 목적어 자리에도 올 수 있다.
- 해석 그녀는 [❷   ] 것을 알게 되었다.

      📖 ❶ 목적어 ❷ 그의 새 책이 매우 슬프다는

2

목적어로 쓰인 절에 밑줄을 긋고, 문장을 해석하시오.

(1) I can't understand what you are talking about.

➡ _____

(2) I want to know whether you will attend the meeting.

➡ _____

        attend 참석하다

Example

The problem is **that she doesn't keep her**
      V   C(명사절: that+S+V ~)
promise.

- 구문 접속사 that이 이끄는 명사절이 [❶   ] 로 쓰였다. 명사절은 주어, 목적어, 보어 자리에 올 수 있다.
- 해석 문제는 그녀가 [❷   ] 것이다.

      📖 ❶ 보어 ❷ 약속을 지키지 않는다는

3

보어로 쓰인 절에 밑줄을 긋고, 문장을 해석하시오.

(1) This is what I ordered for dinner.

➡ _____

(2) The fact is that she gave up the audition.

➡ _____

        order 주문하다 give up 포기하다

Example

Watch out for the dog **which is running after**
　　　V　　　　　선행사(O) ↖ 관계대명사절(which+V ~)
you.

- 구문 which가 이끄는 **❶ [　　　]** 이 the dog을 수식하고 있다.
  관계대명사절은 선행사를 수식하는 형용사절이다.
- 해석 당신을 **❷ [　　　]** 개를 조심하세요!

❶ 관계대명사절 ❷ 뒤쫓고 있는

4

밑줄 친 부분을 수식하는 절에 밑줄을 긋고, 문장을 해석하시오.

(1) She liked the bracelet which I gave her.

➡ _____

(2) A polar bear is an animal that lives in the North Pole.

➡ _____

bracelet 팔찌　North Pole 북극

Example

I often visit the museum **where my brother**
S　　V　　　　선행사(O)　↖ 관계부사절(where+S+V)
works.

- 구문 where가 이끄는 **❶ [　　　]** 이 the museum을 수식하고 있다. 관계부사절은 선행사를 수식하는 형용사절이다.
- 해석 나는 종종 **❷ [　　　]** 박물관을 방문한다.

❶ 관계부사절 ❷ 오빠가 일하는

5

밑줄 친 부분을 수식하는 절에 밑줄을 긋고, 문장을 해석하시오.

(1) June 15th is the day when my yonger brother was born.

➡ _____

(2) Tell me the reason why you are mad at me.

➡ _____

be mad at ~에게 화를 내다

Example

I stayed up until midnight, **when the car**
S　　V　　　　선행사(전치사의 목적어)　　관계부사절
accident happened.
(when+S+V)

- 구문 콤마(,) 뒤의 관계부사절이 midnight를 보충 설명하고 있다.
  「콤마(,)＋관계사절」은 선행사를 **❶ [　　　]** 한다.
- 해석 나는 자정까지 깨어 있었는데, 그때 **❷ [　　　]** .

❶ 보충 설명 ❷ 차 사고가 발생했다

6

보충 설명하는 절에 밑줄을 긋고, 문장을 해석하시오.

(1) The chocolate chip cookie, which Tom baked, was delicious.

➡ _____

(2) During the trip, I met Christine, who spoke Korean fluently.

➡ _____

bake (음식을) 굽다　fluently 유창하게

 필수 체크 전략 ①

전략 ❶ | 주어 역할을 하는 명사절의 구조와 해석을 알아두자.

- 접속사 that/whether, 관계대명사 what, 의문사가 이끄는 명사절은 문장의 주어 자리에 올 수 있고, ❶ ⬚ 한다.

That + S + V ~	~라는 것은/~하다는 것은	〈확실한 정보〉
Whether + S + V ~	~인지(아닌지)는	〈 ❷ ⬚ 〉
What + (S +) V ~	~하는 것은	〈불완전한 구조〉
의문사(Who [What/Which/When/ Where/Why/How]) + (S +) V ~	누가[무엇이/어느 쪽이/언제/어디서/왜/어떻게] ~하는지는	

- that절이 주어 자리에 올 때, ❸ ⬚ 을 쓰는 것이 일반적이다.

📖 ❶ 단수 취급 ❷ 불확실한 정보 ❸ 가주어 it

필수 예제

1. 다음 문장의 네모 안에서 어법상 알맞은 것을 고르시오.

(1) | That / Whether | I liked living in a messy room or not was another subject.

(2) | That / What | you inherited and live with will become the inheritance of future generations.

(3) | What / How | a person approaches the day impacts everything else in that person's life.

Guide

접속사 that은 확실한 정보를 나타내고, whether는 ❶ ⬚ 정보를 나타낸다. 관계대명사 what이 이끄는 절은 ❷ ⬚ 구조이다.

📖 ❶ 불확실한 ❷ 불완전한

확인 문제 **1-1**

다음 문장의 밑줄 친 부분을 어법에 맞게 고치시오.

(1) **What** my son's teammate needed help was obvious.

➡ _____

(2) **That** kept all of these people going was their passion for their subject.

➡ _____

확인 문제 **1-2**

주어진 표현을 바르게 배열하여 우리말을 영어로 옮기시오.

> 우리가 시간을 어떻게 투자할지는 우리가 단독으로 내릴 결정이 아니다.
>
> (alone to make / we / invest / time / is not / how / our decision)

© cigdem/shutterstock

➡ _____
_____

전략 ❷ │ 목적어 역할을 하는 명사절의 구조와 해석을 알아두자. ①

- that이 이끄는 명사절과 [❶ _____] what이 이끄는 명사절은 문장의 목적어 자리에 올 수 있다.

(that +) S + V ~	~라는 것을/~하다는 것을	〈완전한 구조〉
what + (S +) V ~	~하는 것을	〈불완전한 구조〉

- that절은 주로 동사 believe, find, hope, know, say, think 등의 목적어로 쓰이고, that은 [❷ _____]할 수 있다.
- 관계대명사 what이 이끄는 절은 전치사의 [❸ _____] 자리에도 올 수 있다.

답 ❶ 관계대명사 ❷ 생략 ❸ 목적어

필수 예제

2. 다음 문장의 밑줄 친 부분이 맞으면 ○, 틀리면 ✕표 하시오.

(1) We believe <u>that</u> the quality of the decision is directly related to the time. ○ / ✕

(2) After more thought, he made <u>that</u> many considered an unbelievable decision. ○ / ✕

(3) Unfortunately, many people tend to focus on <u>that</u> they don't have. ○ / ✕

Guide

that이 이끄는 절은 [❶ _____] 구조이고, what이 이끄는 절은 주어, 목적어, 또는 보어 중 하나가 없는 불완전한 구조이다. that절은 [❷ _____]의 목적어 자리에 올 수 없다.

답 ❶ 완전한 ❷ 전치사

확인 문제 **2-1**

주어진 표현을 바르게 배열하여 문장을 완성하시오.

(1) I realized _____.
(happening / strange / was / something)

(2) _____ with their hard-earned money.
(people / desire / what / get / they)

© kurhan/shutterstock

확인 문제 **2-2**

다음 문장에서 어법상 틀린 부분을 찾아 바르게 고치시오.

An artist makes art from that he has around him.

_____ ➡ _____

전략 ❸ | 목적어 역할을 하는 명사절의 구조와 해석을 알아두자. ②

- whether [if]와 ^❶[____]가 이끄는 명사절은 문장의 목적어 자리에 올 수 있다.
- 주로 동사 ask, tell, wonder 등의 ^❷[____]로 쓰인다.

whether [if]+S+V ~	~인지 (아닌지)를	〈불확실한 정보〉
의문사(who [what/which/when/where/why/how])+(S+)V ~	누개[무엇이/어느 쪽이/언제/어디서/왜/어떻게] ~하는지를	

- 의문사 how와 what [which]이 이끄는 명사절은 각각 「how + ^❸[____] +(S +)V ~」, 「what [which] + 명사(구)+(S +)V ~」 형태로 쓸 수 있다.
- whether와 의문사가 이끄는 절은 전치사의 목적어 자리에도 올 수 있다.

📋 ❶ 의문사 ❷ 목적어 ❸ 형용사/부사

필수 예제

3. 우리말을 참고하여 네모 안에서 알맞은 것을 고르시오.

(1) Audience feedback indicates | that / whether | listeners understand the speaker's ideas.

(청중의 피드백은 청중들이 연사의 생각을 이해했는지를 보여 준다.)

(2) This may explain | when / why | Americans are good at cocktail-party conversation.

(이것은 왜 미국인들이 칵테일 파티에서의 대화에 능숙한지를 설명할 수도 있다.)

Guide

whether절은 '~인지 아닌지'의 의미로 ^❶[____] 정보를 나타내고, 의문사 절은 의문사에 따라 ^❷[____]이 다양하다.

📋 ❶ 불확실한 ❷ 해석

확인 문제 3-1

다음 문장에서 어법상 **틀린** 부분을 찾아 바르게 고치시오.

(1) I asked that she had ever done that.

_____ ➡ _____

(2) Do you really know what are you eating?

_____ ➡ _____

확인 문제 3-2

주어진 표현을 바르게 배열하여 문장을 완성하시오.

how / appropriate / disclosure / is / much

➡ Ideas about _____ _____ vary among cultures.

© Dmitry Morgan/shutterstock

전략 ④ | 보어 역할을 하는 명사절의 구조와 해석을 알아두자.

- 접속사 that/❶〔   〕, 관계대명사 what, 의문사가 이끄는 명사절은, 문장의 보어 자리에 올 수 있다.
- 주로 be동사 ❷〔   〕에 쓰여 주어를 보충 설명하는 ❸〔   〕역할을 한다.

that+S+V ~	~라는 것/~하다는 것(이다)	〈완전한 구조〉
whether+S+V ~	~인지(이다)	〈불확실한 정보〉
what+(S+)V ~	~한 것(이다)	〈불완전한 구조〉
의문사(who [what/which/when/ where/ why/how])+(S+)V ~	누가[무엇이/어느 쪽이/언제/어디서/왜/어떻게] ~하는지(이다)	

🔑 ❶ whether ❷ 뒤 ❸ 주격보어

필수 예제

4. 다음 문장의 네모 안에서 어법상 알맞은 것을 고르시오.

(1) Aristotle's suggestion is │that / whether│ virtue is the midpoint.

(2) Your story is │that / what│ makes you special.

(3) An important question is │who / whether│ emoticons help Internet users to understand emotions in online communication.

© karnoff/shutterstock

Guide

that절은 '~하다는 것'이라는 의미로 확실한 정보를 나타내는 ❶〔   〕구조의 절이고, what절은 불완전한 구조이다. whether절은 ❷〔   〕정보를 나타낸다.

🔑 ❶ 완전한 ❷ 불확실한

확인 문제

4-1

주어진 표현을 바르게 배열하여 문장을 완성하시오.

(1) The problem is ＿＿＿＿＿＿＿＿
＿＿＿＿＿＿＿＿＿＿＿＿＿.

(the other way / that / can also tip / the seesaw)

(2) The best part about this is ＿＿＿＿
＿＿＿＿＿＿＿＿＿＿＿＿＿.

(their writing / happens / what / with)

확인 문제

4-2

다음 문장에서 어법상 틀린 부분을 찾아 바르게 고치시오.

What I don't know is where am I going.

＿＿＿＿＿＿＿ ➡ ＿＿＿＿＿＿＿

주어와 보어 자리에 각각 명사절이 쓰였어. 명사절 내의 어순을 잘 살펴봐야 해.

1주 2일 필수 체크 전략 ②

1 (A), (B), (C)의 각 네모 안에서 어법에 맞는 표현을 고르시오.

Have you ever thought about how you can tell what somebody else is feeling? Sometimes, friends might tell you (A) ⎣that / what⎦ they are feeling happy or sad but, even if they do not tell you, I am sure (B) ⎣whether / that⎦ you would be able to make a good guess about (C) ⎣that / what⎦ kind of mood they are in. You might get a clue from the tone of voice that they use.

Words

even if 비록 ~일지라도   be able to ~할 수 있다   make a guess 추측하다   mood 기분
clue 단서   tone 어조, 말투

Tip

(A) 접속사 that 뒤에는 ❶ ⬚⬚⬚ 구조의 절이 이어진다.
(B) '~라는 것을'의 의미로 ❷ ⬚⬚⬚ 정보를 나타내는 접속사가 알맞다.
(C) that이 이끄는 절은 전치사의 목적어 자리에 올 수 없다.

🔑 ❶ 완전한 ❷ 확실한

© Helder Almeida/shutterstock

2 다음 글의 밑줄 친 부분 중, 어법상 틀린 것은?

Give children options and allow them to make their own decisions — on ① <u>how much</u> they would like to eat, ② <u>whether</u> they want to eat or not, and ③ <u>what</u> they would like to have. For example, include them in the decision-making process of ④ <u>what</u> you are thinking of making for dinner — "Lisa, would you like to have pasta and meatballs, or chicken and a baked potato?" When discussing how much ⑤ <u>should they</u> eat during dinner, serve them a reasonable amount.

Words

make one's own decision 스스로 결정하다   include ~을 (~에) 포함시키다   process 과정
baked 구운   serve (음식을) 차려 주다   reasonable 적당한   amount 양

Tip

①, ②, ③ 의문사와 whether가 이끄는 명사절이 ❶ ⬚⬚⬚ on의 목적어로 쓰였다.
④ what이 이끄는 명사절이 전치사 of의 목적어로 쓰였다.
⑤ how가 이끄는 의문사절은 「how + 형용사/❷ ⬚⬚⬚ + S + V ~」로도 쓴다.

🔑 ❶ 전치사 ❷ 부사

© Monkey Business Images/shutterstock

[3~4] 다음 글을 읽고, 물음에 답하시오.

Words

cite 인용하다
statistical survey 통계 조사
toothpaste 치약
manufacturer 제조업체
dentist 치과 의사
recommend 추천하다
prefer A to B B보다 A를 더 선호하다
competitor 경쟁자
(It is) No wonder (that) ~
~인 것은 놀랄 일이 아니다
rule that ~ 판결을 언도하다
mislead 잘못된 정보를 주다
conduct 실시하다

Many advertisements cite statistical surveys. But we should be cautious (A) <u>우리는 보통 이러한 조사들이 어떻게 실시되는지를 모르기 때문에</u>. For example, a toothpaste manufacturer once had a poster that said, "More than 80% of dentists recommend *Smiley Toothpaste*." This seems to say (B) | that / what | most dentists prefer *Smiley Toothpaste* to other brands. But it turns out (C) | whether / that | the survey questions allowed the dentists to recommend more than one brand, and in fact another competitor's brand was recommended just as often as *Smiley Toothpaste*! No wonder the UK Advertising Standards Authority ruled in 2007 that the poster was misleading and it could no longer be displayed.

© Arthimedes/shutterstock

3 밑줄 친 (A)와 같은 뜻이 되도록 주어진 단어들을 알맞은 순서로 배열하시오.

> these surveys / do not know / we / how /
> are conducted / usually

➡ because _____

4 (B)와 (C)의 네모 안에서 각각 알맞은 말을 골라 쓰시오.

(B) _____ (C) _____

1주 3일 필수 체크 전략 ①

전략 ⑤ | 수식어 역할을 하는 관계대명사절의 구조와 해석을 알아두자. ①

- 주격 관계대명사 who/which/that이 이끄는 절은 [❶ ____]를 수식하는 형용사절이다.

- 소유격 관계대명사 [❷ ____]가 이끄는 절은 선행사를 수식하는 형용사절이다.

주격/소유격 관계대명사는 관계대명사절 내에서 주어와 소유격 대명사 역할을 해.

격 선행사	사람	동물/사물	모두	관계대명사절의 구조와 해석	
주격	who	which	❸ ___	+V*~	V하는 (선행사)
소유격	whose	whose	-	+명사+V ~	(선행사)의 명사가 V하는

* 주격 관계대명사절의 동사는 선행사의 수에 일치시킨다.

🔑 ❶ 선행사 ❷ whose ❸ that

필수 예제

5. 다음 문장의 네모 안에서 어법상 알맞은 것을 고르시오.

(1) A person who / which can never take a risk can't learn anything.

(2) Clothing that is / are appropriate for exercise and the season can improve your exercise experience.

(3) A patient that / whose heart has stopped can no longer be regarded as dead.

Guide

주격 관계대명사 뒤에는 동사가 오고, [❶ ____]의 수에 일치 시킨다. 소유격 관계대명사 뒤에는 「[❷ ____] +V ~」가 이어지고 '(선행사)의 명사가 V하는'의 의미이다.

🔑 ❶ 선행사 ❷ 명사

확인 문제 5-1

다음 문장의 밑줄 친 부분을 어법에 맞게 고치시오.

(1) They viewed emotion-neutral faces <u>who</u> were randomly changed on a computer screen.

➡ _____

(2) He was an economic historian <u>that</u> work has centered on the study of business history.

➡ _____

확인 문제 5-2

빈칸에 알맞은 관계대명사를 넣어 문장을 완성하시오.

In fact, consumers (1) _____ have a high need for touch tend to like products (2) _____ provide this opportunity

전략 ⑥ | 수식어 역할을 하는 관계대명사절의 구조와 해석을 알아두자. ②

- 목적격 관계대명사 who(m)/which/that이 이끄는 절은 ❶[　　　]를 수식하는 형용사절이다.
- 목적격 관계대명사는 ❷[　　　]할 수 있다.

목적격 관계대명사는 관계대명사절 내에서 목적어 또는 전치사의 목적어 역할을 해.

격\선행사	사람	동물/사물	모두	관계대명사절의 구조와 해석	
목적격	who(m)	which	that	+S+V ~	S가 V하는 (선행사)

- 「who(m)/which/that + S + V ~ + 전치사」일 때 관계대명사는 ❸[　　　]의 목적어이고, that을 제외하면, 「전치사 + 관계대명사 + S + V ~」의 형태도 가능하다.

🔑 ❶ 선행사 ❷ 생략 ❸ 전치사

필수예제

6. 다음 문장의 밑줄 친 부분이 맞으면 ○, 틀리면 X표 하시오.

(1) Some participants stood next to close friends <u>whose they had known a long time.</u> ○ / X

(2) Take out a piece of paper and record everything <u>you'd love to do someday.</u> ○ / X

(3) The emotion itself is tied to the situation <u>in that it originates.</u> ○ / X

Guide

목적격 관계대명사 뒤에는 「S + V ~」가 오고, 관계대명사를 ❶[　　　]할 수 있다. 관계대명사 ❷[　　　]은 「전치사 + 관계대명사」의 형태로 쓸 수 없다.

🔑 ❶ 생략 ❷ that

확인문제 **6-1**

주어진 표현을 바르게 배열하여 문장을 완성하시오.

(1) _____ changed his whole life.
(he / that / received / the praise)

(2) The teacher wrote back _____ _____ thirteen of the questions.
(he / in which / dealt with / a long reply)

확인문제 **6-2**

두 문장의 의미가 같도록 빈칸에 알맞은 말을 쓰시오.

Just think of all the people whom your participation in your class depends upon.
= Just think of _____ _____ depends.

전략 ❼ │ 수식어 역할을 하는 관계부사절의 구조와 해석을 알아두자.

- 관계부사 when, where, why가 이끄는 절은 각각 시간, 장소, <u>❶   </u> 를 나타내는 선행사를 수식하는 형용사절이다.
- 관계부사 how가 이끄는 절은 방법을 나타내는 선행사(the way)를 수식하는데, the way와 how는 함께 쓰지 않고, 둘 중 하나를 <u>❷   </u> 한다.

	선행사	관계부사	관계부사절의 구조와 해석	
시간	the time	when	+S+V ~	S가 V하는 (시간/장소/이유/방법)
장소	the place	where		〈❸ 구조〉
이유	the reason	why		
방법	(the way)	how		

답 ❶ 이유 **❷** 생략 **❸** 완전한

필수예제

7. 다음 문장의 네모 안에서 어법상 알맞은 것을 고르시오.

(1) In fact, there have been numerous times in history ⃞when / why⃞ food has been rather scarce.

(2) It is the reason ⃞why / how⃞ humans can become so noncooperative on the road.

(3) We are looking for a diversified team ⃞where / when⃞ members complement one another.

Guide

선행사가 시간, 장소, 이유를 나타낼 때 각각 <u>❶   </u> when, where, why를 쓴다. 관계부사 how는 방법을 나타내는 선행사 <u>❷   </u> 를 생략하고 쓴다.

답 ❶ 관계부사 **❷** the way

확인문제 7-1

다음 문장의 밑줄 친 부분을 어법에 맞게 고치시오.

(1) We tend to form generalizations about <u>the way how</u> people behave and things work.

➡ _____

(2) Imagine the grocery store <u>why</u> you shop the most.

➡ _____

확인문제 7-2

〈조건〉에 맞게 우리말을 영어로 옮기시오.

변화는 과학기술이 흔히 저항을 받는 주된 이유들 중 하나이다.

〈조건〉
1. 관계부사를 포함할 것
2. 주어진 표현을 이용할 것
   (the main reasons, technology, resist)

➡ _____
_____

전략 ❽ 「콤마(,) + 관계사절」의 종류와 역할을 알아두자.

- 관계사절은 형용사절 역할 외에, 선행사를 <u>❶   </u> 하는 역할을 하기도 한다.
- 「콤마(,) + 관계사」는 문맥에 따라 여러 <u>❷   </u> (and, but 등)의 의미를 나타낸다.
- 관계대명사 who(m), whose와 which가 이끄는 절은 선행사를 보충 설명하며, 접속사 and, but 등의 의미를 포함한다.
- 관계부사 where와 when이 이끄는 절도 <u>❸   </u> 를 보충 설명한다.
- 관계대명사 that과 관계부사 why, how는 보충 설명하는 절을 이끌지 않는다.

> which는 앞에 나온 명사(구)뿐만 아니라 절 전체도 보충 설명해.

답 ❶ 보충 설명 ❷ 접속사 ❸ 선행사

필수 예제

8. 우리말을 참고하여 네모 안에서 알맞은 것을 고르시오.

(1) These medicines are called "antibiotics," │that / which│ means "against the life of bacteria."
(이런 약들은 '항생 물질'이라고 불리며, 이는 '박테리아의 생명에 대항하는 것'을 의미한다.)

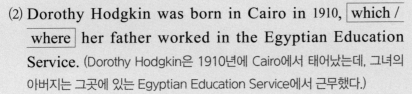

(2) Dorothy Hodgkin was born in Cairo in 1910, │which / where│ her father worked in the Egyptian Education Service. (Dorothy Hodgkin은 1910년에 Cairo에서 태어났는데, 그녀의 아버지는 그곳에 있는 Egyptian Education Service에서 근무했다.)

Guide

who(m), whose, which가 이끄는 <u>❶   </u> 과 where, when이 이끄는 관계부사절은 콤마 뒤에 쓰여 <u>❷   </u> 를 보충 설명하는 역할을 한다.

답 ❶ 관계대명사절 ❷ 선행사

확인 문제 8-1

다음 문장의 빈칸에 알맞은 관계사를 쓰시오.

(1) The guard took him to the rich man, _____ decided to punish him severely.

(2) In 1907, he moved to Phoetus, Virginia, _____ he worked in the dining room of the Hotel Chamberlin.

확인 문제 8-2

주어진 표현을 바르게 배열하여 우리말을 영어로 옮기시오.

> 문어체는 더 형식적이고 거리감이 들게 하는데, 이것은 독자들이 주의를 잃게 만든다.
>
> (which / attention / written language / more formal and distant, / is / the readers / makes / lose)

➡ _____

_____

1 (A), (B), (C)의 각 네모 안에서 어법에 맞는 표현을 고르시오.

Although many small businesses have excellent websites, they typically can't afford aggressive online campaigns. One way to get the word out is through an advertising exchange, in which advertisers place banners on each other's websites for free. Advertising exchanges are gaining in popularity, especially among marketers (A) who / which do not have much money and (B) who / whose don't have a large sales team. By trading space, advertisers find new outlets that (C) reach / reaches their target audiences that they would not otherwise be able to afford.

Words

afford ~할 여유가 있다 aggressive 공격적인 get the word out 말을 퍼뜨리다
advertising exchange 광고 교환 audience 관중 otherwise (만약) 그렇지 않으면 [않았다면]

Tip

(A) 선행사가 [❶_____]일 때는 관계대명사 who, 사물일 때는 which를 쓴다.
(B) 관계대명사 뒤에 바로 동사가 쓰였으므로, [❷_____] 관계대명사가 알맞다.
(C) 관계대명사절의 동사는 선행사의 수에 일치 시킨다.

답 ❶ 사람 ❷ 주격

© corund/shutterstock

2 다음 글의 밑줄 친 부분 중, 어법상 틀린 것은?

The often-used phrase "pay attention" is insightful: you dispose of a limited budget of attention ① that you can allocate to activities, and if you try to go beyond your budget, you will fail. It is the mark of effortful activities that they interfere with each other, ② that is the reason ③ why it is difficult or impossible to conduct several at once. You could not compute the product of 17 × 24 while making a left turn into dense traffic, and you certainly should not try. You can do several things at once, but only if they are easy and undemanding.

Words

insightful 통찰력 있는 dispose of ~을 없애다 budget 예산 allocate 할당하다
effortful 노력이 필요한 interfere with ~을 방해하다 conduct 수행하다 compute 계산하다

Tip

① 뒤에 목적어가 없는 절이 이어지므로 목적격 관계대명사가 알맞다.
② 관계대명사 that은 [❶_____]하는 절을 이끌 수 없다.
③ 선행사 [❷_____]을 수식하는 관계부사가 알맞다.

답 ❶ 보충 설명 ❷ the reason

© Maslowski Marcin/shutterstock

[3~4] 다음 글을 읽고, 물음에 답하시오.

Words

loneliness 외로움
creep into ~에 몰래 다가가다
value 소중하게 생각하다
meaningful 의미 있는
conversation 대화
director 책임자
founder 설립자
suicide 자살
prevention 예방
hotline 상담 전화
suicidal 자살 충동을 느끼는
in particular 특히
no longer 더 이상 ~하지 않는
care about ~에게 관심을 가지다

Loneliness can creep into your life as you get older, ⓐ <u>which</u> is why it's nice to find some ways to not be lonely. Patrick Arbore knows this, and it's ⓑ <u>why</u> he values meaningful conversation. Director and founder of Elderly Suicide Prevention, Arbore, founded the Friendship Line, a 24-hour hotline ⓒ <u>whom</u> volunteers reach out to potentially suicidal seniors. He says, "What brings me joy is ⓓ <u>when</u> I can be the listener when someone is hungry for connection." Arbore remembers one man in particular ⓔ <u>who</u> was feeling suicidal in his 70's after his wife's death. (A) <u>그 남자는 그가 자신의 삶을 마감하고 싶어 하는 단계에서 Friendship Line을 통해 그와 이야기했다.</u> After some time he said to him "I am no longer thinking about suicide because people care about me."

3 밑줄 친 ⓐ~ⓔ 중 어법상 틀린 것을 찾아 바르게 고쳐 쓰시오.

_____ , _____ ➡ _____

Tip

관계대명사 뒤에 「❶ [   ]+V ~」가 이어지고 '(선행사)의 명사가 V하는'의 의미일 때에는 ❷ [   ] 관계대명사가 알맞다.

답 ❶ 명사 ❷ 소유격

4 밑줄 친 (A)와 같은 뜻이 되도록 주어진 단어들을 알맞은 순서로 배열하시오.

wanted / spoke with / to end his life / when / the man / him / at a stage / on the Friendship Line / he

➡ _____

_____

Tip

관계부사 ❶ [   ]이 이끄는 완전한 구조의 절이 선행사 a stage를 뒤에서 ❷ [   ]하는 구조로 쓴다.

답 ❶ when ❷ 수식

대표 예제 1

다음 문장에서 어법상 **틀린** 부분을 찾아 바르게 고치시오.

> Actually, which team wins are not that important.

_____ ➡ _____

© liubomir/shutterstock

개념 Guide

의문사 which가 이끄는 [❶　　　]이 주어로 쓰였다. 명사절 주어는 단수 취급하므로 [❷　　　] 동사가 와야 한다.

답 ❶ 명사절 ❷ 단수

대표 예제 3

우리말과 같도록 할 때 빈칸에 알맞은 말은?

> 진실은 그 둘 모두에게 똑같은 과학이 적용된다는 것이다.
> ➡ The truth is _____ they both rely on the same science.

① that　　② whether　　③ what
④ which　　⑤ why

개념 Guide

be동사 뒤에 명사절이 [❶　　　]로 쓰인 문장이다. '~라는 것'의 의미로 [❷　　　] 구조의 절을 이끄는 접속사가 알맞다.

답 ❶ 보어 ❷ 완전한

대표 예제 2

다음 문장의 네모 안에서 알맞은 것을 고르고, 해석을 완성하시오.

> I asked my father ⌈ that / if ⌉ he had really liked the burnt bread.

➡ 나는 아빠에게 _____
　물어 보았다.

개념 Guide

명사절이 ask의 [❶　　　]로 쓰인 문장이다. that이 이끄는 절은 확실한 정보를 나타내고, if가 이끄는 절은 [❷　　　] 정보를 나타낸다.

답 ❶ 직접목적어 ❷ 불확실한

대표 예제 4

우리말과 같도록 괄호 안의 말을 바르게 배열하여 문장을 완성하시오.

> 누구도 줄다리기 전통이 한국에서 정확히 언제 시작됐는지를 알지 못한다.
> (knows / in Korea / nobody / exactly when / started / the *juldarigi* tradition)

➡ _____
_____

개념 Guide

의문사 when이 이끄는 명사절이 「[❶　　　]+S+V ~」의 형태로 문장의 [❷　　　] 자리에 와야 한다.

답 ❶ 의문사 ❷ 목적어

대표 예제 5

다음 두 문장의 빈칸에 들어갈 말이 순서대로 바르게 짝지어진 것은?

- The virtual choir is _____ connects me with the world.
- The organization hopes _____ tug of war will regain its old glory.

① that − what   ② that − whether

③ what − whether   ④ what − that

⑤ whether − that

개념 Guide

접속사 that은 ❶ [　　] 의 절을, 관계대명사 what은 불완전한 구조의 절을 이끈다. 접속사 whether는 ❷ [　　] 정보를 나타낸다.

🅐 ❶ 완전한 구조 ❷ 불확실한

대표 예제 6

명사절 접속사를 이용하여 다음 두 문장을 한 문장으로 쓰시오.

- Do you know ...?
- The *Joseonwangjosillok* is registered as one of UNESCO's Memories of the World.

➡ _____

_____

개념 Guide

know의 ❶ [　　] 자리에 명사절이 와야 한다. ❷ [　　] 구조의 절을 이끌며 '~라는 것'의 의미를 나타내는 접속사가 필요하다.

🅐 ❶ 목적어 ❷ 완전한

대표 예제 7

다음 글을 읽고, 물음에 답하시오.

It looked cold out, but after such a long flight I could not wait to get off the airplane. When I got out, I noticed other passengers clapping their hands as they got off. (A) Mom and I followed that they did without knowing why. (B) 아빠는 후에 이것이 안전하게 도착한 것을 축하하는 오랜 전통이라고 내게 말씀해 주셨다. Interesting!

(1) 밑줄 친 (A)에서 어법상 틀린 부분을 찾아 바르게 고쳐 문장을 다시 쓰시오.

➡ _____

_____

개념 Guide

follow의 ❶ [　　] 로 쓰인 명사절이 목적어가 없는 ❷ [　　] 구조이다. 접속사 that은 완전한 구조의 절을 이끈다.

🅐 ❶ 목적어 ❷ 불완전한

(2) 주어진 표현을 바르게 배열하여 밑줄 친 (B)의 우리말을 영어로 옮기시오.

> me / later / told / Dad / that / an old tradition / it / is

➡ _____

_____ celebrating a safe arrival.

개념 Guide

「주어 + 동사 + ❶ [　　] + 직접목적어」의 순서로 쓰고, 직접목적어 자리에 that이 이끄는 ❷ [　　] 을 넣는다.

🅐 ❶ 간접목적어 ❷ 명사절

대표 예제 8

다음 문장의 빈칸에 공통으로 알맞은 말을 쓰시오.

> Confucius once said, "The man _____ asks a question is a fool for a minute, but the man _____ does not ask is a fool for life."

➡ _____

개념 Guide

선행사 The man을 **①**_____하며, 관계대명사절 내에서 주어 역할을 하는 **②**_____가 알맞다.

🔑 **①** 수식 **②** 주격 관계대명사

대표 예제 9

관계대명사를 이용하여 다음 두 문장을 한 문장으로 쓰시오.

> • Basically, I am the mission's engineer.
> • The mission's engineer plays with plants.

➡ _____

_____

개념 Guide

the mission's engineer를 **①**_____하며, 관계대명사절 내에서 **②**_____ 역할을 하는 주격 관계대명사를 이용해야 한다.

🔑 **①** 수식 **②** 주어

대표 예제 10

다음 문장에서 어법상 **틀린** 부분을 찾아 바르게 고치시오.

> Jiwon suggested doing a class project in that we express gratitude to the people who work for us.

_____ ➡ _____

© Alexey Laputin/shutterstock

개념 Guide

관계대명사 **①**_____은 「전치사＋관계대명사」의 형태로 쓸 수 없으므로, **②**_____ 선행사를 수식하는 다른 관계대명사가 필요하다.

🔑 **①** that **②** 사물

대표 예제 11

다음 문장의 빈칸에 들어갈 말로 알맞은 것은?

> Everybody worked together to move the *Sillok* to a remote mountain area, _____ they defended it for 370 days.

① who　　② which　　③ that

④ where　　⑤ when

개념 Guide

장소를 나타내는 선행사 a remote mountain area를 **①**_____하는 절을 이끄는 **②**_____가 필요하다.

🔑 **①** 보충 설명 **②** 관계부사

대표 예제 12

다음 우리말과 같도록 할 때 빈칸에 알맞은 말은?

내가 처음으로 자원봉사를 시작했던 날, 학생들은 나를 따뜻하게 환영해 주었다.

➡ On the day _____ I first started volunteering, the students gave me a warm welcome.

① which ② when ③ where
④ why ⑤ how

개념 Guide

「S+V+O」 형태의 ❶ [ ] 구조의 절을 이끌며 ❷ [ ]을 나타내는 선행사 the day를 수식하는 관계부사가 알맞다.

🔲 ❶ 완전한 ❷ 시간

대표 예제 13

다음 우리말을 〈조건〉에 맞게 영어로 옮기시오.

그는 자신이 피아노 음악에 맞춰 지휘한 비디오를 게시했다.

조건 ●
1. 관계부사를 포함할 것
2. post, conduct, along with를 활용할 것

➡ _____

개념 Guide

문장의 주어와 ❶ [ ]를 먼저 쓰고, 목적어와 이를 수식하는 관계부사절을 차례로 쓴다. ❷ [ ]를 나타내는 선행사(비디오)를 수식하는 관계부사를 이용한다.

🔲 ❶ 동사 ❷ 장소

대표 예제 14

(A), (B), (C)의 각 네모 안에서 어법에 맞는 표현으로 가장 적절한 것은?

They have traveled the world with a mobile studio and recorded street musicians in the places (A) [when / where] they worked. Johnson and Kroenke hope that "Playing for Change" can make the world a better place to live in through music. They help set up music schools (B) [where / that] offer free lessons. They do this because they know that learning to make music takes resources, teachers, and instruments, (C) [that / which] are not always easy to find in the developing world. Even more importantly, they help break down barriers between people by inspiring and connecting the world through music.

	(A)		(B)		(C)
①	when	……	where	……	that
②	when	……	that	……	which
③	where	……	that	……	that
④	where	……	where	……	which
⑤	where	……	that	……	which

© abstract/shutterstock

개념 Guide

(A) 선행사가 the places이므로, ❶ [ ]가 알맞다. (B) music schools를 수식하는 ❷ [ ] 절이므로 관계대명사가 알맞다. (C) 보충 설명하는 절을 이끄는 관계대명사가 알맞다.

🔲 ❶ 관계부사 where ❷ 불완전한

1주 4일 교과서 대표 전략 ②

01 다음 밑줄 친 부분 중 어법상 <u>어색한</u> 것은?

① That's <u>what</u> I've been looking for!

② <u>That</u> Gutenberg did was view the two devices in a new way.

③ I will never forget <u>what</u> he said.

④ Now, see <u>if</u> you can solve another riddle.

⑤ Her mom just told me <u>that</u> she was busy.

> **Tip**
> 접속사 that이 이끄는 명사절은 〔❶ 〕 구조이고, 관계대명사 〔❷ 〕이 이끄는 명사절은 불완전한 구조이다.
> 답 ❶ 완전한 ❷ what

02 다음 문장에서 접속사 that의 위치로 알맞은 곳은?

> I (①) hope (②) it (③) will help (④) you make (⑤) the most of your high school years.

> **Tip**
> 동사 hope의 〔❶ 〕 역할을 하는 〔❷ 〕을 이끄는 접속사 that의 위치로 알맞은 곳을 고른다.
> 답 ❶ 목적어 ❷ 명사절

03 주어진 표현을 바르게 배열하여 우리말을 영어로 옮기시오.

여러분은 여러분이 하루에 얼마나 많은 플라스틱 제품을 사용하는지에 관해 생각해 본 적이 있는가?

(ever / plastic products / a day / thought / have / use / you / many / about / how / you)

➡ _____

_____

> **Tip**
> 전치사 about의 목적어 자리에 문사 how가 이끄는 〔❶ 〕을 「how + 형용사 + ❷ 〕 + V ~」의 순으로 써야 한다.
> 답 ❶ 명사절 ❷ S

04 다음 문장의 빈칸에 공통으로 알맞은 말은?

> A night owl is someone _____ loves working late at night, whereas an early bird is someone _____ loves working in the morning.

① who ② whose ③ whom

④ which ⑤ of which

> **Tip**
> 선행사(someone)가 〔❶ 〕이고 관계대명사절 내에서 주어 역할을 하므로, 〔❷ 〕 관계대명사가 알맞다.
> 답 ❶ 사람 ❷ 주격

05 다음 문장의 빈칸에 알맞은 말을 〈보기〉에서 골라 쓰시오.

• 보기 •
when   where   why   how

(1) The book says that it was widely popular in the middle and southern parts of Korea _____ rice farming was common.

(2) Maybe that's one reason _____ you don't have enough time.

> **Tip**
>
> 관계부사 when/where/why는 각각 ❶[   ]/장소/이유를 나타내는 선행사를 수식한다. 관계부사 ❷[   ]는 선행사 the way를 생략하고 쓴다.
>
> 답 ❶ 시간 ❷ how

06 다음 문장의 빈칸 (A)와 (B)에 알맞은 관계대명사를 쓰시오.

According to marine scientists, the amount of carbon (A) _____ whales take to the bottom of the sea is about 190,000 tons annually, (B) _____ equals the amount of carbon produced by 80,000 cars.

(A) _____   (B) _____

> **Tip**
>
> carbon을 ❶[   ]하는 절을 이끄는 관계대명사와 190,000 tons를 ❷[   ]하는 절을 이끄는 관계대명사가 각각 알맞다.
>
> 답 ❶ 수식 ❷ 보충 설명

[07~08] 다음 글을 읽고, 물음에 답하시오.

© Denis Burdin/shutterstock

After breakfast, my family headed to Ilulissat with Mr. Nielsen. He explained that the word "ilulissat" means "icebergs" in Greenlandic. I could see many tourists (A) [whom / who] were there to see the icebergs. The first thing (B) [that / what] caught my eye was a road sign with a picture of a sled on it. (C) <u>I asked Mr. Nielsen what was it for.</u> He said, "It warns people about the dog sleds passing through this area." I wanted to see a dog sled, but it was not snowy enough for them yet.

07 (A)와 (B)의 네모 안에서 각각 알맞은 것을 골라 쓰시오.

(A) _____   (B) _____

> **Tip**
>
> (A) 이어지는 절에 주어가 없으므로, ❶[   ] 관계대명사가 알맞다. (B) The first thing을 ❷[   ]하는 관계대명사가 알맞다.
>
> 답 ❶ 주격 ❷ 수식

08 밑줄 친 (C)에서 어법상 틀린 부분을 찾아 바르게 고쳐, 문장을 다시 쓰시오.

➡ _____

_____

> **Tip**
>
> 의문사 what이 이끄는 명사절이 ❶[   ]로 쓰인 문장으로, 「what + ❷[   ] +V ~」 순으로 써야 한다.
>
> 답 ❶ 직접목적어 ❷ S

01 다음 빈칸에 공통으로 알맞은 말은?

> • Honeybees have evolved _____ we call "swarm intelligence."
> • We make decisions based on _____ we think we know.

① that ② whether ③ what
④ which ⑤ how

02 다음 문장의 네모 안에서 알맞은 말을 골라 쓰시오.

> The interesting question is (A) | that / whether | the remaining 25 percent is actually forgotten or (B) | that / whether | it is deliberately not collected.

(A) _____ (B) _____

03 다음 우리말과 같도록 주어진 동사의 알맞은 형태를 쓰시오.

> 작은 승리나 사소한 패배로 시작한 것은 쌓여서 훨씬 더 큰 무언가가 된다.
>
> ➡ What starts as a small win or a minor failure _____(add) up to something much more.

➡ _____

04 다음 문장의 밑줄 친 부분을 〈조건〉에 맞게 바꿔 쓰시오.

> Macaws are, by nature, loud and emotional creatures, and that your apartment doesn't absorb sound as well as a rain forest is not their fault.

© Super Prin/shutterstock

┌ 조건 •
│ 가주어 it을 이용할 것
└

➡ _____
_____

05 다음 우리말과 같도록 주어진 표현을 바르게 배열하시오.

> 당신은 얼마나 수많은 다른 사람들이 이와 똑같은 시나리오를 갖는지 상상할 수 있는가?

> same scenario / how / countless / have / many / other people / that

➡ Can you imagine _____
_____ ?

06 다음 문장에서 밑줄 친 부분을 꾸며 주는 표현을 찾아 쓰시오.

An AI robot can do <u>two things</u> the normal robot cannot do.

© maxuser/shutterstock

➡ _____

07 다음 글의 네모 안에서 알맞은 말을 골라 쓰시오.

James Walker was a renowned wrestler and he made his living through wrestling. In his town, there was a tradition in (A) | that / which | the leader of the town chose a day (B) | where / when | James demonstrated his skills.

(A) _____ (B) _____ .

08 우리말과 같도록 빈칸에 알맞은 말을 <u>모두</u> 고르면?

문화와 성별은 사람들이 인식하고, 해석하고, 갈등에 반응하는 방식에 영향을 미칠 수도 있다.

➡ Culture and gender may affect _____ people perceive, interpret, and respond to conflict.

① how ② why ③ where
④ the way ⑤ the reason

09 관계대명사를 이용하여 다음 두 문장을 한 문장으로 쓰시오.

Once upon a time, there lived a young king. He had a great passion for hunting.

➡ _____

_____

10 다음 문장에서 어법상 <u>틀린</u> 부분을 찾아 바르게 고치시오.

The use of renewable sources also comes with its own consequences, that require consideration.

© Getty Images Korea

_____ ➡ _____

창의·융합·코딩 전략 ①

A 두 사람 중 어법상 바르게 말한 사람에 표시하시오.

1

□ Jenny

Scientists believe that the frogs' ancestors were water-dwelling, fishlike animals.

Scientists believe whether the frogs' ancestors were water-dwelling, fishlike animals.

□ Paul

2

□ Chris

That you've written can have misspellings, errors of fact, rude comments, and obvious lies.

What you've written can have misspellings, errors of fact, rude comments, and obvious lies.

□ Emily

3

□ Betty

Please reconsider what the proposed trail is absolutely necessary.

Please reconsider whether the proposed trail is absolutely necessary.

□ Ron

Tip

접속사 that은 '~라는 것', **❶**⬚⬚⬚는 '~인지 아닌지'의 의미이고, 관계대명사 what은 '~하는 것'이라는 의미로, **❷**⬚⬚⬚ 구조의 절을 이끈다.

답 ❶ whether [if] ❷ 불완전한

B 구조에 맞게 주어진 표현을 바르게 배열하여 문장을 완성하시오.

1

S	V	O(명사절: why+S+V+O)	
He	asked		.
그는	물었다	왜 그 짐승이 탈출하려고 애쓰지 않는지를	

> didn't try / why / to escape / the beast

2

M	V	O(명사절: how+S+V)	
Before a trip,	research		.
여행 전에,	조사해라	토착 주민들이 어떻게 옷을 입고, 일하고, 먹는지를	

> dress, / the native inhabitants / work, / how / and eat

3

S	V+C	전치사+O(명사절: what+S+V)	
Sophie			.
Sophie는	전혀 모른다	Angela가 무엇을 원하는지에 관해	

> wants / is / about / Angela / what / clueless

Tip

의문사가 이끄는 명사절이 문장의 [❶   ] 또는 전치사의 목적어로 쓰이면 「의문사+[❷   ]+V ~」의 순서로 쓴다.

답 ❶ 목적어 ❷ S

창의·융합·코딩 전략 ②

C 알맞은 단어 조각을 골라 문장을 완성하시오.

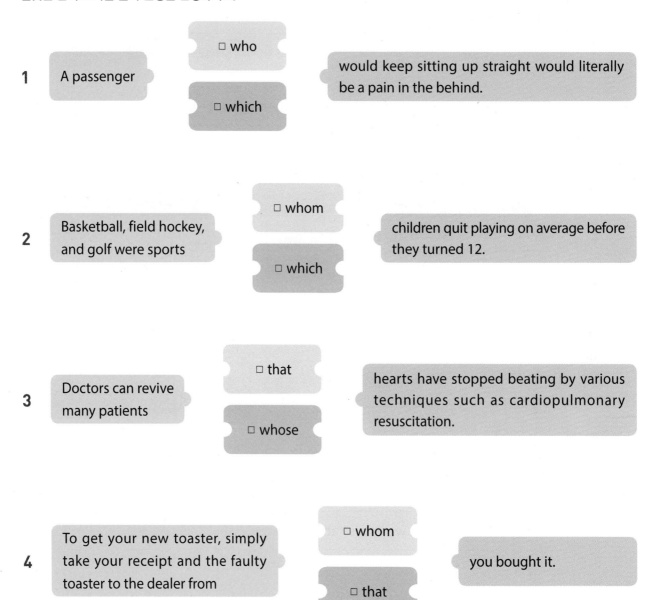

1　A passenger　　□ who　／　□ which　　would keep sitting up straight would literally be a pain in the behind.

2　Basketball, field hockey, and golf were sports　　□ whom　／　□ which　　children quit playing on average before they turned 12.

3　Doctors can revive many patients　　□ that　／　□ whose　　hearts have stopped beating by various techniques such as cardiopulmonary resuscitation.

4　To get your new toaster, simply take your receipt and the faulty toaster to the dealer from　　□ whom　／　□ that　　you bought it.

> **Tip**
> 선행사가 **❶**〔　　　　〕일 때 관계대명사 who(m)를, 동물/사물일 때 which를 쓰고, **❷**〔　　　　〕은 둘 다 쓸 수 있다.
>
> 답 **❶** 사람 **❷** that

D 각 사람이 하는 말과 일치하도록 알맞은 카드를 두 개씩 골라 문장을 완성하시오.

1 네가 방해받고 싶지 않은 그런 때도 있지.

→ _____

2 야생 동물들은 인간 활동으로부터 숨을 수 있는 공간이 필요해.

→ _____

3 색상은 네가 무게를 인식하는 방식에 영향을 줄 수 있어.

→ _____

Wildlife animals need space	when you don't want to be bothered
There are times	how you perceive weight
Color can impact	where they can hide from human activity

Tip

관계부사 when, **❶** [ ], why가 이끄는 절은 각각 시간, 장소, **❷** [ ]를 나타내는 선행사를 수식하고, 관계부사 how와 선행사 the way(방법)는 둘 중 하나를 생략한다.

답 ❶ where ❷ 이유

2주 부사절과 기타 구문

❶ 나의 꿈은 …이다. ❷ 당신이 당신의 꿈을 글로 적을 때 당신은 그것을
실행하는 것을 시작한다.

❸ 연사들은 연설하는 동안 청중에게 '귀 기울이기' 때문에
대중 연설은 청중 중심이다.

❹ 만약 네가 독감에 걸렸다면 운동은 좋지 않은 생각이야.

❺ Kevin은 차를 닦으며 쇼핑몰 앞에 있었다.

❻ Of the 5 countries, the United States won **the most** medals in total, about 120.

❼ When it comes to gold medals, Great Britain won **more than** China did

❻ 5개 국가 중, 미국이 약 120개로 가장 많은 메달을 획득했습니다.
❼ 금메달의 경우, 영국이 중국보다 더 많이 획득했습니다.

❽ Ashley has displayed a very strong commitment to **both** her athletic **and** academic performance.

❽ Ashley는 운동과 학업 수행 둘 다에서 매우 강한 헌신적인 태도를 보여 왔다.

❾ If you **were** a robot, you'd be stuck here all day.

❾ 만약 네가 로봇이라면, 너는 하루 종일 여기에 매여 있을 텐데.

2주 1일 개념 돌파 전략 ①

○ **개념 짚어 보기**

개념 ❶ | 수식어(M) 역할을 하는 부사절 ①

> | When/While + S + V ~, | + | 절 |
> | Because/Since + S + V ~, | + | 절 |

- 접속사 when(~할 때), while(~하는 동안) 등이 이끄는 절은 ❶ [　　　] 정보를 나타내는 부사 역할을 한다.

- 접속사 because/since(~이기 때문에) 등이 이끄는 절은 ❷ [　　　] 의 의미를 나타내는 부사 역할을 한다.

Quiz 1

다음 문장에서 수식어(부사)는?

그녀가 선물을 받았기 때문에
[Because she got a present],
　　①

그녀는 　~했다 　행복한
she / was / happy.
②　　③　　④

답 ❶ 시간적 ❷ 이유　　　　답 ①

개념 ❷ | 수식어(M) 역할을 하는 부사절 ②

> | If/Unless + S + V ~, | + | 절 |
> | Although/Though + S + V ~, | + | 절 |

- 접속사 if(~한다면), unless(~하지 않는다면) 등이 이끄는 절은 ❶ [　　　] 의 의미를 나타내는 부사 역할을 한다.

- 접속사 although/though(비록 ~일지라도) 등이 이끄는 절은 ❷ [　　　] 의 의미를 나타내는 부사 역할을 한다.

Quiz 2

다음 문장에서 수식어(부사)는?

네가 내게 전화한다면 　나는 　~할 것이다
[If you call me], / I / will be /
　　①　　　　②　　③

기쁜
glad.
④

답 ❶ 조건 ❷ 양보　　　　답 ①

개념 ❸ | 분사구문

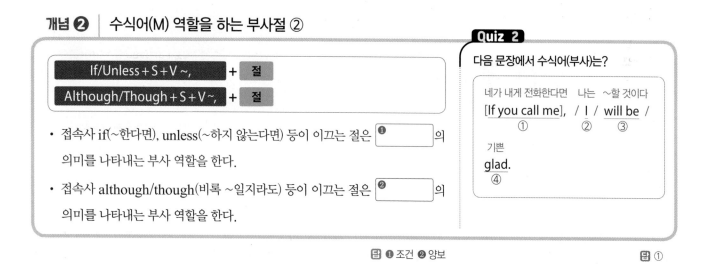

> | V-ing/(Being)P.P. ~, | + | 절 |
> | (Having/Having been)P.P. ~, | + | 절 |

- 분사구문은 「접속사 + S + V ~」 형태의 부사절에서 접속사와 주어를 생략하고 동사를 ❶ [　　　] 형태로 바꾼 부사구이다.

- 생략된 ❷ [　　　] 에 따라 시간, 이유, 조건, 양보 등의 의미를 나타낸다.

Quiz 3

다음 문장에서 수식어(부사)는?

경찰을 보았을 때 　그 남자는
Seeing the police, / the man /
　　①　　　　②

시작했다 　달아나기
started / to run away.
③　　④

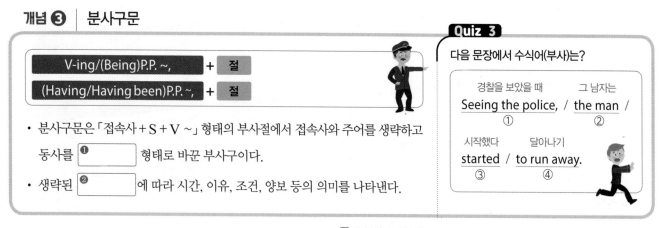

답 ❶ 분사 ❷ 접속사　　　　답 ①

1-1

다음 문장에서 부사절에 밑줄을 긋고, 우리말 해석을 완성하시오.

> When a volcano erupts, lava comes out.
>
> ➡ <u>화산이 폭발할 때</u> 용암이 분출한다.

Guide when(~할 때)은 ❶ [　　　]을 나타내는 부사절을,
because(~이기 때문에)는 ❷ [　　　]를 나타내는 부사
절을 이끈다.

답 ❶ 시간 ❷ 이유

1-2

다음 문장에서 부사절에 밑줄을 긋고, 우리말 해석을 완성하시오.

> Because I had a cold, I was absent from school.
>
> ➡ 나는 _____ 학교에 결석했다.

be absent from ~에 결석하다

2-1

다음 문장에서 부사절에 밑줄을 긋고, 우리말 해석을 완성하시오.

> Unless he trains harder, he can't win the race.
>
> ➡ 그는 <u>더 열심히 훈련하지 않으면</u> 경주에서 이길 수 없다.

Guide unless(~하지 않는다면)는 ❶ [　　　]을 나타내는 부사
절을, though(비록 ~일지라도)는 ❷ [　　　]를 나타내는
부사절을 이끈다.

답 ❶ 조건 ❷ 양보

2-2

다음 문장에서 부사절에 밑줄을 긋고, 우리말 해석을 완성하시오.

> Although I missed the bus, I arrived on time.
>
> ➡ 나는 _____ 제시간에 도착했다.

miss 놓치다
on time 제시간에

3-1

다음 문장에서 분사구문에 밑줄을 긋고, 우리말 해석을 완성
하시오.

> Knowing his secret, she never told it to others.
>
> ➡ <u>그의 비밀을 알고 있었지만</u> 그녀는 그것을 다른 사람들에게
> 결코 말하지 않았다.

Guide 분사구문은 ❶ [　　　]/P.P. ~, S+V ~의 형태로, 시간,
❷ [　　　], 조건, 양보 등을 나타내는 부사구이다.

답 ❶ V-ing ❷ 이유

3-2

다음 문장에서 분사구문에 밑줄을 긋고, 우리말 해석을 완성
하시오.

> Feeling so exhausted, he could not finish his
> assignment.
>
> ➡ _____ 그는 자신의 과제를 끝내지
> 못했다.

exhausted 기진맥진한, 진이 다 빠진
assignment 과제

개념 짚어 보기

개념 ④ | 병렬구조

| A | + | and/or/but | + | B |
| both/either/neither | + | A | + | and/or/nor | + | B |

- 병렬구조는 둘 이상의 단어, 구, 절이 [❶   ]로 연결된 것을 말하며, 연결된 대상은 문법적으로 [❷   ] 형태이다.
- 병렬구조를 만드는 접속사는 등위접속사(and/but/or)와 상관접속사(both *A* and *B* 등)가 있다.

답 ❶ 접속사 ❷ 같은

Quiz 4

다음 문장에서 and로 연결되는 부분을 <u>모두</u> 고르면?

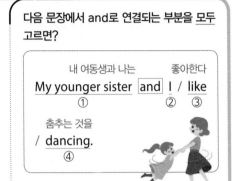

내 여동생과   나는   좋아한다
My younger sister `and` I / like
　　　　　　　　　　　①　②　③

춤추는 것을
/ dancing.
　　④

답 ①, ②

개념 ⑤ | 비교 구문

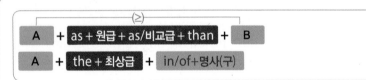

| A | + | as + 원급 + as/비교급 + than | + | B |
| A | + | the + 최상급 | + | in/of+명사(구) |

- 원급, 비교급 표현을 이용하여 '~만큼 …한/…하게' 또는 '~보다 …한/…하게'의 의미로 [❶   ]을 비교할 수 있다.
- 최상급 표현을 이용하여 '~에서 가장 …한/…하게'의 의미로 [❷   ]에서 정도의 차이가 가장 큰 하나를 나타낼 수 있다.

답 ❶ 두 대상 ❷ 특정 범위

Quiz 5

다음 문장에서 비교를 나타내는 부분은?

James는 ~이다 ~보다 더 큰   나
James / is / taller than / me.
　①　　②　　　③　　　④

답 ③

개념 ⑥ | 가정법

| If | + | 주어 | + | 동사(과거) ~, | + | 주어 | + | 조동사(과거) + 동사(원형) …. |
| If | + | 주어 | + | 동사(과거완료) ~, | + | 주어 | + | 조동사(과거) + have p.p. …. |

- 가정법은 사실과 [❶   ]되는 것을 가정 또는 상상하여 이야기하는 방식이다.
- 가정법 과거는 현재 사실의 반대(만약 ~라면, …할 텐데.)를 나타내고, 가정법 과거완료는 [❷   ] 사실의 반대(만약 ~했다면, …했을 텐데.)를 나타낸다.

답 ❶ 반대 ❷ 과거

Quiz 6

다음 문장이 나타내는 것은?

만일 내가 너라면   나는 행동하지 않을 텐데
If I were you, / I would not act /
If+S+V(과거)　　　S+조동사(과거)+동사(원형)

그렇게
like that.

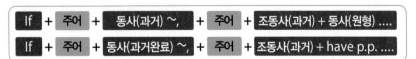

① 현재의 사실　　② 현재 사실의 반대
③ 과거의 사실　　④ 과거 사실의 반대

답 ②

4-1

다음 문장에서 접속사로 연결된 부분에 <u>모두</u> 밑줄을 긋고, 우리말 해석을 완성하시오.

> I love <u>reading</u>, <u>writing</u>, and <u>drawing</u>.
> ➡ 나는 <u>책 읽기, 글 쓰기, 그리고 그림 그리기</u> 를 매우 좋아한다.

Guide 등위접속사는 *A* and *B* 또는 *A*, *B*, and *C* 등의 형태로, ❶ [ ] 는 both *A* and *B* 등의 형태로 어구를 ❷ [ ] 한다.

답 ❶ 상관접속사 ❷ 연결

4-2

다음 문장에서 접속사로 연결된 부분에 <u>모두</u> 밑줄을 긋고, 우리말 해석을 완성하시오.

> Regular exercise is good for both body and mind.
> ➡ 규칙적인 운동은 _____ 좋다.

regular 규칙적인
both *A* and *B* A와 B 둘 다

5-1

다음 문장에서 비교를 나타내는 표현에 밑줄 긋고, 우리말 해석을 완성하시오.

> A baseball is <u>smaller than</u> a basketball.
> ➡ 야구공은 농구공보다 <u>더 작다</u>.

Guide 두 대상을 비교할 때 「❶ [ ]+than」을, 셋 이상을 비교할 때 「the+❷ [ ]+in/of+명사(구)」를 쓴다.

답 ❶ 비교급 ❷ 최상급

5-2

다음 문장에서 비교를 나타내는 표현에 밑줄 긋고, 우리말 해석을 완성하시오.

> This is the biggest building in my town.
> ➡ 이것은 _____ 건물이다.

6-1

다음 문장에서 가정법 표현에 밑줄 긋고, 우리말 해석을 완성하시오.

> If it didn't rain, we could go on a picnic.
> ➡ 만약 <u>비가 오지 않는</u> 다면, 우리는 <u>소풍을 갈 수 있을</u> 텐데.

Guide 가정법 과거는 ❶ [ ] 사실의 반대를 나타내고, 가정법 ❷ [ ] 는 과거 사실의 반대를 나타낸다.

답 ❶ 현재 ❷ 과거완료

6-2

다음 문장에서 가정법 표현에 밑줄 긋고, 우리말 해석을 완성하시오.

> If she had not gone out, she wouldn't have caught a cold.
> ➡ 만약 _____ 다면, 그녀는 _____ 텐데.

go out 외출하다
catch a cold 감기에 걸리다

2주 1일 개념 돌파 전략 ②

Example

While he was watching TV, he fell asleep.
시간의 부사절(while+S+V ~)

- 구문 While이 이끄는 시간의 [❶]이 쓰였다. 접속사 when/while은 시간을, because/since는 이유를 나타내는 부사절을 이끈다.
- 해석 그는 [❷] 잠이 들었다.

답 ❶ 부사절 ❷ TV를 보는 동안

Example

If you have a question, you can ask her.
조건의 부사절(If+S+V ~)

- 구문 if가 이끄는 [❶]의 부사절이 쓰였다. 접속사 if/unless는 조건을, although/though는 양보를 나타내는 부사절을 이끈다.
- 해석 [❷], 당신은 그녀에게 물어볼 수 있다.

답 ❶ 조건 ❷ 질문이 있다면

Example

Drinking hot chocolate, you will feel warm.
분사구문(= If you drink hot chocolate)

- 구문 V-ing ~의 분사구문이 쓰였다. 분사구문은 시간, 이유, 조건, 양보 등을 나타내는 [❶]이다.
- 해석 [❷], 몸이 따뜻해질 것이다.

답 ❶ 부사구 ❷ 핫초코를 마시면

1

부사절에 밑줄을 긋고, 문장을 해석하시오.

(1) When I was young, I wanted to be an explorer.

➡ _____

(2) I couldn't move because I was so frightened.

➡ _____

explorer 탐험가 frightened 무서워하는

2

부사절에 밑줄을 긋고, 문장을 해석하시오.

(1) Unless you get up right now, you will be late for the meeting.

➡ _____

(2) Although she was very tired, she couldn't sleep.

➡ _____

3

분사구문에 밑줄을 긋고, 문장을 해석하시오.

(1) Walking down the street, I came across an old friend of mine.

➡ _____

(2) Being covered with snow, the road was very slippery.

➡ _____

come across 우연히 만나다 slippery 미끄러운

44 내신전략 고등 영어 • 구문

Example

Kelly and Brian prepared for the surprise
명사₁   명사₂
party together.

- 구문 두 개의 명사가 등위접속사로 연결되어 있다. 이처럼 둘 이상의 어구가 접속사로 연결된 것을 ❶ [   ] 라고 한다.
- 해석 ❷ [   ] 은 함께 깜짝 파티를 준비했다.

답 ❶ 병렬구조 ❷ Kelly와 Brian

4

접속사로 연결된 부분에 <u>모두</u> 밑줄을 긋고, 문장을 해석하시오.

(1) Amphibians can live both on land and in water.

➡ _____

(2) He likes playing soccer, reading novels, baking cookies, and watching movies.

➡ _____

amphibian 양서류

Example

She drives **more carefully than** him.
비교급+than

- 구문 비교 구문이 사용되었다. 두 대상을 비교할 때 「비교급 + ❶ [   ] 」을, 셋 이상을 비교할 때 「the + 최상급 + in/of + 명사(구)」를 쓴다.
- 해석 그녀는 그보다 ❷ [   ] 운전한다.

답 ❶ than ❷ 더 조심스럽게

5

비교 표현에 밑줄을 긋고, 문장을 해석하시오.

(1) This brand new cell phone is more expensive than the laptop.

➡ _____

(2) He is the most famous actor in Korea.

➡ _____

brand new 새로 출시된

Example

If she heard the news **Yumi would be** very
If+S+V(과거)   S+조동사(과거)+동사(원형)
surprised.

- 구문 If절의 동사가 과거인 가정법 과거 문장이다. 가정법 과거/과거완료는 현재/과거 사실의 ❶ [   ] 를 나타낸다.
- 해석 그 소식을 ❷ [   ] , 유미는 매우 놀랄 텐데.

답 ❶ 반대 ❷ 들으면

6

가정법 표현에 밑줄을 긋고, 문장을 해석하시오.

(1) If I knew his phone number, I could text him.

➡ _____

(2) If you had taken a subway, you could have arrived on time.

➡ _____

on time 제시간에

2주 2일 필수 체크 전략 ①

전략 ❶ | 시간, 이유의 부사절을 만드는 접속사를 알아두자.

시간	when	~할 때	while	~하는 동안
	since	~이후/❶ ⬚	until [till]	~할 때까지
	as	~할 때/~하면서	before/after	~하기 전에/~한 뒤에
	once	일단 ~하면	as soon as	❷ ⬚
	every time	~할 때마다	by the time	~할 무렵에(는)
	not A until B	B하고 나서야 비로소 A하다		
이유	because/since/as	~이기 때문에	that	~이므로/❸ ⬚

답 ❶ ~한 이래로 ❷ ~하자마자 ❸ ~이기 때문에

필수 예제

1. 다음 문장의 네모 안에서 어법상 알맞은 것을 고르시오.

(1) Her interest in chemistry started | when / until | she was just ten years old.

(2) We often ignore small changes | before / because | they don't seem to matter very much in the moment.

(3) | As / Once | I loved driving very much, we moved onto talking about cars.

© Getty Images Korea

Guide

접속사 when, until, before, once 등은 ⬚ ❶ 의 부사절을 이끌고, because는 이유의 ⬚ ❷ 을 이끈다. 접속사 as는 시간과 이유의 의미를 모두 갖고 있다.

답 ❶ 시간 ❷ 부사절

확인 문제 1-1

〈보기〉에서 알맞은 접속사를 골라 문장을 완성하시오.

• 보기 •
because until as soon as

(1) _____ a person and a chimp start running they both get hot.

(2) On stage, focus is much more difficult _____ the audience is free to look wherever they like.

확인 문제 1-2

다음 문장에서 어법상 틀린 부분을 찾아 바르게 고치시오.

As soon as the desk will arrive, we will telephone you immediately and arrange a convenient delivery time.
(그 책상이 도착하자마자 우리는 당신에게 바로 전화해서 편리한 배송 시간을 정할 것이다.)

_____ ➡ _____

시간의 부사절에는 현재 시제가 미래 시제를 대신해.

전략 ❷ | 조건, 양보의 부사절을 만드는 접속사를 알아두자.

조건	if	❶ [ ] /~한다면
	unless	(만약) ~이 아니라면/~하지 않는다면
	as [so] long as	❷ [ ]
	in case (that)	~인 경우를 대비하여
양보	although/(even) though/even if	비록 ~일지라도/❸ [ ]
	whether A or B	A이든 B이든

부사적 접속사가 이끄는 절은 완전한 구조의 절로, 문장의 앞 또는 뒤에 쓰여.

답 ❶ (만약) ~라면 ❷ ~하는 한 ❸ ~에도 불구하고

필수 예제

2. 우리말을 참고하여 네모 안에서 알맞은 것을 고르시오.

(1) [Unless / If] you never take the risk of being rejected, you can never have a friend or partner.
(거절당할 위험을 무릅쓰지 않는다면 친구나 파트너를 절대 얻을 수 없다.)

(2) [Although / As long as] scientists make many errors, science can be self-correcting.
(비록 과학자들이 많은 오류를 범하지만, 과학은 스스로 수정할 수 있다.)

Guide

if(~한다면), unless(~하지 않는다면), as long as(~하는 한)는 ❶ [ ] 의 부사절을 이끌고, although(비록 ~일지라도)는 ❷ [ ] 의 부사절을 이끈다.

답 ❶ 조건 ❷ 양보

확인 문제 2-1

주어진 표현을 바르게 배열하여 문장을 완성하시오.

(1) _____ he had done his cultural homework, he made one particular error.
(thought / even though / Fred)

(2) The saint tells the frog to be quiet _____.
(disturbs / it / in case / his prayers)

확인 문제 2-2

우리말과 같도록 주어진 표현을 바르게 배열하시오.

부모가 소중한 시간을 가정을 위해 투자하지 않으면 가정은 강해지지 않는다. (families / precious time / parents / in them / don't grow / unless / strong / invest)

➡ _____

© Tom Wang/shutterstock

전략 ❸ | 분사구문의 다양한 의미를 알아두자.

- 분사구문(V-ing ~)은 부사절에서 접속사와 주어를 생략하고, 동사를 현재분사로 바꾼 부사구로, 문장의 앞, 뒤, 또는 중간에 쓰여 다양한 **❶**〔 〕를 더해 준다.
- 주절(S + V ~)과의 관계에 따라 시간, 이유, 조건, **❷**〔 〕 등의 의미를 나타낸다.

  - 시간: ~할 때/~하고 나서 　　　　- 이유: ~하기 때문에/~해서
  - 조건: ~한다면 　　　　　　　　- 양보: 비록 ~일지라도
  - 동시동작: **❸**〔 〕 　　　　　- 연속동작: ~하고 나서 …하다

★ 분사구문의 부정형은 「not [never] + v-ing ~」이다.

🔲 **답 ❶** 의미 **❷** 양보 **❸** ~하면서

필수예제

3. 다음 문장의 네모 안에서 어법상 알맞은 것을 고르시오.

(1) The animal was protecting me, | lift / lifting | me toward the surface.

(2) | Feeling / I feeling | that the worst is over, I find my whole body loosening up and at ease.

(3) He tried to speak again, | knowing not / not knowing | what to say.

Guide

분사구문은 **❶**〔 〕(v-ing)로 시작하는 부사구이다. 문맥에 따라 다양한 의미를 나타내고, 부정형은 현재분사 **❷**〔 〕에 not [never]을 붙인다.

🔲 **답 ❶** 현재분사 **❷** 앞

확인문제 3-1

다음 문장의 밑줄 친 부분을 어법에 맞게 고쳐 문장을 다시 쓰시오.

(1) Dorothy told her, <u>sobbed and sniffed</u>.

➡ _____

(2) <u>She feeling shameful</u>, Mary handed the doll back to the child.

➡ _____

　_____

확인문제 3-2

우리말과 같도록 주어진 표현을 바르게 배열하시오.

그 개는 방으로 뛰어들어와서 자랑스럽게 자신의 꼬리를 흔들었다.

(proudly wagging / the dog / his tail / into the room, / leapt)

➡ _____

　_____

전략 ❹ | 분사구문의 다양한 형태를 알아두자.

- 「Having + p.p. ∼」는 주절보다 [❶ ____] 시제를 나타내는 완료 분사구문이다.
- 「(Being/Having been +) P.P. ∼」는 '[❷ ____]'의 의미를 지닌 수동 분사구문이다.
- 「접속사 + v-ing/p.p. ∼」는 [❸ ____]를 분명히 하기 위해, 분사 앞에 접속사를 표시한 것이다.
- 「S′ + v-ing/p.p. ∼, S + V ....」형태의 분사구문은 의미상 주어가 주절의 주어와 달라 분사 앞에 표시한 것이다.
- 「with + 목적어(O) + v-ing/p.p. ∼」형태의 분사구문은 '목적어가 ∼한 채로/∼된 채로'의 의미로 부대상황을 나타낸다.

답 ❶ 앞선 ❷ 수동 ❸ 의미

필수 예제

4. 우리말을 참고하여 네모 안에서 알맞은 것을 고르시오.

(1) Arming / Armed with scientific knowledge, people build tools and machines.

(과학적 지식으로 무장된 채로 사람들은 도구와 기기를 만든다.)

(2) Consider the mind of a child: having experienced / having experiencing so little, the world is a mysterious and fascinating place.

(아이의 마음을 생각해보라: 경험한 것이 거의 없어서 세상은 신비하고 흥미로운 장소이다.)

Guide

(Being) P.P.는 [❶ ____] 분사구문이고, Having p.p. ∼는 [❷ ____] 분사구문이다. 그밖에 분사 앞에 접속사 또는 의미상 주어가 오는 등 다양한 분사구문의 형태에 유의해야 한다.

답 ❶ 수동 ❷ 완료

확인 문제

4-1

주어진 표현을 바르게 배열하여 문장을 완성하시오.

(1) In the 1580s, _____, he returned to Spain.

(a priest / becoming / after)

(2) "Do you know which way we came?" Lauren asked, _____.

(around / darting / her eyes)

© Pepsco Studio/shutterstock

확인 문제

4-2

우리말과 같도록 주어진 표현을 바르게 배열하시오.

여행 가방을 싼 채로, 나는 우리 방갈로의 앞문으로 향했다.

(packed, / our bungalow / with / I / my suitcase / the front door of / started for)

➡ _____

_____

© Digital Genetics/shutterstock

1 (A), (B), (C)의 각 네모 안에서 어법에 맞는 표현을 고르시오.

(A) When / Because trees are sensitive to local climate conditions, such as rain and temperature, they give scientists some information about that area's local climate in the past. For example, tree rings usually grow wider in warm, wet years and are thinner in years when it is cold and dry. (B) Unless / If the tree has experienced stressful conditions, such as a drought, the tree might hardly grow at all during that time. Very old trees in particular can offer clues about what the climate was like long (C) before / after measurements were recorded.

Words

sensitive 예민한   climate condition 기후 조건   temperature 기온   wet 습한   drought 가뭄
in particular 특히   clue 단서   measurement 측정   record 기록하다

Tip

(A) '나무가 기후에 예민해서'의 의미가 되도록 ❶ [　　　]의 부사절을 이끄는 접속사가 알맞다.
(B) '힘든 기후 조건을 경험한다면'의 의미가 자연스럽다.
(C) 특히 아주 오래된 나무는 관측이 기록되기 ❷ [　　　]의 기후에 관한 단서를 준다는 의미가 자연스럽다.

답 ❶ 이유 ❷ 이전

2 다음 글의 밑줄 친 부분 중, 어법상 틀린 것은?

① <u>Born</u> in 1867 in Cincinnati, Ohio, Charles Henry Turner was an early pioneer in the field of insect behavior. His father owned an extensive library where Turner became fascinated with reading about the habits and behavior of insects. ② <u>Proceeded</u> with his study, Turner earned a doctorate degree in zoology, the first African American to do so. Even ③ <u>after receiving</u> his degree, Turner was unable to get a teaching or research position at any major universities, possibly as a result of racism.

Words

pioneer 선구자   field 분야   insect 곤충   behavior 행동   extensive 광범위한
fascinated with ～에 매료된   procceed with ～을 계속하다   study 연구
earn a degree 학위를 받다   zoology 동물학   racism 인종 차별(주의)

Tip

① '태어난' 것이므로 (Being) P.P. ～ 형태의 ❶ [　　　] 분사구문이 알맞다.
② 연구를 '계속한'의 의미를 나타내는 분사구문이 알맞다.
③ 「❷ [　　　] +v-ing/p.p. ～」는 의미 관계를 분명히 하기 위해 분사 앞에 접속사를 쓴 것이다.

답 ❶ 수동 ❷ 접속사

© photogl/shutterstock

[3~4] 다음 글을 읽고, 물음에 답하시오.

Words

chief 추장, 족장
call for ~을 큰 소리로 부르다
tie 묶다
leather 가죽
give a yell 고함을 지르다
blanket 담요
raise 들어올리다
rise 일어나다
clap 박수를 치다

The Chief called for Little Fawn to come out, and took her right hand and Sam's right hand and tied them together with a small piece of leather. He gave a big yell and told Sam, "You're now a married man." (A) <u>결혼식이 끝나자마자, 축하 행사가 시작되었다.</u> Fawn and Sam sat on blankets as young boys and girls began dancing to flute music and drum beats. They danced in circles (B) _____(make) joyful sounds and (C) _____(shake) their hands with arms (D) _____(raise) over their heads. Fawn rose up and joined them. People started clapping and singing. Fawn and Sam were two happy people.

3 밑줄 친 (A)와 같은 뜻이 되도록 주어진 단어들을 알맞은 순서로 배열하시오.

> over, / began / as soon as / was / the celebration / the wedding ceremony /

➡ _____

Tip

「접속사＋S＋V ~」 순으로 ❶ ☐☐☐의 부사절을 먼저 쓰고, 이어서 주절의 ❷ ☐☐와 동사를 차례로 쓴다.

답 ❶ 시간 ❷ 주어

4 다음 우리말을 참고하여 (B), (C), (D)에 주어진 동사를 알맞은 형태로 쓰시오.

> 그들은 흥겨운 소리를 지르고 머리 위로 손을 올려 흔들며 원을 이뤄 춤을 추었다.

(B) _____ (C) _____ (D) _____

Tip

분사구문이 ❶ ☐☐☐의 의미이면 현재분사를, 수동의 의미이면 ❷ ☐☐☐☐를 써야 한다.

답 ❶ 능동 ❷ 과거분사

2주 3일 필수 체크 전략 ①

전략 ⑤ | 병렬구조를 만드는 접속사를 알아두자.

- 등위접속사로 이어진 단어, 구, 절은 ❶ [　　　]를 이룬다.

and	그리고	or	또는	but	그러나	so	그래서	for	왜냐하면

- 상관접속사로 이어진 단어, 구, 절도 병렬구조를 이룬다.

both *A* and *B*	A와 B 둘 다	not *A* but *B*	A가 아니라 B
either *A* or *B*	A와 B 둘 중 하나	not only [just] *A* but (also) *B*	A뿐만 아니라 B도
neither *A* nor *B*	A와 B 둘 다 아닌	(= *B* ❷ [　　　] *A*)	

- 병렬구조로 연결된 대상은 문법적 구조나 ❸ [　　　]이 일치한다.

답 ❶ 병렬구조 ❷ as well as ❸ 성격

필수 예제

5. 다음 문장의 네모 안에서 어법상 알맞은 것을 고르시오.

(1) You can never have too much education or knowledge / knowledgeable .

(2) I have had the pleasure of coaching Ashley in soccer for three years and to instruct / instructing her in Spanish during her freshman year of high school.

(3) He felt sorry because he neither recognized him nor remembering / remembered his name.

© Elnur/shutterstock

Guide

and, or, but과 같은 등위접속사나 neither *A* nor *B*와 같은 상관접속사는 어구들을 연결하여 ❶ [　　　]를 이루며, 연결된 대상은 문법적 구조나 성격이 ❷ [　　　]해야 한다.

답 ❶ 병렬구조 ❷ 일치

확인 문제 5-1

다음 문장의 밑줄 친 부분을 어법에 맞게 고치시오.

(1) He came to me with the note with tears in his eyes and <u>thanking</u> me.

➡ _____

(2) You must decide to forget and <u>letting</u> go of your past.

➡ _____

확인 문제 5-2

우리말과 같도록 주어진 표현을 바르게 배열하시오.

> 항생 물질은 박테리아를 죽이거나 또는 그것들이 증식하는 것을 막는다.
> (from growing / antibiotics / either / or / kill bacteria / them / stop)

➡ _____

_____

전략 ❻ | 원급과 비교급 구문을 알아두자.

- 형용사/부사의 ❶[   ]을 이용하여 두 대상을 동등 비교할 수 있다.

as + 원급 + as	~만큼 …한/…하게	as + 원급 + as possible*	❷[ ] ~한/~하게
not + so [as] + 원급 + as	~만큼 …하지 않은/…하지 않게	배수 표현 + as + 원급 + as	~보다 ~배 …한/…하게

- 형용사/부사의 비교급을 이용하여 두 대상의 ❸[   ]를 비교할 수 있다.

비교급 + than	~보다 더 …한/…하게	the + 비교급 ~, the + 비교급 …	~하면 할수록 더 …하다
배수 표현 + 비교급 + than	~보다 ~배 …한/…하게	비교급 + and + 비교급	점점 더 …한/…하게

* 「as + 원급 + as possible」은 「as + 원급 + as + S + can [could]」로 바꿔 쓸 수 있다.

圓 ❶ 원급 ❷ 가능한 한 ❸ 우위

필수예제

6. 다음 문장의 밑줄 친 부분이 맞으면 ○, 틀리면 X표 하시오.

(1) An online comment is not <u>as powerful as</u> a direct interpersonal exchange. ○ / X

(2) The actions of others often speak volumes <u>loud than</u> their words. ○ / X

(3) The higher the expectations, <u>the difficult</u> it is to be satisfied. ○ / X

© Getty Images Korea

Guide

두 대상을 ❶[   ] 비교할 때 형용사/부사의 원급을 이용하고, 두 대상의 우위를 비교할 때 형용사/부사의 ❷[   ]을 이용한다.

圓 ❶ 동등 ❷ 비교급

확인문제 6-1

주어진 표현을 바르게 배열하여 문장을 완성하시오.

(1) Koalas tend to _____.
(little / as / move / possible / as)

(2) For health science invention, the percentage of female respondents was _____ of male respondents.
(as / twice / that / as / high)

확인문제 6-2

다음 문장에서 어법상 틀린 부분을 찾아 바르게 고치시오.

Most plastics break down into small and smaller pieces when exposed to ultraviolet (UV) light.

(대부분의 플라스틱은 자외선에 노출될 때 점점 더 작은 조각으로 분해된다.)

_____ ➡ _____

전략 ⑦ | 최상급 구문을 알아두자.

- 형용사/부사의 **❶**⬚ 을 이용하여 셋 이상을 비교하여 그중 하나가 가장 정도의 차이가 있음을 나타낼 수 있다.
- 원급, **❷**⬚ 을 이용하여 최상급의 의미를 나타낼 수 있다.

최상급 이용	the + 최상급 + (명사 +)in/of + 명사(구)	…에서 가장 ~한 (명사)
	one of the + 최상급 + 복수 명사	가장 ~한 … 중 하나 〈단수 취급〉
비교급 이용	비교급 + than any other + **❸**⬚	다른 어떤 …보다도 더 ~한/~하게
	No (other) A ~ + 비교급 + than B/ Nothing ~ + 비교급 + than	(다른) 어떤 A도 B보다 ~하지 않다/ 아무것도 …보다 ~하지 않다
원급 이용	No (other) A ~ + as + 원급 + as B/ Nothing ~ + as + 원급 + as	(다른) 어떤 A도 B만큼 ~하지 않다/ 아무것도 …만큼 ~하지 않다

답 ❶ 최상급 ❷ 비교급 ❸ 단수 명사

필수 예제

7. 다음 문장의 네모 안에서 어법상 알맞은 것을 고르시오.

(1) In the late 1800s, the railroads were ⎢bigger / the biggest⎥ companies in the U.S.

(2) Furniture selection is one of the most cognitively demanding ⎢choices / choice⎥ any consumer makes.

(3) No other country exported ⎢more / most⎥ rice than India in 2012.

Guide

셋 이상을 비교하여 가장 정도 차이가 ❶⬚ 하나를 나타낼 때 형용사/부사의 최상급을 이용하며, 원급 또는 비교급을 이용하여 ❷⬚ 의 의미를 나타낼 수 있다.

답 ❶ 있는 ❷ 최상급

확인 문제 **7-1**

다음 문장의 밑줄 친 부분을 어법에 맞게 고치시오.

(1) Marital success is <u>most closely</u> linked to communication skills than to any other factor.

➡ _____

(2) A plastic bottle of water might suddenly become <u>one of the more valuable things</u> in the universe.

➡ _____

확인 문제 **7-2**

주어진 표현을 바르게 배열하시오.

아무것도 우리 고객들의 만족보다 우리에게 더 중요하지 않다. (of our customers / nothing / more important / is / to us / the satisfaction / than)

➡ _____
_____

전략 ❽ | 가정법의 형태와 의미를 알아두자.

if 가정법	과거	If + S + V(과거) ~, S + 조동사의 과거형 + V(원형)	만약 ~라면, …할 텐데.
	과거완료	If + S + V(과거완료) ~, S + 조동사의 과거형 + have p.p.	만약 ~했다면, ❶ [ ] 텐데.
as if 가정법	과거	S + V + as if + S + V(과거) ~.	마치 ~인 것처럼 …한다/…했다.
	과거완료	S + V + as if + S + V(과거완료) ~.	마치 ❷ [ ] …한다/…했다.
without 가정법	Without [But for] + ❸ [ ] ~	~이 없다면 (= If it were not for ~/Were it not for ~)	
		~이 없었다면 (= If it had not been for ~/Had it not been for ~)	

> 가정법 동사가 나타내는 시제는 실제
> 시제와 다르다는 점에 유의해야 해.

🄰 ❶ …했을 ❷ ~였던 것처럼 ❸ 명사

필수예제

8. 우리말을 참고하여 네모 안에서 알맞은 것을 고르시오.

(1) If you **are / were** afraid of standing on balconies, you would start on some lower floors.
(만약 당신이 발코니에 서 있는 것을 두려워한다면, 당신은 더 낮은 층에서 시작할 것이다.)

(2) Too many companies advertise their new products as if their competitors **do / did** not exist.
(너무도 많은 회사들이 마치 경쟁자들이 존재하지 않는 것처럼 그들의 신제품들을 광고한다.)

Guide

가정법 문장에서 if나 as if가 이끄는 절의 동사가 과거이면 ❶ [   ] 사실의 반대를, ❷ [   ] 이면 과거 사실의 반대를 나타낸다.

🄰 ❶ 현재 ❷ 과거완료

확인문제 8-1

다음 문장의 빈칸에 주어진 동사의 알맞은 형태를 쓰시오.

(1) If we _____ on a planet where nothing ever changed, there would be little to do. (live)

(2) If the truck had been any closer, it would _____ a disaster. (be)

확인문제 8-2

두 문장의 의미가 같도록 빈칸에 알맞은 말을 쓰시오.

> Without such passion, they would have achieved nothing.
> = If it _____ for such passion, they would have achieved nothing.

> without 가정법을 if 가정법으로
> 바꿀 때, 주절의 동사 형태에
> 주의해야 해.

1 (A), (B), (C)의 각 네모 안에서 어법에 맞는 표현을 고르시오.

> Children need to be able to delight in creative and (A) immediate / immediately language play, to say silly things and (B) making / to make themselves laugh, and (C) to have / had control over the pace, timing, direction, and flow. When children are allowed to develop their language play, a range of benefits result from it.

Words

delight 즐기다 immediate 즉각적인 silly 바보같은 have control over ~을 통제하다
pace 속도 direction 방향 flow 흐름 a range of 다양한 benefit 혜택

Tip

(A) and 앞의 creative와 병렬구조를 이루도록 **❶** 가 알맞다.

(B), (C) 둘 다 앞의 to say에 연결되므로, **❷** 가 알맞다.

답 ❶ 형용사 ❷ to부정사

© Rawpixel.com/shutterstock

2 다음 글의 밑줄 친 부분 중, 어법상 틀린 것은?

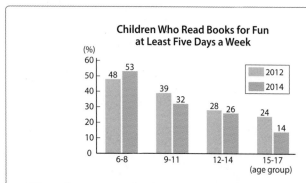

Children Who Read Books for Fun at Least Five Days a Week

(%)

age group	2012	2014
6-8	48	53
9-11	39	32
12-14	28	26
15-17	24	14

The above graph shows the percentages of children in different age groups who read books for fun at least five days a week in 2012 and 2014. In 2012, the percentage of the 6-8 age group was twice as ① large as that of the 15-17 age group. In 2014, the percentage of the 6-8 age group was ② larger than the combined percentage of the two age groups 12-14 and 15-17. The gap in the percentages between 2012 and 2014 was the ③ smaller in the 12-14 age group.

Words

percentage 퍼센트 age group 연령대 combined 결합한 gap 차이

Tip

① '~보다 ~배 …한'의 의미이므로, 「배수 표현 + as + **❶** + as」가 알맞다.

② '~보다 더 …한'의 의미이므로, 「비교급 + than」이 알맞다.

③ '…에서 가장 ~한'의 의미이므로, 「the + **❷** + (명사 +)in/of + 명사(구)」가 알맞다.

답 ❶ 원급 ❷ 최상급

[3~4] 다음 글을 읽고, 물음에 답하시오.

Words

sweat 땀을 흘리다
empty 텅 빈, 공허한
thunder 천둥
whisper 속삭이다
drought 가뭄
rumble 우르르거리는 소리를 내다
hold one's breath 숨을 죽이다
leap out of ~에서 뛰쳐나오다
thunderstorm 뇌우

Garnet blew out the candles and ⓐ <u>lay</u> down. It was too hot even for a sheet. She lay there, sweating, ⓑ <u>listening</u> to the empty thunder that brought no rain, and ⓒ <u>whispered</u>, "I wish the drought would end." Late in the night, Garnet had a feeling that something she had been waiting for was about to happen. She lay quite still, listening. The thunder rumbled again, sounding much louder. And then slowly, one by one, (A) <u>마치 누군가가 지붕에 동전을 떨어뜨리는 것처럼</u>, came the raindrops. Garnet held her breath hopefully. The sound paused. "Don't stop! Please!" she whispered. Then the rain burst strong and ⓓ <u>loudly</u> upon the world. Garnet leaped out of bed and ran to the window. She shouted with joy, "It's raining hard!" She felt as though the thunderstorm ⓔ <u>was</u> a present.

© Getty Images Korea

3 밑줄 친 ⓐ~ⓔ 중 어법상 **틀린** 것을 찾아 바르게 고쳐 쓰시오.

_____ , _____ ➡ _____

Tip

등위접속사 and로 연결된 대상은 문법적으로 [❶_____] 형태로 [❷_____]를 이룬다.

답 ❶ 같은 ❷ 병렬구조

4 밑줄 친 (A)와 같은 뜻이 되도록 주어진 단어들을 알맞은 순서로 배열하시오.

pennies / were / as if / someone / dropping / on the roof

➡ _____

Tip

'마치 ~인 것처럼'은 [❶_____] 가정법을 이용하여 「as if + S + V([❷_____]) ~」 형태로 나타낸다.

답 ❶ as if ❷ 과거

교과서 대표 전략 ①

대표 예제 1

다음 두 문장을 주어진 우리말과 같도록 한 문장으로 바꿔 쓰시오. (단, 적절한 접속사를 추가할 것)

> King Odysseus was away. Mentor was a friend and a teacher to Telemachus.

> 오디세우스 왕이 떠나 있는 동안, 멘토르는 텔레마쿠스에게 친구이자 스승이었다.

➡ _____

개념 Guide

'~하는 동안'이라는 의미로 **❶** 의 부사절을 이끄는 접속사는 **❷** 이다.

🔺 ❶ 시간 ❷ while

대표 예제 2

우리말과 같도록 할 때 접속사 because의 위치로 가장 알맞은 곳은?

> 나는 그 모든 추상적인 이론들을 명확하게 이해할 수가 없어서 물리가 싫었다.

➡ (①) I hated physics (②) I could never get (③) all those abstract theories (④) straight in my head (⑤).

개념 Guide

because는 '**❶** '라는 의미로 부사절을 이끄는 접속사이므로, **❷** 의 맨 앞에 위치해야 한다.

🔺 ❶ ~이기 때문에 ❷ 부사절

대표 예제 3

우리말과 같도록 할 때 빈칸에 들어갈 말로 알맞은 것은?

> 만약 여러분이 고정관념을 깬다면, 여러분은 한 개 이상의 답이 있을 수 있다는 것을 깨닫게 될 것이다.

➡ _____ you think outside the box, you will realize that there may be more than one answer.

① When　　② Unless　　③ If
④ Although　　⑤ Because

개념 Guide

'만약 ~한다면'이라는 의미로 조건의 **❶** 을 이끄는 접속사는 **❷** 이다.

🔺 ❶ 부사절 ❷ if

대표 예제 4

다음 두 문장을 한 문장으로 바꿀 때, 빈칸에 알맞은 말을 쓰시오.

> I made some mistakes.
> However, I successfully finished my first recording.

➡ _____ I made some mistakes, I successfully finished my first recording.

개념 Guide

'비록 ~일지라도'라는 의미로, **❶** 의 부사절을 이끄는 **❷** 가 알맞다.

🔺 ❶ 양보 ❷ 접속사

대표 예제 5

다음 밑줄 친 부분과 바꿔 쓸 수 있는 것은?

> We set up on a hill and had dinner <u>while we waited</u> calmly for the Northern lights.

① wait
② waited
③ waiting
④ to wait
⑤ having waited

© Beautiful landscape/shutterstock

개념 Guide

while이 이끄는 부사절의 주어가 주절의 ❶ [　　　] 와 동일하므로, ❷ [　　　] 으로 바꿀 수 있다.

답 ❶ 주어 ❷ 분사구문

대표 예제 6

다음 우리말과 같도록 밑줄 친 부분을 어법에 맞게 고치시오. (단, 분사구문을 활용할 것)

> 그 비디오에서 영감을 받아 Whitacre는 가상 합창단을 만들기로 결심했다.
>
> ➡ <u>Inspiring by the video</u>, Whitacre decided to make a virtual choir.

➡ _____

개념 Guide

주절의 주어이자 ❶ [　　　] 의 의미상 주어인 Whitacre와 ❷ [　　　] 관계를 이루는 분사구문으로 써야 한다.

답 ❶ 분사구문 ❷ 수동

대표 예제 7

우리말을 참고하여 (A), (B)의 네모 안에서 알맞은 말을 골라 쓰시오.

> My brother introduced me to the class and asked me to help a student named Kumari. She came from Nepal. She bowed to me (A) [says / saying], "*Namaste*," with her palms (B) [holding / held] together. When I helped her write down words in Korean, her eyes lit up with joy. She was enthusiastic about learning Korean, and I felt great joy in teaching.

> 그녀는 나에게 "나마스떼"라고 말하며 합장한 채 인사를 했다.

(A) _____ (B) _____

© kong mi jin/shutterstock

개념 Guide

(A) '말하며'의 의미로 동시동작을 나타내는 ❶ [　　　] 이 알맞다.
(B) 「with + 목적어 + 분사」 형태의 분사구문에서 목적어와 분사의 관계가 수동이면 ❷ [　　　] 를 쓴다.

답 ❶ 분사구문 ❷ 과거분사

대표 예제 8

다음 문장에서 밑줄 친 단어의 형태로 알맞은 것은?

European rabbits affect the ecosystem by eating plants and spread their seeds.

① spread
② spreads
③ to spread
④ spreading
⑤ being spread

개념 Guide

전치사 by의 목적어로 쓰인 동명사 ❶ [   ]과 병렬구조를 이루도록 ❷ [   ]가 와야 한다.

답 ❶ eating ❷ 동명사

대표 예제 10

주어진 표현을 바르게 배열하여 우리말을 영어로 옮기시오.

내가 화를 내면 낼수록 나는 더 많이 스스로를 진정시키고 조심스럽게 행동할 필요가 있다.

(became, / calm myself down / needed to / I / and act carefully / the more / I / the angrier)

➡ _____

_____

개념 Guide

'~하면 할수록 더 …하다'는 「the+❶ [   ] ~, the+❷ [   ] …」으로 나타낸다.

답 ❶ 비교급 ❷ 비교급

대표 예제 9

우리말과 같도록 할 때 빈칸에 들어갈 말로 알맞은 것은?

줄다리기는 단순한 운동으로 뿐만 아니라 하나의 의식으로 여겨졌다.

➡ Juldarigi was regarded not just as a sport _____ also as a ritual.

① and
② but
③ as
④ nor
⑤ or

개념 Guide

'A뿐만 아니라 B도'는 not ❶ [   ] [just] A ❷ [   ] (also) B로 표현한다.

답 ❶ only ❷ but

대표 예제 11

다음 문장에서 어법상 틀린 부분을 찾아 바르게 고치시오.

The *Sillok* is one of the most well-preserved cultural record in the world.

_____ ➡ _____

개념 Guide

'가장 ~한 … 중 하나'라는 의미의 ❶ [   ] 표현은 「one of the+최상급+❷ [   ]」이다.

답 ❶ 최상급 ❷ 복수 명사

대표 예제 12

주어진 문장과 반대의 상황을 가정하는 문장의 빈칸에 알맞은 말을 쓰시오.

> I didn't do it earlier as it took so long to order new ones online.

➡ I would _____ it earlier, if it _____ so long to order new ones online.

© Sashkin/shutterstock

개념 Guide

과거 사실과 반대되는 일을 가정할 때 「If + S + V(❶   ) ~, S + 조동사의 과거형 + have + ❷   .....」를 쓴다.

답 ❶ 과거완료 ❷ 과거분사

대표 예제 13

다음 밑줄 친 부분과 바꿔 쓸 수 있는 것을 <u>모두</u> 고르면?

> <u>Without their efforts</u>, the *Sillok* might have been lost forever.

① But for their efforts

② If it were not for their efforts

③ If it had not been for their efforts

④ Were it not for their efforts

⑤ Had it not been for their efforts

개념 Guide

Without 가정법 과거완료는 ❶   for ~ 또는 If it had not been for ~, ❷   it not been for ~로 바꿔 쓸 수 있다.

답 ❶ But ❷ Had

대표 예제 14

다음 글의 밑줄 친 문장을 어법에 맞게 고쳐 쓰시오.

> Hours passed without any sign of the Northern Lights in the sky. I began to doubt that we could see the lights. At that moment, Mom shouted, "Look up there!" Some lights began to appear in the sky! At first, they looked like candle flames waving in the wind. Then, they gradually turned into curtains of green lights that kept changing color and shape. <u>It looked as if the lights are slowly dancing to the music of nature.</u>

➡ _____
  _____

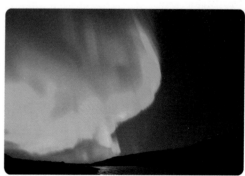

© Getty Images Korea

개념 Guide

'마치 ~인 것처럼 …했다'의 의미로 주절과 같은 시점의 사실과 ❶   로 가정할 때는 '❷   + S + V(과거)'로 쓴다.

답 ❶ 반대 ❷ as if

2주 4일 교과서 대표 전략 ②

01 다음 우리말과 같도록 할 때 빈칸에 알맞은 것은?

비록 덥긴 했지만, 우리는 개의치 않았다.

➡ _____ it was hot, we did not mind.

① When ② Since ③ Until

④ Although ⑤ Because

> **Tip**
> '비록 ~일지라도'의 의미로 ❶ [_____] 의 부사절을 이끄는 접속사 ❷ [_____] 가 알맞다.
>
> 🔑 ❶ 양보 ❷ Although

02 다음 빈칸에 들어갈 말로 알맞은 것을 <u>모두</u> 고르면?

> While _____ his books, I found myself fascinated by his interesting stories and creative characters.

① read ② to read

③ reading ④ I reading

⑤ I read

> **Tip**
> 「접속사+S+V ~」 형태의 ❶ [_____] 은 주절의 주어와 일치할 때 ❷ [_____] 으로 바꿔 쓸 수 있다.
>
> 🔑 ❶ 부사절 ❷ 분사구문

03 다음 문장에서 <u>틀린</u> 부분을 찾아 바르게 고치시오.

> I started reading the book with my heart beaten very fast.

_____ ➡ _____

> **Tip**
> 「with + 목적어(O) + v-ing/p.p. ~」 형태의 ❶ [_____] 에서 목적어와 분사의 관계가 능동이면 현재분사를, 수동이면 ❷ [_____] 를 쓴다.
>
> 🔑 ❶ 분사구문 ❷ 과거분사

04 주어진 표현을 바르게 배열하여 우리말을 영어로 옮기시오.

> 육식 동물뿐만 아니라 채식 동물도 핵심종일 수 있다.
>
> (meat-eating animals / but / not / also / keystone species / plant-eating animals / just / can be)
>
>
> © Eric Isselee/shutterstock

➡ _____

> **Tip**
> 'A뿐만 아니라 B도'라는 의미의 ❶ [_____] not only [just] A ❷ [_____] (also) B를 이용한다.
>
> 🔑 ❶ 상관접속사 ❷ but

05 주어진 문장과 의미가 모두 같도록 빈칸에 알맞은 말을 쓰시오.

> It was the best night of my life.

(1) It was _____ than any other night of my life.

(2) No other night of my life was _____ _____ it.

(3) No other night of my life was as _____ _____ it.

Tip

'가장 ~한 (명사)'라는 의미의 ❶ _____ 표현이다. 원급과 ❷ _____ 을 이용하여 최상급과 같은 의미를 나타낼 수 있다.

📋 ❶ 최상급 ❷ 비교급

06 다음 문장의 (A), (B)에 주어진 동사의 알맞은 형태를 쓰시오.

> If your kite or balloon (A) _____ (get) caught on a power line and you (B) _____ (touch) the string, what would happen?

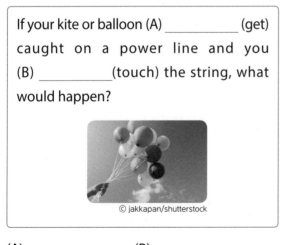

© jakkapan/shutterstock

(A) _____ (B) _____

Tip

가정법 ❶ _____ 는 「If + 주어 + V(과거) ~, 주어 + ❷ _____ + V(원형) .....」의 형태로 쓴다.

📋 ❶ 과거 ❷ 조동사의 과거형

[07 ~ 08] 다음 글을 읽고, 물음에 답하시오.

> *Bangpaeyeon*, the most popular Korean kite, looks simple, but is (A) the toughest / tougher of all kites flown in Korea. This rectangular kite is traditionally made from five bamboo sticks and (B) is covered / covering with traditional Korean paper. Unlike kites in other countries, it has a circular hole in the center, with a diameter half the width of the kite. What this hole does is control the air. The push of air on the front of the kite is greatly reduced because some of the wind passes through the hole to the back. This allows you to turn the kite quickly. (C) (easy / to control / would not / without / be / the hole, / it)

07 (A)와 (B)에서 알맞은 말을 골라 쓰시오.

(A) _____ (B) _____

Tip

(A) 범위를 나타내는 of all kites가 있으므로, ❶ _____ 이 알맞다. (B) 문장의 ❷ _____ 가 and 로 연결되어 있다.

📋 ❶ 최상급 ❷ 동사

08 밑줄 친 (C)의 표현을 바르게 배열하시오.

➡ _____

_____

Tip

without ❶ _____ 를 이용하여 「Without + 명사, S + ❷ _____ + V(원형) ~」의 순으로 쓴다.

📋 ❶ 가정법 과거 ❷ 조동사의 과거형

01 다음 문장에서 부사절에 밑줄 긋고, 문장을 바르게 해석하시오.

> The old man asked James to come closer since he wanted to say something to him.

➡ _____

_____

02 다음 우리말을 영어로 옮길 때 빈칸에 알맞은 말을 <u>모두</u> <u>고르면?</u>

> Kevin이 일하고 있을 때 그는 잠자코 거기에 앉아 있었다.
>
> ➡ He sat there quietly _____ Kevin worked.

① when　　　② since　　　③ as
④ if　　　　⑤ though

03 다음 밑줄 친 부분과 바꿔쓸 수 있는 것은?

> I finally fell asleep, <u>because I was exhausted</u> from my grief.

① exhaust　　　　② exhausted
③ exhausting　　　④ to exhaust
⑤ Having exhausted

04 다음 문장의 네모에서 알맞은 말을 고른 후, 우리말의 빈칸에 알맞은 말을 쓰시오.

> Steinberg and Gardner randomly assigned some participants to play alone or with two same-age peers | looked / looking | on.
>
>
>
> © BonD80/shutterstock

➡ _____

➡ Steinberg와 Gardner는 무작위로 몇몇 참가자들을 혼자 게임하거나 혹은 두 명의 같은 나이 또래들이 _____ 게임을 하게 했다.

05 다음 문장의 빈칸에 들어갈 말로 알맞은 것은?

> In fact, black is perceived to be twice as _____ as white.
>
>
>
> © Runrun2/shutterstock

① heavy　　　　② heavier
③ heaviest　　　④ heavily
⑤ more heavily

06 다음 중 나머지 넷과 의미가 <u>다른</u> 것은?

① Nauru is the smallest country in the South Pacific.

② No other country is as small as Nauru in the South Pacific.

③ No other country is smaller than Nauru in the South Pacific.

④ Nauru is one of the smallest countries in the South Pacific.

⑤ Nauru is smaller than any other country in the South Pacific.

07 다음 우리말과 일치하도록 괄호 안의 말을 이용하여 빈칸에 알맞은 말을 쓰시오.

> 핵심은, 우리가 더 많은 새로운 정보를 받아들일수록 시간은 더 천천히 흐르는 것으로 느껴진다는 것이다. (much, slow)

➡ In essence, _____ new information we take in, _____ time feels.

08 다음 문장에서 어법상 <u>어색한</u> 부분을 찾아 바르게 고치시오.

> If the check had been enclosed, would they respond so quickly?

_____ ➡ _____

09 다음 우리말과 같도록 주어진 표현을 바르게 배열하여 문장을 완성하시오.

> 마치 그가 받아쓰기를 하고 있는 것처럼 악상이 그의 머릿속으로 흘러 들어왔다.

© Pavel K/shutterstock

> taking / dictation / as if / were / he

➡ Musical ideas sprang into his head _____

_____ .

10 다음 문장의 의미가 모두 같도록 빈칸에 알맞은 말을 쓰시오.

But for money, people could only barter.

= _____ money, people could only barter.

= If it _____ _____ for money, people could only barter.

= _____ it _____ for money, people could only barter.

A 각 사람이 하는 말과 일치하도록 알맞은 카드를 두 개씩 골라 문장을 완성하시오.

1

> 완성하는 대로 로고 디자인 제안서를 보내 주세요.

→ _____

2

> 결국 인쇄물로 나오지 않으면 그것은 실수가 아니야.

→ _____

3

> 아마도 너는 피곤하기 때문에 추가적인 일을 피하고 있어.

→ _____

It's not a mistake	once you are done with it
Maybe you are avoiding extra work	if it doesn't end up in print
Please send us your logo design proposal	because you are tired

> **Tip**
> once는 시간(일단 ~하면), if는 ❶ [   ](~한다면),
> because는 이유(~ 때문에)의 ❷ [   ]을 이끄는 접
> 속사이다.
>
> 답 ❶ 조건 ❷ 부사절

B   알맞은 단어 조각을 골라 문장을 완성하시오.

1   Everyone burst out laughing

□ thinking

□ thought

that it was a joke.

2

□ Terrifying

□ Terrified

by the poor medical treatment for female patients,

she founded a hospital for women.

3   While

□ working

□ worked

as an editor,

she encouraged many well-known writers of the Harlem Renaissance.

4   When

□ asking

□ asked

about the price of their *own* home,

62% believed it had increased.

Tip

분사구문은 일반적으로 **❶** [   ](v-ing)로 시작하고, (Being +)P.P. ~는 **❷** [   ] 분사구문이다. 의미 관계를 명확하게 하기 위해 분사 앞에 접속사를 표시하기도 한다.

답 ❶ 현재분사 ❷ 수동

C 구조에 맞게 주어진 표현을 바르게 배열하여 문장을 완성하시오.

1

A		as + 원급 + as	B
이야기는	오직 ~하다	~만큼 믿을 만한	이야기기하는 사람

as / the storyteller / a story / as / is / only / believable

2

A		비교급 + than	B
그녀의 눈은	~했다	~보다 더 밝은	다이아몬드

diamonds / than / were / her eyes / brighter

3

		one of the + 최상급 + 복수 명사	
~이었다	~의 시작	최악의 밤 중 하나	내 인생의

of my life / nights / the worst / it / the start of / was / one of

> **Tip**
> 「as + 원급 + as」는 '~만큼 …한', 「❶☐ + than」은 '~보다 더 …한', 「one of the + ❷☐ + 복수 명사」는 '가장 ~한 … 중 하나'라는 의미의 비교 표현이다.
>
> 답 ❶비교급 ❷최상급

D 두 사람의 말이 의미가 통하도록 가정법 문장을 완성하시오.

1

As gases are not used up instead of being exchanged, living things do not die.

If gases _____ used up, instead of being exchanged, living things would _____.

2

As the decision to get out of the building was made, the entire team was not killed.

If the decision to get out of the building _____, the entire team would _____.

3

Thanks to eustress, you get this head start.

_____ eustress, you would not _____ this head start.

Tip

현재 또는 과거 사실과 **❶** _____ 상황을 가정할 때
「If＋S＋V(과거) ~, S＋조동사의 과거형＋V(원형) ....」,
「If＋S＋V(**❷** _____) ~, S＋조동사의 과거형＋have p.p. ....」를 이용한다.

답 ❶ 반대 ❷ 과거완료

적중 **1** 　주어, 목적어, 보어 역할을 하는 명사절을 알아두자.

적중 **2** 　수식어(형용사) 역할을 하는 관계사절을 알아두자.

that, whether, what, 의문사 등이 이끄는 명사절은 명사와 같은 역할을 해.

명사절은 문장의 주어, 목적어, 보어 자리에 올 수 있고, 단수 취급해.

접속사 that이 이끄는 명사절은 '~하는 것/~라는 것'의 의미로 완전한 구조를 이뤄.

if가 이끄는 절은 목적 자리에만 올 수 있어. (주어, 보어 x)

접속사 whether/if가 이끄는 명사절은 '~인지(아닌지)'의 의미로 불확실한 정보를 나타내.

관계대명사 what이 이끄는 명사절은 '~하는 것'의 의미로 불완전한 구조를 이뤄.

who/which/that 등이 이끄는 관계대명사절은 앞의 명사를 수식하는 형용사 역할을 해.

관계부사 how와 선행사 the way(방법)는 둘 중 하나를 반드시 생략해야 해.

when/where/why가 이끄는 관계부사절은 시간/장소/이유를 나타내는 선행사를 수식하는 형용사 역할을 해.

「콤마(,)+관계사절」은 선행사 또는 앞 문장 전체를 보충 설명하는 역할을 해.

적중 3 수식어(부사) 역할을 하는 부사절과 분사구문을 알아두자.
적중 4 병렬구조, 비교 구문, 가정법 구문을 알아두자.

가정법 과거는
「If+S+V(과거) ~,
S+조동사의 과거형+V(원형) ....」
형태로 현재 사실의 반대를
나타내.

가정법 과거완료는
「If+S+V(과거완료) ~,
S+조동사의 과거형+have p.p. ....」
형태로 과거 사실의 반대를
나타내.

GOOD JOB!

원급, 비교급을 이용해서 최상급의
의미를 나타낼 수도 있어.

and, but, or 등은 등위접속사,
both A and B 등은
상관접속사야.

형용사/부사의 최상급을
이용하여 특정 범위에서
가장 정도 차이가 큰 하나를
나타낼 수 있어.

형용사/부사의 원급과
비교급을 이용하여 두 대상의
정도 차이를 비교할 수 있어.

부사절과 주절의 주어가 같을 때
접속사와 주어를 생략하고 동사를
분사형태로 바꿔 분사구문으로 만들 수 있어.

병렬구조란 등위접속사 또는
상관접속사로 연결된
대상이 문법적으로 같은
구조를 이루는 것을 말해.

부사절은 「접속사+S+V ~」
형태의 완전한 구조의 절로,
문장에서 시간, 이유, 조건,
양보 등 다양한 의미를
나타내.

분사구문은 V-ing ~, (Being +)P.P. ~
형태로 시간, 이유,
조건, 양보 등을 나타내는
부사구야.

© Kaliaha Volha/shutterstock

신유형·신경향·서술형 전략

1 S, O(IO, DO), C 역할을 하는 절에 표시한 뒤, 문장을 끊어 읽고 해석을 완성하시오.

sample

[What is needed] is / active engagement
S(명사절: What+V)
with children.

➡ _____요구되는 것은_____ 자녀들과 함께하는 적극적인 참여
이다.

(1)

The most important instruction is that

musical instruments are not toys.

musical instrument 악기

➡ 가장 중요한 가르침은 _____

_____.

© Leonidovich/shutterstock

(2)

Science can only tell us how the world

appears to us.

➡ 과학은 우리에게 _____
말해 줄 수 있을 뿐이다.

Tip

접속사 that, whether, 관계대명사 **❶**[_____], 의문사가
이끄는 **❷**[_____]은 문장의 주어, 목적어, 보어 자리에
올 수 있다.

답 ❶ what ❷ 명사절

2 네모 안에서 알맞은 말을 고르고, 이유를 쓰시오.

sample

We convince ourselves that / whether

massive success requires massive action.

➡ 정답: _____that_____

➡ 이유: '~라는 것을 확신한다'의 의미로 확실한 정보를 나타
내도록 접속사 that이 알맞다.

(1)

The boss asked that / if he could build

just one more house.

➡ 정답: _____

➡ 이유: _____

© Stephen Coburn/shutterstock

(2)

What / That happened next was something

that chilled my blood.

➡ 정답: _____

➡ 이유: _____

_____

Tip

접속사 that은 확실한 정보를 나타내고, whether/if는
❶[_____] 정보를 나타낸다. that은 완전한 구조의 절
을, 관계대명사 what은 **❷**[_____] 구조의 절을 이끈다.

답 ❶ 불확실한 ❷ 불완전한

3 알맞은 관계대명사를 이용하여 두 문장을 한 문장으로 쓰시오. (단, that은 제외할 것)

sample

I'm not one of those people.

They just "must" have the latest phone.

➡ I'm not one of those people who just "must" have the latest phone.

(1)

The koala is the only known animal.

Its brain only fills half of its skull.

➡ _____

_____

© Eric Isselee/shutterstock

(2)

Bait worms from Maine are commonly packed in seaweed.

It contains many other organisms.

➡ _____

_____

Tip

선행사가 사람일 때 관계대명사 who/❶[   ]/whom을, ❷[   ]이나 동물일 때 which/whose를 쓴다.

답 ❶ whose ❷ 사물

4 주어진 표현을 바르게 배열하여 문장을 완성하시오. (단, 알맞은 관계부사를 추가할 것)

sample

| wasn't | the only problem | everywhere |
| hunger | was | poverty | in this area |

➡ Hunger wasn't the only problem in this area where poverty was everywhere.

(1)

| is | with | is | the child | the bath |
| her imagination | a time | comfortable |

➡ _____

_____

(2)

| to recorded music | there is | a reason |
| are attracted | so many of us |

➡ _____

_____

© CebotariN/shutterstock

Tip

선행사가 ❶[   ]/장소/이유를 나타낼 때 각각 관계부사 when/where/❷[   ]를 쓴다.

답 ❶ 시간 ❷ why

5 다음 문장의 빈칸에 알맞은 말에 표시하시오.

> sample
> Many runners work hard for months, but _____ they cross the finish line, they stop training.
>
> ☑ as soon as   ☐ though   ☐ because

(1)

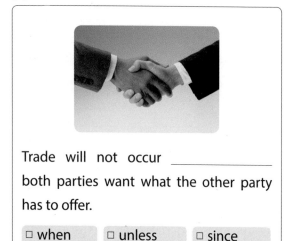

> Trade will not occur _____ both parties want what the other party has to offer.
>
> ☐ when   ☐ unless   ☐ since

(2)

> _____ babies have poor eyesight, they prefer to look at faces.
>
> ☐ Until   ☐ If   ☐ Even though

(3)

> You are an angel to me _____ you always stay by my side.
>
> ☐ because   ☐ in case   ☐ although

> **Tip**
> as soon as/when/until은 [❶   ], (even) though는 양보, unless/if/in case는 [❷   ], because/since는 이유의 부사절을 이끈다.
>
> 답 ❶ 시간 ❷ 조건

6 두 문장 중 옳은 것에 표시하고, 이유를 쓰시오.

> sample
> ⓐ Seeing this, everyone was surprised.
> ⓑ Seen this, everyone was surprised.
>
> ➡ 분사구문이 '이것을 보고'라는 능동의 의미이므로, 현재분사 Seeing이 알맞다.

(1)

> ⓐ Amazing by his success, he was now in the finals.
> ⓑ Amazed by his success, he was now in the finals.
>
> ➡ _____

(2)

> ⓐ Heard the judge's solution, the farmer agreed.
> ⓑ Having heard the judge's solution, the farmer agreed.
>
> ➡ _____

© Zerbor/shutterstock

> **Tip**
> 「(Being +) P.P. ~」는 [❶   ] 분사구문이고, Having p.p. ~는 [❷   ] 분사구문이다.
>
> 답 ❶ 수동 ❷ 완료

7 주어진 표현 중 불필요한 하나를 제외하고 나머지를 바르게 배열하여 문장을 완성하시오.

sample

as	had formed	they	as

more	quickly

➡ Group boundaries melted away ___as___ quickly as they had formed .

(1)

much	as	times	than

seven	misinformation	as

➡ People over 65 shared _____ _____ their younger counterparts.

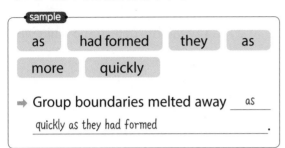

(2)

one	the	most	means	of

more	important

➡ The eyes are _____ _____ of cooperation.

Tip

「배수 표현＋as＋❶[   ]＋as」 또는 「배수 표현
＋비교급＋than」은 '~보다 ~배 …한/…하게'이고, 「one
of the＋❷[   ]＋복수 명사」는 '가장 ~한 … 중
하나'이다.

답 ❶ 원급 ❷ 최상급

8 표시된 부분에 유의하여 주어진 문장을 가정법 문장으로 바꿔 쓰시오.

sample

As we **do not mix** the paints together, we **will not fail** in getting the intended result.

➡ If we mixed the paints together, we would fail in getting the intended result.

(1)

As you **are not** at a zoo, you **may not say** you are 'near' an animal.

➡ _____
_____

© Macrovector/shutterstock

(2)

As Wills **didn't allow** himself to become frustrated by his outs, he **set some** records.

➡ _____
_____

Tip

현재 사실의 반대는 「If＋S＋V(❶[   ]) ~, S＋조동
사의 과거형＋V(원형) ....」으로, ❷[   ]사실의 반대
는 「If＋S＋V(과거완료) ~, S＋조동사의 과거형＋have
p.p. ....」로 나타낸다.

답 ❶ 과거 ❷ 과거

01 우리말과 일치하도록 할 때 빈칸에 알맞은 말은?

> 그들이 어떻게 자신들의 생활 방식에 적응했는가는 당신이 그 환경을 이해하도록 도울 것이다.
>
> ➡ _____ they have adapted to their way of life will help you to understand the environment.

① That   ② What

③ Whether   ④ How

⑤ Why

02 다음 두 문장의 빈칸에 들어갈 말이 순서대로 바르게 짝 지어진 것은?

> - The first follower is _____ transforms a lone nut into a leader.
> - Recent research suggests _____ evolving humans' relationship with dogs changed the structure of both species' brains.

① that — whether

② that — what

③ whether — what

④ what — whether

⑤ what — that

© Getty Images Korea

03 다음 밑줄 친 부분 중 어법상 어색한 것은?

① Many factors determine <u>what we should do</u>.

② You should ask <u>if the scientist was unbiased</u>.

③ This theory could explain in part <u>why time feels slower for children</u>.

④ He turned to the anthropologist and asked <u>what kind of insects were they</u>.

⑤ You have to make very fast assumptions about <u>whether that animal is safe or not</u>.

04 다음 중 어법상 옳은 것끼리 묶은 것은?

> ⓐ They clearly told me whether duty was calling.
> ⓑ The good news is that cities are incredibly resilient.
> ⓒ Do not base your decision on that yesterday was.
> ⓓ I wonder if that little boy will get one of the ten thousand shirts.
> ⓔ What she said made Victoria fall into a deep thought for a while.

① ⓐ, ⓑ   ② ⓐ, ⓒ, ⓓ

③ ⓑ, ⓒ   ④ ⓓ, ⓔ

⑤ ⓑ, ⓓ, ⓔ

05 다음 중 밑줄 친 부분의 쓰임이 나머지 넷과 다른 것은?

① There's one thing that may be interesting to you.

② Maybe you'll run into people there that you've never met before.

③ The wall of anger that divided them came down.

④ Research indicates that emoticons are useful tools in online text-based communication.

⑤ By trading space, advertisers find new outlets that reach their target audiences.

06 다음 문장의 빈칸에 알맞은 말은?

We cannot predict the outcomes of sporting contests, _____ vary from week to week.

© Steve Broer/shutterstock

① who　② whose　③ whom
④ which　⑤ that

07 다음 우리말과 같도록 할 때 빈칸에 알맞은 말은?

개구리는 건조해지는 것을 막기 위해 이따금 몸을 잠깐 담글 수 있는 물 근처에 있어야 한다.

➡ The frog must remain near the water _____ it can take a dip every now and then to keep from drying out.

① which　② when　③ where
④ why　⑤ how

08 다음 중 어법상 어색한 문장은?

① People gather where things are happening.

② Every night when you sleep, this battery is recharged.

③ This blood is the reason why the eyes look red in the photograph.

④ The way how we communicate influences our ability to build strong and healthy communities.

⑤ A dog throws the front part of his body in the direction he wants to go.

09 다음 문장의 빈칸에 공통으로 알맞은 말을 쓰시오. (단, 소문자로 쓸 것)

> _____ you like her or not is a separate matter from _____ she has good advice or not.

➡ _____

10 다음 우리말과 같도록 괄호 안의 말을 바르게 배열하여 문장을 완성하시오.

> 누군가가 언제 그 수업이 열릴지 결정해야 했다.
> (when / would / someone / be held / decide / the class / had to)

➡ _____

11 다음 문장에서 어법상 틀린 부분을 찾아 바르게 고치시오.

> There are many ways and spatial scales at that tourism contributes to climate change.
>
>
> © Getty Images Korea

_____ ➡ _____

12 다음 우리말을 〈조건〉에 맞게 영어로 옮기시오.

> 바넘 효과는 누군가가 매우 일반적인 것을 읽거나 듣지만 그것이 그들에게 적용된다고 믿는 현상이다.
>
> • 조건 •
> 1. 관계부사를 포함할 것
> 2. phenomenon, read, hear, something, general을 활용할 것

➡ The Barnum Effect is _____

_____

but believes that it applies to them.

[13~14] 다음 글을 읽고, 물음에 답하시오.

Bad lighting can increase stress on your eyes, as can light ⓐ <u>that</u> is too bright, or light ⓑ <u>that</u> shines directly into your eyes. Fluorescent lighting can also be tiring. (A) <u>여러분이 인식하지 못할 수도 있는 것은 빛의 질 또한 중요할 수 있다는 것이다.</u> Most people are happiest in bright sunshine — this may cause a release of chemicals in the body ⓒ <u>that</u> bring a feeling of emotional well-being. Artificial light, ⓓ <u>that</u> typically contains only a few wavelengths of light, does not seem to have the same effect on mood ⓔ <u>that</u> sunlight has. Try experimenting with working by a window or using full spectrum bulbs in your desk lamp. You will probably find that this improves the quality of your working environment.

© vvoe/shutterstock

13 밑줄 친 ⓐ~ⓔ 중, 어법상 틀린 것을 찾아 바르게 고쳐 쓰시오.

_____ , _____ ➡ _____

14 주어진 표현을 바르게 배열하여 밑줄 친 (A)의 우리말을 영어로 옮기시오.

> appreciate / may not / important / what / may / the quality of light / also be / you / that / is

➡ _____

_____

[15~16] 다음 글을 읽고, 물음에 답하시오.

Eddie Adams was born in New Kensington, Pennsylvania. He developed his passion for photography in his teens, (A) _____ he became a staff photographer for his high school paper. After graduating, he joined the United States Marine Corps, (B) _____ he captured scenes from the Korean War as a combat photographer. In 1958, he became staff at the *Philadelphia Evening Bulletin*, a daily evening newspaper published in Philadelphia. In 1962, he joined the Associated Press (AP), and after 10 years, he left the AP to work as a freelancer for *Time magazine*. (C) <u>그가 베트남에서 촬영한 Saigon Execution 사진은 그에게 1969년 특종 기사 보도 사진 부문의 퓰리처상을 가져다주었다.</u>

© Rawpixel.com/shutterstock

15 (A)와 (B)에 각각 알맞은 관계부사를 쓰시오.

(A) _____ (B) _____

16 밑줄 친 (C)와 같은 뜻이 되도록 〈조건〉에 맞게 쓰시오.

> • 조건 •
> 1. 알맞은 관계대명사를 추가할 것
> 2. take, earn, the Pulitzer Prize를 이용할 것

➡ The Saigon Execution photo _____

_____

for Spot News Photography in 1969.

01 다음 두 문장의 빈칸에 들어갈 말이 순서대로 바르게 짝지어진 것은?

> • I should wear a jacket _____ it's cold outside.
>
> • _____ we are all experienced shoppers, we are still fooled.

① although — When
② if — While
③ because — Though
④ unless — Although
⑤ since — In case

02 다음 우리말을 영어로 옮길 때 빈칸에 들어갈 말로 알맞은 것은?

컵이 씻길 필요가 없다면, 우리는 그것들을 그대로 둘 것이다.

➡ We will leave the cups untouched _____ they need to be cleaned.

① when ② unless ③ if
④ although ⑤ because

03 다음 밑줄 친 부분과 바꿔 쓸 수 있는 것은?

> Through gossip, we bond with our friends, <u>while we share</u> interesting details.

① share ② shared
③ sharing ④ to share
⑤ having shared

04 다음 중 밑줄 친 부분이 어법상 어색한 것은?

① <u>Being at a loss</u>, she stood still rooted to the ground.
② <u>Orphaned at the age of seven</u>, her early life was marked by hardship.
③ <u>After hearing this</u>, she ran to her room.
④ The number grew to hundreds of people, <u>each delivering a $100 bill</u>.
⑤ Impressionism is 'comfortable' to look at, <u>with bright colours appealed to the eye</u>.

05 다음 밑줄 친 단어의 형태로 알맞은 것은?

> By grabbing a hammer or a paint brush and <u>donate</u> your time, you can help with the construction.

① donates

② donated

③ to donate

④ donating

⑤ has donated

© Jag_cz/shutterstock

07 다음 밑줄 친 부분과 바꿔 쓸 수 있는 것을 <u>모두</u> 고르면?

> <u>Without the pollination</u> done by insects, fruits would become rare and expensive.

① But for the pollination

② If it were not for the pollination

③ If it had not been for the pollination

④ Were it not for the pollination

⑤ Had it not been for the pollination

06 다음 중 어법상 옳은 것끼리 묶은 것은?

> ⓐ The implementation of the plan is as not appealing as the plan.
> ⓑ The influence of peers is much stronger than that of parents.
> ⓒ She was the eldest of three daughters.
> ⓓ The impala is one of the most graceful four-legged animal.
> ⓔ She came closer and closer to the drummer.

① ⓐ, ⓑ

② ⓐ, ⓒ, ⓓ

③ ⓑ, ⓒ, ⓔ

④ ⓑ, ⓔ

⑤ ⓒ, ⓔ

08 다음 중 어법상 <u>어색한</u> 것을 <u>모두</u> 고르면?

① If he attempted to get on the ledge, all three would probably die.

② Marie Curie is treated as if she works alone to discover radioactivity.

③ Without her, he would have had a terrible life.

④ It appeared as though the entire sky had turned dark.

⑤ It is what you would do if you had not gone to the game.

09 다음 두 문장을 주어진 우리말과 같도록 한 문장으로 바꿔 쓰시오. (단, 적절한 접속사를 사용할 것)

> Actually, I use my cell phone.
> The battery no longer holds a good charge.
>
>
> © Getty Images Korea

> 사실 나는 배터리가 더 이상 충전이 잘 되지 않을 때까지 내 휴대 전화를 사용한다.

➡ _____

_____

10 다음 우리말과 같도록 밑줄 친 부분을 어법에 맞게 고치시오.

> 입이 귀에 걸리도록 웃으며, Chris는 자랑스럽게 우승자의 옆에 섰다.
> ➡ With a smile stretched from ear to ear, Chris proudly stood next to the winner.

➡ _____

11 주어진 표현을 바르게 배열하여 우리말을 영어로 옮기시오.

> 우리가 더 많은 선택권을 가질수록, 우리의 의사 결정 과정은 더 어려워질 것이다.
> (have, / the / we / harder / will be / options / more / the / our decision making process)
>
>
> © Caftor/shutterstock

➡ _____

_____

12 주어진 문장과 반대의 상황을 가정하는 문장의 빈칸에 알맞은 말을 쓰시오.

> He could not attend to business as he was laid up with high fever.

➡ He could _____ to business if he _____ with high fever.

[13~14] 다음 글을 읽고, 물음에 답하시오.

On his march through Asia Minor, Alexander the Great fell dangerously ill. His physicians were afraid to treat him because (A) <u>if they didn't succeed, the army will blame them.</u> Only one, Philip, was willing to take the risk, as he had confidence in the king's friendship and his own drugs. While the medicine was being prepared, Alexander received a letter accusing the physician of having been bribed to poison his master. Alexander read the letter without showing it to anyone. When Philip entered the tent with the medicine, Alexander took the cup from him, (B) handing / handed Philip the letter. While the physician was reading it, Alexander calmly drank the contents of the cup. (C) Horrifying / Horrified , Philip threw himself down at the king's bedside, but Alexander assured him that he had complete confidence in his honor. After three days, the king was well enough to appear again before his army.

13 (A)에서 어법상 **틀린** 부분을 바르게 고쳐 문장을 다시 쓰시오.

➡ _____

_____

14 (B)와 (C)에서 각각 알맞은 것을 골라 쓰시오.

(B) _____ (C) _____

[15~16] 다음 글을 읽고, 물음에 답하시오.

The brain makes up just two percent of our body weight but ⓐ <u>uses</u> 20 percent of our energy. In newborns, it's no less than 65 percent. That's partly why babies sleep all the time — their growing brains exhaust them — and ⓑ <u>to have</u> a lot of body fat, to use as an energy reserve when ⓒ <u>needed</u>. Our muscles use even more of our energy, about a quarter of the total, but we have a lot of muscle. Actually, per unit of matter, the brain uses by far ⓒ <u>more</u> energy than our other organs. That means that (A) 우리 장기 중 뇌가 가장 에너지가 많이 든다. But it is also marvelously efficient. Our brains require only about four hundred calories of energy a day — about the same as we get from a blueberry muffin. Try running your laptop for twenty-four hours on a muffin and ⓔ <u>see</u> how far you get.

© EFKS/shutterstock

15 밑줄 친 ⓐ~ⓔ 중, 어법상 **틀린** 것을 찾아 바르게 고쳐 쓰시오.

_____ , _____ ➡ _____

16 밑줄 친 (A)와 같은 뜻이 되도록 〈조건〉에 맞게 쓰시오.

• 조건 •
1. 최상급 구문을 사용할 것
2. brain, expensive, of, organs를 포함하여 9단어로 쓸 것 (단, 필요하면 변형할 것)

➡ _____

Memo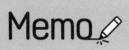

book.chunjae.co.kr

교재 내용 문의 ·················	교재 홈페이지 ▶ 고등 ▶ 교재상담	
교재 내용 외 문의 ·················	교재 홈페이지 ▶ 고객센터 ▶ 1:1문의	
발간 후 발견되는 오류 ·············	교재 홈페이지 ▶ 고등 ▶ 학습지원 ▶ 학습자료실	

실력향상 필수학습!
고득점을 예약하자!

내신전략

고등 영어 구문

BOOK 3

정답과 해설

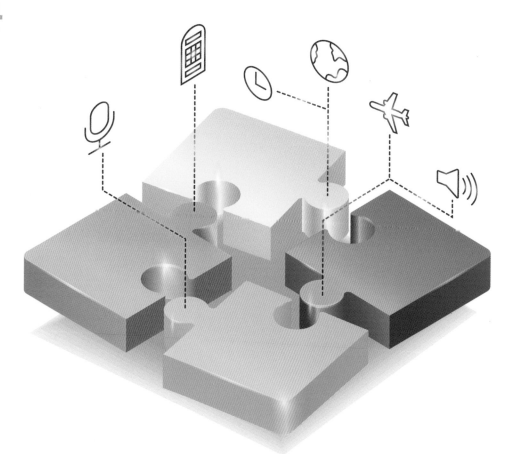

천재교육

정답과 해설
포인트 ⑤가지

▶ 혼자서도 이해할 수 있는 친절한 문제 풀이

▶ 필수 구문 중심의 자세한 해설

▶ 해석 및 주요 어휘 수록

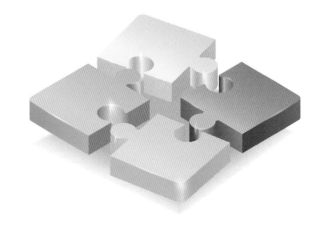

Book 1

정답과 해설

정답과 해설

1주 – 문장의 구성 요소

1-2 All my fear, 두려움이

2-2 challenges, 도전들을

3-2 to be creative in a doorless office, 창의적이게 되는 것이

4-2 anxious, 불안해

5-2 play music, 연주하는 것을

6-2 pretty quickly, 매우 빨리

---

1 (1) She, 그녀는 학교 프로젝트로 바빴다.

　(2) Introducing a new product category, 새로운 제품 범주를 도입하는 것은 어렵다.

2 (1) us, 우리 선생님들, 코치들, 부모님들이 우리를 가르쳤다.

　(2) to follow the mechanical time of clocks, 사람들은 기계식 시계의 시간을 따르기 시작했다.

3 (1) to make material *personally* meaningful, 자료를 '개인적으로' 유의미하게 만드는 것이 유용하다.

　(2) to feed their own people, 일부 아프리카 국가들은 자국민들을 먹여 살리는 데 어려움을 겪고 있다.

4 (1) unkind, 그 부자는 그들에게 불친절했다.

　(2) to fix the leak, 그들의 임무는 물이 새는 곳을 수리하는 것이었다.

5 (1) Mina, 내 친구들은 나를 Mina라고 부른다.

　(2) safe, 우리의 자동적이고 무의식적인 습관이 우리를 안전하게 지켜줄 수 있다.

6 (1) commons, 물은 궁극적인 공유 자원이다.

　(2) such advertisements are quite typical, 불행히도, 그런 광고들은 매우 전형적이다.

필수 예제 **1** (1) He (2) Bringing (3) is (4) are

확인 문제 **1-1** (1) She (2) Listening [To listen] (3) are

확인 문제 **1-2** Having [To have]

필수 예제 **2** (1) O (2) × (3) × (4) O

확인 문제 **2-1** (1) writing (2) to forget (3) starving

확인 문제 **2-2** becoming → to become

필수 예제 **3** (1) ⓐ (2) ⓒ (3) ⓑ (4) ⓓ

확인 문제 **3-1** (1) It (2) to identify (3) that

확인 문제 **3-2** It took about a minute to get from the arrival gate to baggage claim.

필수 예제 **4** ⓑ

확인 문제 **4-1** describe → to describe

확인 문제 **4-2** The patient found it easier to relax.

필수 예제 1

(1) 문장의 주어 자리이므로, 인칭대명사의 주격 He가 알맞다.
　[해석] 그는 자신의 지갑을 열었다.
(2) 문장의 주어 자리이므로, 동명사가 와야 한다.
　[해석] 가끔 쿠키를 조금 가져오는 것은 충분하다.
　[어휘] once in a while 가끔
(3) 명사절 주어는 단수 취급하므로 is가 알맞다.
　[해석] 그들이 가장 성가시다고 하는 것은 시간이다.
　[어휘] bothersome 성가신
(4) 주어 many stars가 복수 명사이므로 are가 알맞다.
　[해석] 우주에는 많은 별들이 있다.

확인 문제 1-1

(1) 문장의 주어 자리이므로, Her를 She로 바꿔 써야 한다.
　[해석] 그녀는 감자 두 개의 껍질을 벗겼다.
　[어휘] peel 껍질을 벗기다
(2) 문장의 주어 자리이므로, 동명사 또는 to부정사로 바꿔 써야
　한다.
　[해석] 듣는 것은 충분하지 않다.
(3) 주어 limits가 복수이므로 동사 is를 are로 고쳐야 한다.
　[해석] 당신이 가진 지식에는 한계가 있다.
　[어휘] limit 한계 knowledge 지식

확인 문제 1-2

문장의 주어 자리이므로 동명사나 to부정사가 와야 한다.
[해석] 편안한 작업용 의자와 책상을 갖는 것은 가장 인기가 적은
선택이다.
[어휘] comfortable 편안한 choice 선택

필수 예제 2

(1) 주어와 목적어가 같은 대상을 나타내므로 재귀대명사가 알
　맞다.
　[해석] 그는 자신을 공중으로 내던졌다.
　[어휘] launch 내던지다
(2) keep은 동명사가 목적어로 오는 동사이므로 search를
　searching으로 바꿔야 한다.
　[해석] 우리는 인터넷에서 답을 찾기를 계속한다.
(3) stop은 동명사가 목적어로 오는 동사이므로 to run을
　running으로 고쳐야 한다.

[해석] 그것은 8시간 후에 자동으로 작동하는 것을 멈춘다.
　[어휘] automatically 자동으로 run 작동하다
(4) 전치사 by의 목적어 자리이므로 동명사가 알맞다.
　[해석] 조이스틱을 좌우로 움직여 음량을 조절하시오.
　[어휘] adjust 조절하다 volume level 음량

확인 문제 2-1

(1) finish는 동명사가 목적어로 오는 동사이므로 writing으로 써
　야 한다.
　[해석] 그녀는 그곳에서 그 책을 쓰는 것을 끝냈다.
(2) vow는 to부정사가 목적어로 오는 동사이므로 to forget으
　로 써야 한다.
　[해석] Toby는 그 소년을 잊지 않겠다고 맹세했다.
　[어휘] vow 맹세하다
(3) 전치사 about의 목적어 자리이므로 동명사 starving을 써
　야 한다.
　[해석] 우리는 굶주리는 것에 대해 걱정할 필요가 없다.
　[어휘] starve 굶주리다

확인 문제 2-2

decide는 to부정사가 목적어로 오는 동사
이므로 becoming을 to become으로 고
쳐야 한다.
[해석] 그녀는 화가가 되기로 결심했다.

필수 예제 3

(1) '그것'으로 해석하는 It은 대명사이다.
　[해석] 그것은 큰 돌고래의 눈이었다.
(2) 시간, 날짜 등을 표현하는 문장의 주어로 쓰인 It은 뜻이 없는
　비인칭 주어이다.
　[해석] 아름다운 9월 아침이었다.
(3) '~하는 것은'으로 해석하는 to부정사구나 명사절이 있는 문
　장의 주어 It은 가주어이다.
　[해석] 이 문제들을 조사하는 것은 중요하다.
　[어휘] identify 확인하다, 조사하다
(4) It is [was] ~ that ... 문장에서 that 뒤가 불완전하고 '…한
　것은 ~이다[이었다]'로 해석되면 강조 구문이다.
　[해석] 다양성을 보호하는 것은 관용이다.
　[어휘] tolerance 관용, 포용력 diversity 다양성

확인 문제 3-1

(1) 날짜를 표현하는 문장의 주어 자리에는 비인칭 주어 It이 온다.

　해석　1999년 8월 18이었다.

(2) 가주어 It이 주어로 쓰였으므로 to부정사구나 명사절이 와야 한다.

　해석　정보와 관련된 맥락을 확인하는 것은 중요하다.

　어휘　context 맥락 related to ～와 관련된

(3) 주어 It은 가주어이므로 that절이 진주어로 와야 한다.

　해석　우리 뇌 조직의 85%는 수분이라고 알려졌다.

　어휘　brain tissue 뇌 조직

확인 문제 3-2

to부정사구 to get ～이 진주어이므로, 가주어 it을 이용하여 'It(S) / took(V) / about a minute(M) / to get from the arrival gate to baggage claim(S′)'의 순으로 배열한다.

필수 예제 4

동사 made와 목적격보어 clear 사이에 목적어가 빠져있다. that 이하가 진목적어이므로 목적어 자리에는 가목적어 it이 필요하다.

확인 문제 4-1

find 뒤에 가목적어가 있으므로 to부정사구 진목적어가 필요하다.

　어휘　indeed 정말로 describe 묘사하다

확인 문제 4-2

가목적어 it을 넣어 「주어 + 동사 + 가목적어 it + 진목적어」의 순으로 쓴다.

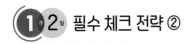

1주 2일 필수 체크 전략 ②

pp. 18~19

1 (A) show (B) Carrying (C) feels　**2** ④　**3** (A) are (B) is　**4** it is important to design spaces

1 (A) 주어 Black and white가 복수이므로 show가 알맞다. (B) 문장의 주어 자리이므로 동명사 Carrying이 알맞다. (C) 동명사구 주어는 단수 취급하므로 단수 동사 feels가 알맞다.

　지문 해석　각각 0%와 100%의 밝기를 갖는 검은색과 흰색은 인식되는 무게에 있어서 가장 극적인 차이를 보인다. 사실, 검은색은 흰색보다 두 배 무겁게 인식된다. 같은 상품을 흰색 쇼핑백보다 검은색 쇼핑백에 담아 드는 것이 더 무겁게 느껴진다. 따라서 넥타이와 액세서리와 같이 작지만 값비싼 상품들은 대체로 어두운색의 쇼핑백 또는 상자에 담겨 판매된다.

2 ④ stop은 동명사가 목적어로 오는 동사이므로 to hang을 hanging으로 바꿔야 한다.

　지문 해석　좋은 소식은, 결국 10년 후에 여러분이 있게 될 곳이 여러분에게 달려 있다는 것이다. 여러분은 여러분의 삶을 어떻게 만들어 가고 싶은지 자유롭게 선택할 수 있다. 그것은 '자유 의지'라고 불  리고, 그것은 여러분의 기본적인 권리이다. 게다가 여러분은 그것을 즉시 실행시킬 수도 있다! 언제든지 여러분은 자신을 더 존중하기 시작하거나 혹은 여러분을 힘들게 하는 친구들과 어울리는 것을 멈추기로 선택할 수 있다. 결국 여러분은 행복해지기로 선택하거나, 비참해지기로 선택한다.

3 (A) 주어 Acoustic concerns ～가 복수이므로 are를 써야 한다. (B) 주어 the modern school library가 단수이므로, is를 써야 한다.

　지문 해석　학교 도서관에서 소리에 대한 염려는 과거보다 오늘날 훨씬 더 중요하고 복잡하다. 오래전, 전자 장비들이 도서관 환경의 아주 중요한 일부가 되기 전에는 사람들이 만들어 내는 소음을 처리하기만 하면 되었다. 오늘날에는, 컴퓨터, 프린터 그리고 다른 장비들의 폭넓은 사용이 기계 소음을 더했다. 집단 활동과 교사의 설명이 학습 과정의 필수적인 부분이기 때문에, 사람의 소음도 또한 증가했다. 그래서 현대의 학교 도서관은 더는 예전처럼 조용한 구역이 아니다. 그러나

많은 학생들이 조용한 학습 환경을 원하기 때문에, 도서관은 공부와 독서를 위해 여전히 조용함을 제공해야 한다. 도서관 환경에 대한 이러한 요구를 고려해 볼 때, 원치 않는 소음이 제거되거나 적어도 최소한으로 유지될 수 있는 공간을 만드는 것이 중요하다.

4 주어진 표현에 가주어 it이 있으므로 to부정사구 to design spaces를 진주어로 하고, 가주어 it을 이용하여 'x(S) / ~이다(V) / 중요한(C) / 공간을 만드는 것이(S′)'의 순으로 배열한다.

1주 3일 필수 체크 전략 ①

pp. 20~23

필수 예제	**5**	(1) cruel (2) to move (3) to come (4) tiring
확인 문제	**5-1**	(1) successful (2) to live [living] (3) to be (4) disappointed
확인 문제	**5-2**	(1) to win [winning] (2) excited
필수 예제	**6**	(1) ×, to take (2) O (3) O (4) ×, parked
확인 문제	**6-1**	(1) to come (2) decide (3) lifted
확인 문제	**6-2**	correctly understand → to correctly understand

필수 예제	**7**	(1) positive (2) to receive (3) dealing (4) called
확인 문제	**7-1**	(1) quick (2) walking (3) renewed
확인 문제	**7-2**	to make
필수 예제	**8**	(1) ⓓ (2) ⓐ (3) ⓑ
확인 문제	**8-1**	(1) nearly (2) to get (3) to ignore
확인 문제	**8-2**	He was too poor to buy a ticket for a long-distance bus to his hometown.

필수 예제 5

(1) sound와 같은 감각동사의 주격보어 자리에는 형용사가 온다.

해석 그것은 잔인하게 들린다.

(2) 동사 was 뒤에 오는 주격보어 자리이므로 to부정사 또는 동명사가 와야 한다.

해석 해결책은 도착 게이트를 수하물 보관소로부터 멀리 옮기는 것이었다.

(3) 동사 seem 뒤에는 to부정사구가 주격보어로 와야 한다.

해석 그 결과들은 절대 빨리 나오는 것처럼 보이지 않는다.

(4) '피곤하게 한다'라는 능동의 의미이므로 현재분사가 와야 한다.

해석 형광 조명은 피곤하게 만들 수 있다.

어휘 fluorescent 형광성의

확인 문제 5-1

(1) 감각동사 feel의 주격보어 자리에는 형용사가 와야 하므로 successful로 고쳐야 한다.

해석 그녀는 성공한 것처럼 느낀다.

어휘 successful 성공한, 성공적인

(2) 동사 is 뒤의 주격보어 자리이므로 to live 또는 living으로

고쳐야 한다.

해석 가장 좋은 방법은 '딱 맞는 상황'에 머무르는 것이다.

어휘 sweet spot 중심적인 부분, 안성맞춤인 상황

(3) 동사 seem은 to부정사가 주격보어로 오므로, to be로 고쳐야 한다.

해석 그것은 웃고 있는 것처럼 보였다.

(4) '실망한'이라는 수동의 의미이므로 과거분사 disappointed로 바꿔야 한다.

해석 재판관들은 실망한 것 같았다.

어휘 judge 재판관, 판사

확인 문제 5-2

(1) is 뒤의 주격보어 자리이므로 to win 또는 winning이 와야 한다.

해석 목표를 설정하는 목적은 게임을 이기는 것이다.

어휘 purpose 목적 goal 목표

(2) '흥분한'이라는 수동의 의미이므로 과거분사 excited가 와야 한다.

정답 과 해설

해석 어린 Mary는 흥분했다.

필수 예제 6

(1) advise는 to부정사구가 목적격보어로 오는 동사이므로 to take로 고쳐야 한다.

해석 전문가들은 사람들에게 엘리베이터 대신 계단을 이용하라고 조언한다.

어휘 expert 전문가

(2) 사역동사 let은 원형부정사가 목적격보어로 오는 동사이므로 알맞다.
해석 그들이 그들의 의견을 말하도록 해라.

어휘 voice 목소리; 발언하다

(3) 지각동사 hear는 원형부정사가 목적격보어로 오고, 능동·진행의 의미일 때 현재분사도 올 수 있으므로, 알맞다.
해석 나는 무언가가 벽을 따라 천천히 움직이고 있는 소리를 들었다.

어휘 along ~을 따라

(4) found의 목적격보어 자리이고, '발전기가 놓여 있는'이라는 수동·완료의 의미이므로, 과거분사 parked가 와야 한다.
해석 우리는 발전기가 우리 집 앞에 놓여 있는 것을 발견했다.

어휘 generator 발전기 park 놓아두다

확인 문제 6-1

(1) ask는 목적격보어로 to부정사가 오는 동사이므로, to come으로 써야 한다.
해석 그는 그 훌륭한 피아니스트에게 와서 연주해달라고 요청했다.

(2) 사역동사 make는 목적격보어로 원형부정사가 오므로, decide로 써야 한다.
해석 그녀의 절박하고 다급한 목소리는 Jacob이 즉시 건물로 진입하는 것을 결심하게 만들었다.

어휘 desperate 절박한 urgent 다급한

(3) 목적격보어 자리이고, '당신의 기분이 좋아지는'이라는 의미로 목적어와 수동 관계이므로 과거분사 lifted를 써야 한다.
해석 당신은 당신의 기분이 좋아지는 것을 느낄 것이다.

어휘 spirit 기분, 마음 lift (기분 등을) 좋아지게 하다

확인 문제 6-2

allow는 to부정사구가 목적격보어로 오는 동사이므로 correctly understand를 to correctly understand로 고쳐야 한다.
해석 이모티콘들은 사용자들이 감정의 정도를 정확하게 이해하게 했다.

어휘 allow 허락하다 level 수준, 정도 emotion 감정

필수 예제 7

(1) 명사 reply를 수식하는 형용사 positive가 알맞다.
해석 우리는 긍정적인 답변을 받기를 기대한다.

어휘 receive 받다 positive 긍정적인 reply 답변

(2) '~할/~하는'의 의미로 앞의 명사 the first woman을 수식하는 to부정사가 알맞다.
해석 Dorothy Hodgkin은 Copley Medal을 받는 첫 번째 여성이 되었다.

(3) 앞의 명사 a responsible man을 능동(~하는)의 의미로 수식하는 현재분사 dealing이 알맞다.
해석 그는 무책임한 아이를 다루는 책임감 있는 남성이었다.

어휘 responsible 책임감 있는 (↔ irresponsible) deal with 다루다

(4) 앞의 명사 a story를 수동(~된)의 의미로 수식하는 과거분사 called가 알맞다.
해석 그것은 St. Benno and the Frog라고 불리는 이야기에 기초한다.

어휘 be based on ~에 기초하다

확인 문제 7-1

(1) 뒤의 명사 bite를 수식하는 형용사 quick으로 고쳐야 한다.
해석 그녀는 사과 하나를 재빨리 한 입 베어 물었다.

어휘 take a bite 한 입 베어 물다

(2) 앞의 명사 a girl을 능동(~하는)의 의미로 수식하는 현재분사 walking으로 고쳐야 한다.
해석 그는 길을 걸어가고 있는 한 소녀를 가리켰다.

(3) 뒤의 명사 understanding을 수동(~된)의 의미로 수식하는 과거분사 renewed로 고쳐야 한다.
해석 책을 다시 읽는 것은 그 책에 대한 새로워진 이해를 가져다준다.

어휘 renew 새롭게 하다

확인 문제 7-2

'~할'의 의미로 앞의 명사 time을 수식하도록 to make로 써야 한다.

어휘 employee 직원 connection 관계

필수 예제 8

(1) 앞의 형용사 hard를 수식하는 to부정사이다.

해석 조슈아 나무들은 오늘날 기준으로 먹기 힘들다.

어휘 standard 기준

(2) '생각을 표현하기 위해서'라는 목적의 의미로 쓰인 to부정사이다.

해석 당신은 생각을 표현하기 위해서 복잡한 문장들이 필요하지는 않다.

어휘 complex 복잡한 express 표현하다

(3) '~해서 행복했다'라는 의미로 감정의 원인을 나타내는 to부정사이다.

해석 그는 그들 각자에게 백 달러 수표를 보내게 되어 행복했다.

어휘 check 수표

확인 문제 8-1

(1) 동사 dropped를 수식하는 부사 nearly가 알맞다.

해석 Shirley는 포크를 바닥에 거의 떨어뜨릴 뻔했다.

어휘 near 가까운; 가까이 nearly 거의

(2) '더 잘 보려고'라는 목적의 의미를 나타내도록 to get이 알맞다.

해석 몇 줄 앞에 있는 한 관중이 더 잘 보려고 일어선다.

어휘 spectator 구경꾼 view 광경

(3) 앞의 형용사 easy를 수식하는 to부정사 to ignore가 알맞다.

해석 하나의 결정은 무시하기 쉽다.

어휘 decision 결정 ignore 무시하다

확인 문제 8-2

형용사를 수식하는 to부정사를 이용하여, '그는(S) / ~했다(V) / 너무 가난한(C) / 자신의 고향으로 가는 장거리 버스표를 사기에 (M)'의 순으로 배열한다.

1주 3일 필수 체크 전략 ②

pp. 24~25

1 (A) highly (B) effective (C) socially 2 ③ 3 (A) feel (B) to smile 4 The researchers had participants perform stressful tasks

1 (A) 형용사 sensitive를 수식하는 부사 highly가 알맞다.
(B) 명사 nudges를 수식하는 형용사 effective가 알맞다.
(C) 형용사 beneficial을 수식하는 부사 socially가 알맞다.

지문 해석 연구가 이루어진 10주 동안, '눈 주간'의 기부금이 '꽃 주간'의 기부금보다 거의 세 배나 많았다. 진전된 협력 심리가 누군가 지켜보고 있다는 미묘한 신호에 아주 민감하다는 것과 그 발견들이 사회적으로 이익이 되는 결과를 위한 효과적인 자극을 어떻게 제공할 것인지를 함축하고 있다는 것이 암시된다.

2 ③ 외래종인 수수두꺼비(cane toad)가 호주로 '들여와진' 것이므로 과거분사 introduced로 고쳐야 한다.

지문 해석 행동 생태학자들이 우리와 가까운 다수의 동류 동물에게서 영리한 모방 행동을 관찰해 왔다. 한 예가 주머니고양이라고 불리는 작은 호주 동물의 행동을 연구하는 행동 생태학자들에 의해 발견됐다. 그것의 생존이 1930년대에 호주로 들여와진 외래종인 수수두꺼비에 의해 위협받고 있었다. 과학자들은 주머니고양이 소집단에게 그들이 두꺼비를 피하도록 조건화하면서 해가 없지만 메스꺼움을 유발하는 화학 물질을 함유한 두꺼비 소시지를 먹였다. 이러한 '두꺼비에 대해 똑똑해진' 주머니고양이 집단은 그 후 야생으로 다시 방출되었고 그들은 자신이 배운 것을 자기 새끼들에게 가르쳤다.

3 (A) 사역동사 make는 목적격보어로 원형부정사가 온다. (B)

force는 목적격보어로 to부정사가 오는 동사이다.

지문 해석 당신을 미소 짓게 만드는 온갖 사건들은 당신이 행복감을 느끼게 하고, 당신의 뇌에서 기분을 좋게 만드는 화학 물질을 생산하도록 한다. 심지어 스트레스를 받거나 불행하다고 느낄 때조차 미소를 지어봐라. 미소에 의해 만들어지는 안면 근육의 형태는 뇌의 모든 "행복 연결망"과 연결되어 있고, 따라서 자연스럽게 당신을 안정시키고 기분을 좋게 만들어주는 동일한 화학 물질들을 배출함으로써 뇌의 화학 작용을 변화시킬 것이다. 연구자들은 스트레스가 상당한 상황에서 진정한 미소와 억지 미소가 개개인들에게 미치는 영향을 연구하였다. 연구자들은 참가자들이 미소 짓지 않거나, 미소

짓거나, (억지 미소를 짓게 하기 위해) 입에 젓가락을 옆으로 물고서 스트레스를 수반한 과업을 수행하도록 했다. 연구의 결과는 미소가, 억지이든 진정한 것이든, 스트레스가 상당한 상황에서 인체의 스트레스 반응의 강도를 줄였고, 스트레스로부터 회복한 후의 심장 박동률의 수준도 낮추었다는 것을 보여 줬다.

4 목적격보어가 있는 문장의 순서에 유의하며, '그 연구자들은 (S) / ~하게 했다(V) / 실험 참가자들이(O) / 스트레스가 심한 과업을 수행하게(C)'의 순으로 배열한다.

1주 4일 교과서 대표 전략 ①

pp. 26~29

대표 예제 1 (1) Helping (2) gives 대표 예제 2 ⑤ 대표 예제 3 (1) connect → connecting [to connect] (2) nervosuly → nervous 대표 예제 4 ③ 대표 예제 5 ② 대표 예제 6 (1) teaching (2) called 대표 예제 7 it is sometimes necessary to run with it behind you 대표 예제 8 think → to think 대표 예제 9 I was delighted to see their happy faces.
대표 예제 10 Doing something for a long time does not guarantee (that) 대표 예제 11 ⑤ come → to come
대표 예제 12 ④

대표 예제 1

(1) 주어 자리이므로 동명사 Helping이 알맞다.

(2) 주어가 단수이므로 gives가 알맞다.

해석 도움이 필요한 사람들을 하루종일 돕는 것은 쉽지 않지만, 그것은 나에게 기쁨을 준다.

어휘 needy 도움이 필요한 joy 기쁨

대표 예제 2

'~하려고 노력하다'는 「try + to부정사」의 형태로 쓴다.

대표 예제 3

(1) 보어 자리에는 동명사나 to부정사가 와야 하므로 connect를 connecting 또는 to connect로 고쳐야 한다.

해석 창의성은 단지 사물들을 연결하는 것이다.

어휘 creativity 창의성 connect 연결하다

(2) 감각동사의 보어 자리에는 형용사가 와야 하므로 부사 nervously를 nervous로 고쳐야 한다.

해석 나는 초조하고 걱정되었다.

대표 예제 4

③ 동사 allow는 목적격보어로 to부정사가 온다.

해석 ① 그것은 풀이 자유롭게 자라도록 도와준다.

② 나는 누군가가 내 뒤에 다가오는 것을 들었다.

③ 이것은 당신이 연을 재빠르게 돌릴 수 있게 해 준다.

④ 그것은 내가 친구들에게 언제 어디서나 연락할 수 있게 해 준다.

⑤ 이 네 가지 힘 사이의 상호 작용이 비행기를 날게 한다.

어휘 grass 풀, 잔디 kite 연 interaction 상호 작용

대표 예제 5

help는 목적격보어로 원형부정사와 to부정사 둘 다 올 수 있으므로, 첫 번째 빈칸에는 meet 또는 to meet이 들어갈 수 있다. to부정사구 to become friends with them이 진목적어이므로, 두 번째 빈칸에는 가목적어 it이 필요하다.

해석 동아리 활동은 당신이 사람들을 만나는 것을 돕고, 그들과

친구가 되는 것을 더 쉽게 만든다.

어휘 activity 활동

대표 예제 6

(1) '가르치는'의 의미로 앞의 명사 a volunteer를 수식하는 현재분사 teaching이 알맞다.

해석 그는 그 시설에서 이민자들에게 한국어를 가르치는 자원봉사자였다.

(2) '~로 불리는'의 의미로 앞의 명사 a spaceship을 수식하는 과거분사 called가 알맞다.

해석 나머지 팀원들은 '헤르메스(Hermes)'라고 불리는 우주선에 탑승한다.

어휘 volunteer 자원봉사자 immigrant 이민자
the rest of ~의 나머지 spaceship 우주선

대표 예제 7

가주어 it을 문장 앞에 쓰고, 진주어 to부정사구를 문장 뒤에 쓴다. 'x(S) / 때로는 ~하다(V) / 필요한(C) / 여러분의 뒤쪽에 그것을 둔 채로 뛰는 것이(S′)'의 순으로 영작한다.

지문 해석 연은 비행기와 똑같은 방식으로 난다. 연을 날게 하기 위해서는 때로는 여러분의 뒤쪽에 그것을 둔 채로 뛰는 것이 필요하다. 이것은 양력을 만들고 연을 밀어 올린다. 일단 연이 바람이 충분히 강한 하늘 위로 올라가게 되면, 여러분은 달리던 것을 멈출 수 있고 연은 떠 있게 될 것이다.

어휘 create 만들다 lift 양력 once 일단 ~하면

대표 예제 8

because가 이끄는 부사절의 동사는 offer이므로, think는 앞의 명사 a chance를 수식하는 to부정사의 형태로 바꿔 써야 한다.

해석 많은 사람들은 그것들이 재미있는 방식으로 생각할 기회를 주기 때문에 수수께끼를 즐긴다.

어휘 riddle 수수께끼 offer 제공하다

대표 예제 9

'~해서 (기뻤다)'라는 의미로 감정의 원인을 나타내는 to부정사를 이용하여 '나는(S) / 기뻤다(V + C) / 그들의 행복한 표정을 보

니(M)'의 순으로 쓴다.

대표 예제 10

동명사구 주어는 단수 취급하므로 단수 동사가 필요한데, 부정문으로 써야 하므로 does not[doesn't] guarantee가 와야 한다. '무엇인가를 오랫동안 하는 것이(S) / 보장하지는 않는다(V) / 그것이 옳다는 것을(O)'의 순으로 쓴다.

지문 해석 연사 A는 그녀의 의견을 뒷받침하기 위해 전통에 호소한다. 하지만, 전통은 우리의 판단에 대한 근거가 될 수 없다. 무엇인가를 오랫동안 하는 것이 그것이 옳다는 것을 보장하지는 않는다. 다시 말해서, 전통적인 방식인 면대면으로 친구를 사귀는 것이 소셜 미디어를 거부하는 이유가 될 수 없다.

어휘 appeal 호소하다 tradition 전통 back up 뒷받침하다
opinion 의견 basis 근거 judgment 판단
in other words 다시 말해서 reject 거부하다

대표 예제 11

⑤ 동사 ask는 목적격보어로 to부정사가 오므로, come을 to come으로 고쳐야 한다.

지문 해석 미나는 고등학생이다. 그녀의 꿈은 만화가가 되는 것이어서, 그녀는 방과 후 미술 프로그램에 참여한다. 그러나 몇 주 후에, 그녀는 수업을 빠지기 시작한다. 미술 교사인 조 선생님은 면담을 위해 그녀에게 미술실로 오라고 한다.

어휘 after-school 방과 후의 skip 빠지다, 건너뛰다

대표 예제 12

(A) '~하기 위해서'라는 의미로 목적을 나타내는 to부정사가 알맞다. (B) 동사 ask의 목적격보어로 to부정사가 알맞다. (C) '결국 ~하게 되다'의 의미로 결과를 나타내는 to부정사가 알맞다.

지문 해석 'mentor'라는 단어는 호머의 '오디세이'에서 유래되었다. 이타카의 왕 오디세우스는 트로이 전쟁에서 싸우기 위해 고향을 떠나야만 했다. 그가 떠나기 전에 그는 나이 들고 현명하며 신뢰하는 친구인 멘토르에게 그의 아들 텔레마쿠스를 돌봐달라고 부탁했다. 오디세우스 왕이 떠나 있는 동안, 멘토르는 텔레마쿠스에게 친구이자 스승이었다. 그리하여 텔레마쿠스는 훌륭한 젊은이로 자라났다.

어휘 mentor 조언자, 스승 originate from ~에서 유래하다
leave 떠나다 wise 현명한 trusted 신뢰하는 fine 훌륭한

1주 4일 교과서 대표 전략 ②

pp. 30~31

01 ①, ③　02 ②　03 ④　04 ③　05 understanding → to understand　06 (A) Adding [To add]　(B) fly [to fly]　07 ⓑ, be → to be　08 It is better to be yourself and show your true colors.

---

01 지각동사 hear는 목적격보어로 원형부정사 또는 현재분사가 올 수 있다.
[해석] 나는 나의 어머니가 타버린 빵에 대해 아버지께 미안하다고 말씀하신[말씀하시는] 것을 들었다.
[어휘] burnt 탄, 그을린

02 ② 감각동사 look의 주격보어 자리에는 형용사가 와야 하므로 strictly를 strict로 바꿔야 한다.
[해석] ① 완벽한 상태인 여벌의 우주복이 여섯 벌 있다.
② 담임선생님은 매우 엄격해 보였다.
③ 텔레마쿠스는 어려움의 시기에 자신을 보호할 수 있었다.
④ 아빠는 내게 멋진 북극광 사진 하나를 보여 주셨다.
⑤ 그 쐐기돌은 전체 아치가 튼튼하게 있도록 만든다.
[어휘] extra 여분의　strictly 엄격하게　protect 보호하다　keystone 쐐기돌　arch 아치

03 분사가 수식하는 명사와 능동 관계일 때 현재분사를 쓰고, 수동 관계일 때 과거분사를 쓰므로, 각각 passing과 written이 들어가야 한다.
[해석] • 그것은 사람들에게 이 지역을 통과하는 개 썰매들에 대해 경고하는 것이다.
• 그녀는 나에게 한글로 쓰인 감사 편지를 주었다.
[어휘] dog sled 개 썰매
thank you note 감사 편지

04 ③ want는 목적어로 to부정사가 오는 동사이고, keep, stop, enjoy는 동명사가 목적어로 오는 동사이다. 전치사의 목적어 자리에도 동명사가 온다.
[해석] ① 여러분은 새로운 것을 계속 배워야 한다.
② 나는 그녀의 무례함에 관해 생각하는 것을 멈출 수 없었다.
③ 나는 Emma와 이야기해 보고 싶었다.
④ 창의성은 다르게 생각하는 것의 결과이다.

⑤ 나는 그 책들을 읽는 것을 점점 더 즐기고 있다.

05 형용사 difficult를 뒤에서 수식하는 to부정사가 필요하므로, understanding을 to understand로 고쳐야 한다.
[해석] 당신은 그것들 중 몇몇은 이해하기 어렵다는 것을 발견할지도 모른다.

06 (A) 주어 자리에는 동명사나 to부정사가 와야 하므로, Adding 또는 To add가 알맞다. (B) help는 목적격보어 자리에 to부정사와 원형부정사가 둘 다 올 수 있으므로, fly 또는 to fly가 알맞다.

07 ⓑ want는 목적격보어 자리에 to부정사가 오는 동사이므로, to be로 고쳐야 한다.
[지문 해석] 고등학교에 다니기 시작했을 때, 나는 인기 경쟁에 몰두했다. 나는 종종 내 용돈 모두를 반 친구들을 위한 간식을 사는 데 썼다. '멋진 아이들'과 친구가 되기 위해서, 나는 종종 그들이 나로 하여금 되길 원하는 유형의 사람인 것처럼 행동했다. 나는 나의 본모습을 보여 주기를 두려워했다. 하지만, 모든 노력이 쓸모없다는 것을 배우기까지는 오래 걸리지 않았다. 내가 2주 동안 입원해 있을 때, 내가 깊은 인상을 주려고 노력한 아이들 중 한 명도 나를 찾아오지 않았다. 놀랍게도, 내가 거의 말해본 적 없는 두 조용한 남학생들이 와서 내 기운을 북돋아 주었다. 나는 중요한 교훈을 배웠다. 다른 누군가인 척하는 것은 당신에게 도움이 되지 않는다. 당신 자신으로 있고 당신의 실제 색을 보여 주는 것이 더 낫다.
[어휘] popularity contest 인기 경쟁
pocket money 용돈　effort 노력　useless 쓸모 없는
impress 깊은 인상을 주다　pretend ~인 척하다

08 가주어 it이 쓰인 문장 구조에 유의하여 'It(S) / is(V) / better(C) / to be yourself ~(S´)'의 순으로 배열한다.

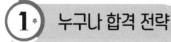 누구나 합격 전략

01 ③ 02 ②, ⑤ 03 himself 04 It is so easy to overestimate the importance of one defining moment. 05 ③ 06 weak, 약하게 07 to feel → feel 08 (A) providing (B) making[to make] 09 to make these last-minute changes 10 (A) supplying (B) made

01 첫 번째 빈칸은 주어 자리이므로 동명사 Having 또는 to부정사 To have가 알맞다. 두 번째 빈칸은 전치사 without의 목적어 자리이므로 동명사 depending이 알맞다.
해석 타인에게 의존하지 않고 자신을 관리하는 능력을 가지는 것이 모든 사람에게 요구되는 것으로 간주되었다.
어휘 ability 능력 take care of ~을 돌보다 consider 간주하다 requirement 요구, 필요

02 목적어 자리에 to부정사가 있으므로, wanted와 decided가 알맞다. quit, avoid, mind 등의 동사는 동명사가 목적어로 온다.
해석 다른 유명한 회사들과는 달리, 그들은 자신만의 속도를 정하기를 원했다[결심했다].
어휘 unlike ~와 달리 pace 속도

03 '스스로를' 가르치는 것이므로 주어와 목적어가 같은 대상을 나타낸다. 따라서 재귀대명사 himself가 알맞다.
어휘 philosophy 철학 various 다양한

04 주어진 표현 중 it은 가주어이다. 가주어를 it을 맨 앞에 쓰고, '~하다(V) / 매우 쉬운(C) / 결정적인 한순간의 중요성을 과대평가하기는(S′)'의 순으로 배열한다.
어휘 defining 결정적인 overestimate 과대평가하다

05 ③ 주어 The principles ~가 복수 명사이므로, 복수 동사 are를 써야 한다.
해석 ① 그것은 순조로운 교환이다.
② 다행히도, 이제는 식품 라벨들이 있다.
③ 점진적인 노출의 원칙들은 여전히 매우 유용하다.
④ 아기들은 시력이 좋지 않다.
⑤ 자원봉사는 두 가지 방식으로 외로움을 감소시키는 데 도움을 준다.

어휘 smooth 순조로운 exchange 교환 principle 원칙 gradual 점진적인 exposure 노출 eyesight 시력 reduce 줄이다 loneliness 외로움

06 감각동사 feel 뒤의 주격보어 자리이므로 형용사 weak가 알맞다.
어휘 make eye contact 시선을 마주치다 rearview mirror 백미러

07 사역동사 make의 목적격보어 자리에는 원형부정사가 오므로, to feel을 feel로 바꿔야 한다.
해석 가끔씩 간식을 제공하거나 때때로 점심을 사는 것은 사무실이 더 따뜻한 느낌이 들게 할 수 있다.
어휘 provide 제공하다 occasional 가끔의 now and then 때때로, 가끔

08 (A) 전치사 of의 목적어 자리이므로 동명사 providing이 와야 한다. (B) 동사 is 뒤에 주격보어가 필요하므로 동명사나 to부정사가 와야 한다.
해석 좋은 보살핌을 제공하는 것의 가장 중요한 측면 중 한 가지는 반드시 동물의 욕구가 일관되게 그리고 예측 가능하게 충족되도록 하는 것이다.
어휘 aspect 측면 care 보살핌 consistently 일관되게 predictably 예측할 수 있게

09 to부정사구 to make ~ changes가 주어 Time pressures를 수식하고 있다. can be는 동사이고, a source ~는 보어이다.
해석 이렇게 마지막 순간의 변경을 해야 하는 시간적 압박은 스트레스의 원인이 될 수 있다.

어휘 pressure 압박 last-minute 마지막 순간의
source 원인

10 (A) '공급하는'의 의미로 the pipe를 수식하는 현재분사 supplying이 알맞다. (B) '~로 구성된'의 의미로 teams를 수식하는 과거분사 made가 알맞다.
지문 해석 그러한 비상사태 중 하나는 캠프에 물을 공급하

는 파이프가 새는 경우를 포함했다. 연구자들은 소년들을 두 그룹의 일원들로 구성된 팀에 배정했다. 그들의 임무는 파이프를 조사하고 물이 새는 곳을 수리하는 것이었다.
어휘 emergency 비상사태 involve 포함하다
leak (물이) 새는 곳 supply 공급하다
assign 배정하다 fix 고치다, 수리하다

1주 창의·융합·코딩 전략 ①

pp. 34~35

A 1 are 2 are 3 express 4 keeps
B 1 Jenny 2 Emily 3 Ron

A
1 주어 My wife and I가 복수이므로 are가 알맞다.
해석 내 아내와 나는 Lakeview Senior Apartment Complex의 주민이다.
어휘 resident 주민
2 주어 many evolutionary or cultural reasons ~가 복수이므로 are가 알맞다.
해석 협동을 하는 데는 진화적인 혹은 문화적인 많은 이유가 있다.
어휘 evolutionary 진화적인 cultural 문화적인
cooperation 협동
3 주어 Young children이 복수이므로 express가 알맞다.
해석 어린아이들은 그들 스스로를 창의적으로 표현한다.
어휘 express 표현하다 creatively 창의적으로
4 동명사구 주어(Having ~)는 단수 취급하므로 keeps가 알맞다.

해석 관심이 다른 친구들을 갖는 것은 삶을 흥미롭게 한다.
어휘 interest 관심, 흥미

B
1 decide는 목적어로 to부정사가 오는 동사이므로 decides to call이 알맞다.
해석 결국, 그는 포기하고 전문가를 부르기로 결심한다.
어휘 eventually 결국 expert 전문가
2 keep은 동명사가 목적어로 오는 동사이므로 kept questioning이 알맞다.
해석 그 젊은이는 계속해서 그에게 질문했다.
어휘 question 질문하다
3 전치사의 목적어 자리에는 동명사가 와야 하므로 by breathing이 알맞다.
해석 개구리는 피부를 통해 호흡함으로써 산소 일부를 얻는다.
어휘 oxyzen 산소 breathe 호흡하다 skin 피부

1주 창의·융합·코딩 전략 ②

pp. 36~37

C 해설 참조
D 1 She was thrilled to see him in person. 2 I am here to talk to you about a project. 3 molecules joined together to form cells

C

1 | Using | smiley faces | makes | you | look | incompetent. |

해석 웃음 이모티콘을 사용하는 것은 당신을 무능력하게 보이게 만든다.

어휘 incompetent 무능력한

2 | Unfortunately, | a car accident injury | forced | her | to | end | her career. |

해석 불행하게도, 자동차 사고 부상이 그녀의 일을 그만두도록 했다.

어휘 career 일, 경력 force ～하도록 하다 injury 부상

3 | I | saw | a brand new cell phone | sitting | right next to | me |

해석 나는 바로 내 옆에 새로 출시된 휴대 전화가 놓여 있는 것을 보았다.

D

1 '～해서'는 감정의 원인을 나타내는 to부정사이다.

2 '～하기 위해'는 목적을 나타내는 to부정사이다.

3 '～해서 …하다'는 결과를 나타내는 to부정사이다.

어휘 thrilled 감격한 molecule 분자 form 형성하다 cell 세포 in person 직접

정답과 해설

2주 – 동사: 시제와 태

2주 1일 개념 돌파 전략 ①

pp. 40~43

1-2 과거, 발명했다
2-2 과거진행, 코를 골고 있었다
3-2 과거완료, 끝냈다

4-2 was made, 만들어졌다
5-2 will be completed, 완료될 것이다
6-2 was based on, 근거했다

2주 1일 개념 돌파 전략 ②

pp. 44~45

1 (1) was, 그는 부지런하고 시간을 잘 지켰다.
　(2) will go, Janet은 다음 달에 호주로 출장을 갈 것이다.
2 (1) was ordering, 나는 그때 전화로 음식을 주문하고 있었다.
　(2) will be harvesting, 나의 할머니는 올해 가을에 곡물을 수확하고 있을 것이다.
3 (1) had escaped, 은행 강도들은 경찰관들이 도착하기 전에 도망쳤다.
　(2) will have fixed, 우리는 내일 오후 5시까지는 당신의 차를 고쳤을 것이다.

4 (1) was impressed, 선생님은 그녀의 대답에 깊은 인상을 받았다.
　(2) will be held, 오디션은 강당에서 열릴 것이다.
5 (1) were being occupied, 모든 방들이 사용되고 있었다.
　(2) have been used, X-ray 기계가 의사들에 의해 사용되어 왔다.
6 (1) was worried about, 그녀는 수술을 걱정했다.
　(2) were satisfied with, 고객들은 우리의 신제품들에 만족했다.

2주 2일 필수 체크 전략 ①

pp. 46~49

필수 예제 **1** (1) aren't (2) uses (3) won (4) will end
확인 문제 **1-1** (1) are (2) came (3) will be
확인 문제 **1-2** carries
필수 예제 **2** (1) × (2) × (3) O (4) ×
확인 문제 **2-1** (1) are acknowledging (2) were smiling (3) will be holding
확인 문제 **2-2** hiring → are hiring

필수 예제 **3** (1) completed (2) wanted
확인 문제 **3-1** (1) has had (2) have probably heard
확인 문제 **3-2** has had → had
필수 예제 **4** (1) ×, had misspelled (2) O
확인 문제 **4-1** has gone → had gone
확인 문제 **4-2** I will have lived in this apartment for ten years as of this coming April.

(1) 문장의 주어 The colors' roles가 복수이므로 aren't가 알맞다.

> **해석** 색의 역할이 항상 명확한 것은 아니다.
> **어휘** obvious 명확한

(2) 문장의 주어 The brain이 단수이므로, 일반동사의 현재형으로 「동사원형＋(e)s」 형태의 uses가 알맞다.

> **해석** 뇌는 우리의 에너지의 20%를 사용한다.

(3) In 1824가 명확한 과거를 나타내므로, 과거 시제가 알맞다. 일반동사의 과거형은 「동사원형＋(e)d/불규칙」의 형태이다.

> **해석** 1824년에 페루는 스페인으로부터 독립했다.
> **어휘** win one's freedom 자유를 쟁취하다, 독립하다

(4) 일반동사의 미래 시제는 「will＋동사원형」으로 나타낸다.

> **해석** 당신의 'Winston Magazine' 구독 기간이 곧 만료될 것입니다.
> **어휘** subscription 구독

확인 문제 **1-1**

(1) 문장의 주어 Most of us가 복수이므로, is를 are로 바꿔야 한다.

> **해석** 우리 대부분은 신속한 인식을 의심한다.
> **어휘** suspicious 의심하는 rapid 신속한 cognition 인식

(2) Twenty years ago가 명백한 과거를 나타내므로, come을 came으로 바꿔야 한다.

> **해석** 20년 전에 나는 이 마을에 유개화차를 타고 왔다.
> **어휘** boxcar 유개화차(철도에서 화물을 수송하는 화차)

(3) be동사의 미래 시제는 will be로 나타낸다.

> **해석** 개업식은 오전 9시부터 오후 9시까지일 것이다.
> **어휘** opening celebration 개업식

확인 문제 **1-2**

문장의 주어 The average grocery store가 3인칭 단수이므로, carries로 써야 한다.

> **어휘** average 평균의
> grocery store 식료품점
> carry 취급하다, 다루다

필수 예제 **2**

(1) 현재진행형은 「am/are/is＋v-ing」 형태이므로, am

getting으로 바꿔야 한다.

> **해석** 나는 더 악화되는 기상 속으로 들어가고 있다.

(2) 주어 Advertising exchanges가 복수이므로 are gaining으로 바꿔야 한다.

> **해석** 광고 교환은 인기를 얻고 있다.
> **어휘** advertising exchange 광고 교환

(3) 주어가 3인칭 단수일 때 과거진행형으로 was moving은 알맞다.

> **해석** 무엇인가 터널 속에서 움직이고 있었다.

(4) 미래진행형은 「will be＋v-ing」로 나타내므로, will be working으로 바꿔야 한다.

> **해석** 다음 주부터 당신은 마케팅부에서 일하고 있을 것이다.

확인 문제 **2-1**

(1) 주어 More countries가 복수이므로, 현재진행형으로 are acknowledging을 쓴다.

> **해석** 더 많은 나라들이 자연의 권리를 인정하고 있다.
> **어휘** acknowledge 인정하다 right 권리

(2) 주어 People이 복수이므로, 과거진행형으로 were smiling을 쓴다.

> **해석** 사람들은 미소 짓고 있었고 우호적으로 보였다.
> **어휘** seem ～처럼 보이다 friendly 우호적인

(3) 미래진행형은 「will be＋v-ing」로 나타내므로, will be holding으로 쓴다.

> **해석** 이번 달에 우리는 "부모-아이" 닮은꼴 대회를 개최하고 있을 것입니다!
> **어휘** look-alike contest 닮은꼴 대회

확인 문제 **2-2**

'고용하고 있다'는 현재진행형이고 주어 Many companies가 복수이므로, hiring을 are hiring으로 고쳐야 한다.

> **어휘** hire 고용하다 employee 근로자
> regardless of ～에 상관없이

필수 예제 **3**

(1) '막 ～했다'라는 의미이므로 완료를 나타내는 현재완료가 되어야 한다. 현재완료는 「have[has]＋p.p.」로 나타내므로, completed가 알맞다.

(2) '~한 적이 있나요?'라는 의미로 경험을 나타내는 현재완료
가 되도록 wanted가 알맞다.

어휘 how to ~하는 방법

확인 문제 3-1

(1) 주어가 3인칭 단수일 때 현재완료는 「has + p.p.」 형태이므
로, has had를 쓴다.

어휘 from the beginning 처음부터
writing system 문자 체계

(2) '~해 본 적이 있다'는 현재완료로 나타내므로, have
probably heard로 쓴다.

어휘 expression 표현 first impression 첫인상

확인 문제 3-2

문장 앞의 Last year가 명백한 과거
를 나타내므로, 현재완료를 쓸 수 없
다. 따라서 has had를 had로 바꿔
야 한다.

해석 지난해 Roberta Vinci는 US Open에서 세계 1위인
Serena Williams와 테니스 경기를 했다.

어휘 match 시합, 경기

필수 예제 4

(1) '철자를 틀린' 것이 그것을 '알게 된' 것보다 더 먼저 일어난
과거의 일이므로, 과거완료를 이용하여 had misspelled로
써야 한다.

어휘 misspell 철자를 틀리다

(2) 카운터에 지폐를 '둔' 것이 밖으로 '나간' 것보다 먼저 일어난
과거의 일이므로 과거완료 had left는 알맞다.

어휘 bill 지폐

확인 문제 4-1

가족들이 '잠자리에 든' 것이 William Miller가 '잠자지 않고 책
을 읽은' 것보다 더 먼저 일어난 과거의 일이므로, has gone을
과거완료 had gone으로 고쳐야 한다.

어휘 stay up 안 자다, 깨어 있다

확인 문제 4-2

미래의 어느 시점까지 예상되는 일을 나타내는 미래완료 「will
have + p.p.」를 이용하여 '나는(S) / 살게 된다(V) / 이 아파트에
(M) / 10년 동안(M) / 다가오는 4월이면(M)'의 순으로 쓴다.

어휘 as of ~일자로 coming 다가오는

2주 2일 필수 체크 전략 ②

pp. 50~51

1 (A) had seen (B) wanted (C) will go   **2** ②   **3** ⓐ, have bought → bought   **4** The dealer will give you a new toaster on the spot.

1 (A) Amy가 그림에서 천사들을 '본' 것이 할머니에게 '말한'
것보다 먼저 일어난 일이므로 과거완료 had seen이 알맞다.
(B) 할머니도 본 적이 있는지 '알고 싶어 했다'라는 의미가 되
도록 과거형 wanted가 알맞다. (C) '갈 것이다'라는 미래의
의미가 되도록 will go가 알맞다.

지문 해석 Amy는 할머니에게 그녀가 그림에서 천사들을 본
적이 있다고 말했다. 하지만 그녀는 그녀의 할머니가 실제로
천사를 본 적이 있는지 또한 알고 싶어 했다. 그녀의 할머니
는 천사를 본 적이 있다고 하였으나 그림에서 본 것과는 다르

다고 했다. "그럼, 천사를 찾으러 가볼래요!" Amy가 말했다.
"그거 좋네! 하지만 나는 너와 함께 가야겠어. 네가 너무 어리
잖니." 할머니가 말했다.

2 ② 글 전체가 과거의 일을 이야기하는 내용이므로, '다가오고
있었다'라는 의미가 되도록 과거진행형 was coming으로 써
야 한다.

지문 해석 Kevin은 차를 닦으며 쇼핑몰 앞에 있었다. 그는 방
금 세차장에서 나와서 아내를 기다리고 있었다. 사회가 걸인

이라고 여길 만한 한 노인이 주차장 건너편에서 다가오고 있었다. 그의 행색으로 보아, 그는 집도 돈도 없어 보였다.

3 ⓐ three weeks earlier가 명백한 과거를 나타내므로, have bought를 bought로 고쳐야 한다.

지문 해석 Spadler 씨께,
귀하는 불과 3주 전에 구매한 토스터가 작동하지 않는다고 저희 회사에 불평하는 편지를 쓰셨습니다. 귀하는 새 토스터나 환불을 요구하셨습니다. 그 토스터는 1년의 품질 보증 기간이 있기 때문에, 저희 회사는 귀하의 고장 난 토스터를 새 토스터로 기꺼이

교환해 드리겠습니다. 새 토스터를 받으시려면, 귀하의 영수증과 고장 난 토스터를 구매했던 판매인에게 가져가시기만 하면 됩니다. 그 판매인이 그 자리에서 바로 귀하께 새 토스터를 드릴 것입니다. 저희에게 고객의 만족보다 더 중요한 것은 없습니다. 만약 저희가 귀하를 위해 할 수 있는 그 밖의 어떤 일이 있다면, 주저하지 말고 요청하십시오.
Betty Swan 드림

4 '드릴 것입니다'는 미래 시제를 이용하여 will give로 나타내고, '그 판매인이(S) / 드릴 것입니다(V) / 귀하께(IO) / 새 토스터를(DO) / 그 자리에서 바로(M)'의 순으로 쓴다.

2주 3일 필수 체크 전략 ①

pp. 52~55

필수 예제	**5** (1) is produced (2) influenced (3) be accepted
확인 문제	**5-1** (1) is influenced (2) was not well received (3) will be recalled
확인 문제	**5-2** (1) On Christmas Eve, Karen's house was visited by Maria and Alice with Christmas gifts.
필수 예제	**6** (1) One of the dogs was given a better reward. (2) Confidence is often considered a positive trait.
확인 문제	**6-1** (1) will give → will be given
확인 문제	**6-2** In 1844, he was awarded a gold medal for mathematics by the Royal Society.
필수 예제	**7** (1) being met (2) been identified
확인 문제	**7-1** (1) is not being preyed upon (2) has been translated into
확인 문제	**7-2** is being diverted
필수 예제	**8** (1) with (2) in (3) of
확인 문제	**8-1** (1) to (2) about
확인 문제	**8-2** Constant exposure to noise is related to children's academic achievement.

필수 예제 5

(1) 주어 Static electricity가 prouduce의 대상이고, 문장 뒤 by friction이 동작의 주체이므로, '만들어진다'라는 의미의 수동태 is produced가 알맞다.
해석 정전기는 마찰에 의해서 만들어진다.
어휘 static electricity 정전기 produce 만들다
friction 마찰

(2) 승려들에 의해 '영향을 받은' 것이므로 was 뒤에 과거분사 influenced가 알맞다.
해석 기계식 시계의 발명은 승려들에 의해 영향을 받았다.
어휘 mechanical 기계식의 influence 영향을 미치다

(3) 미래 시제 수동태는 「will be + p.p.」로 나타내므로 will be accepted가 알맞다.
해석 예약은 입장 1시간 전까지 받아들여질 것이다.
어휘 booking 예약 accept 받아 주다, 인정하다

확인 문제 5-1

(1) 이미지의 친숙함에 '영향을 받는' 것이므로 수동태 is influenced로 고쳐야 한다.
해석 모든 사람들은 이미지의 친숙함에 영향을 받는다.
어휘 familiarity 친숙함

(2) 그의 발표가 독일의 임원들에게 '잘 받아들여지지' 않았다는

의미가 되도록 was not well received로 고쳐야 한다.

해석 그의 발표는 독일의 임원들에게 잘 받아들여지지 않았다.

어휘 presentation 발표 executive 임원

(3) '기억될 것이다'라는 의미가 되도록 will be recalled로 고쳐야 한다.

해석 여름휴가는 가장 좋은 부분들이 기억될 것이다.

어휘 recall 기억하다 highlight 가장 좋은 부분

확인 문제 5-2

「S + V + O」의 수동태는 「S + be + p.p. + by + 목적어」로 나타낼 수 있으므로, Karen's house를 주어 자리에 쓰고, 동사는 was visited로 바꾼 뒤 by Maria and Alice ~를 이어서 쓴다.

해석 크리스마스 전날, Maria와 Alice는 크리스마스 선물들을 가지고 Karen의 집을 방문했다. (→ 크리스마스 전날, Karen의 집은 Maria와 Alice에 의해 크리스마스 선물들을 가지고 방문되었다.)

필수 예제 6

(1) 4형식 문장의 수동태는 「S + be + p.p. + O」로 나타낼 수 있으므로, '그 개들 중 한 마리는(S) / 받았다(V) / 더 나은 보상을(O)'의 순으로 쓴다.

어휘 reward 보상

(2) 5형식 문장의 수동태는 「S + be + p.p. + C」로 나타낼 수 있으므로, '자신감은(S) / 자주 여겨진다(V) / 긍정적인 특성으로(C)'의 순으로 쓴다.

어휘 confidence 자신감 positive 긍정적인 trait 특성

확인 문제 6-1

우승자가 상품을 '받을 것이다'라는 의미의 수동태가 되도록 will be given 으로 고쳐야 한다.

해석 주말 동안 오후 2시에, 우리 공룡 퀴즈의 우승자 한 명은 진짜 화석을 상품으로 받을 것이다.

어휘 dianosaur 공룡 fossil 화석 prize 상품

확인 문제 6-2

「S + V + IO + DO」의 수동태는 「S + be + p.p. + O + by + 목적어」로 나타낼 수 있으므로, he를 주어 자리에 쓰고, 동사를

was awarded로 바꾼 뒤 목적어 a gold medal ~과 행위자 by the Royal Society를 이어서 쓴다.

해석 1844년에 Royal Society는 그에게 수학으로 금메달을 수여했다. (→ 1844년에 그는 Royal Society에서 수학으로 금메달을 받았다.)

어휘 award 수여하다

필수 예제 7

(1) '~되고 있다'라는 의미의 현재진행 수동태는 「am/is/are + being + p.p.」로 나타내므로, being met이 알맞다.

어휘 consistently 일관되게 predictably 예측 가능하게

(2) '~되었다/~되어 왔다'라는 의미의 완료 수동태는 「have [has]/had + been + p.p.」로 나타내므로, been identified가 알맞다.

어휘 identify 확인하다, 식별하다 significant 중요한 greenhouse emission 온실가스 배출

확인 문제 7-1

(1) 「be + being + p.p.」의 진행 수동태를 이용하고, be동사 뒤에 not을 추가하여 is not being preyed upon의 순으로 쓴다.

해석 그것은 또 다른 것에 의해 잡아먹히고 있지 않다.

어휘 prey upon ~을 잡아먹다

(2) 「have [has]/had + been + p.p.」의 완료 수동태를 이용하여 has been translated into의 순으로 쓴다.

해석 그녀의 소설 중 한 권은 80개 이상의 언어로 번역되었다.

어휘 novel 소설 translate into ~로 번역하다

확인 문제 7-2

'전환되고 있다'라는 의미의 현재진행 수동태는 「am/are/is + being + p.p.」로 나타내므로, is being diverted로 쓴다.

어휘 export 수출 divert 전환하다

필수 예제 8

(1) '~으로 가득 차다'라는 의미의 수동태 표현은 be filled with이다.

해석 그 왕은 자신감으로 가득 찼다.

어휘 pride 자신감

(2) '~에 참여하다'라는 의미의 수동태 표현은 be involved in이다.

해석 두 사람이 솔직하고 숨김없는 대화에 참여한다.

어휘 honest 솔직한 open 숨김없는, 솔직한

(3) '~을 무서워하다'라는 의미의 수동태 표현은 be frightened of이다.

해석 대부분의 사람들은 비행을 무서워했다.

확인 문제 8-1

(1) '~와 관계가 있다'라는 의미의 수동태 표현은 be related to이다.

해석 하나의 변인은 제2의 변인과 관계가 있다.

어휘 variable 변인

(2) '~을 걱정하다'라는 의미의 수동태 표현은 be concerned about이다.

해석 그 소년의 부모는 그의 못된 성질을 걱정했다.

어휘 temper 성질, 성미

확인 문제 8-2

'~와 관계가 있다'라는 의미의 수동태 표현 be related to를 이용하여 '소음에 대한 지속적인 노출은(S) / 관계가 있다(V) / 학업 성취와(M)'의 순으로 쓴다.

어휘 academic achievement 학업 성취 exposure 노출 constant 지속적인

2주 3일 필수 체크 전략 ②

pp. 56~57

1 (A) shot (B) was captured (C) was awarded **2** ② **3** (A) were taken (B) was born **4** 95 percent of which has never been seen before

1 (A) 그의 전투기가 '격추된' 것이므로 「be + p.p.」 형태의 수동태가 되도록 shot이 알맞다. (B) 그가 '붙잡힌' 것이므로 수동태 was captured가 알맞다. (C) 훈장을 '받은' 것이므로 수동태 was awarded가 알맞다.

지문 해석 Charlie Plumb 대령은 미 해군 전투기 조종사였다. 그는 많은 성공적인 전투 비행 임무를 수행했다. 그러나 그의 75번째 임무에서 그의 전투기가 격추되었다. 그는 탈출했고, 안전하게 낙하산을 타고 땅에 내려왔다. 그러나 그는 붙잡혔고, 베트남 감옥에서 6년을 보냈다. 그는 시련을 이겨냈고 1973년 그의 고향으로 돌아와, 은성 훈장을 받았다.

2 ② 우리가 에너지를 '고갈시키고 있는' 것이므로 능동태 문장이 되어야 한다. 따라서 used를 using으로 고쳐 현재진행형으로 써야 한다.

지문 해석 우리의 당면 과제는 우리가 에너지를 다 써버리고 있다는 것이 아니다. 그것은 우리가 잘못된 원천—우리가 고갈시키고 있는 (양이) 적고 한정적인 것—에 관심이 집중되어 왔다는 것이다. 사실, 우리가 오늘날 사용하고 있는 모든 석탄, 천연가스, 그리고 석유는 수백만 년 전에 온 태양에너지일 뿐이며, 그것의 극히 일부분만이 지하 깊은 곳에 보존되

어 있었다. 우리의 기회이자 당면 과제는 태양으로부터 매일 지구에 도달하는 새로운 에너지인 '훨씬 더 풍부한' 원천을 효율적으로 그리고 저비용으로 사용하는 것을 배우는 것이다.

3 (A) 수중 사진이 '촬영된' 것이므로 were taken으로 써야 한다. (B) 수중 사진술이 '탄생하게 된' 것이므로 was born으로 써야 한다.

지문 해석 최초의 수중 사진은 William Thompson이라는 영국인에 의해 촬영되었다. 1856년에 그는 간단한 상자형 카메라를 방수 처리하고 막대에 부착하여 남부 England 연안의 바닷속으로 내려보냈다. 10분간의 노출 동안 카메라에 서서히 바닷물이 차올랐지만, 사진은 온전했다. 수중 사진술이 탄생한 것이다. 물이 맑고 충분한 빛이 있는 수면 근처에서는 아마추어 사진작가가 저렴한 수중 카메라로 멋진 사진을 찍을 가능성이 상당히 크다. 더 깊은 곳에서는—그곳은 어둡고 차갑다—사진술이 신비로운 심해의 세계를 탐험하는 주요한 방법이며, 그곳의 95%는 예전에는 전혀 보인 적이 없었다.

4 '~된 적이 없었다'라는 의미의 완료 수동태 「have [has]/ had been + p.p.」를 이용하여, '그곳의 95%는(S) / 전혀

보인 적이 없었다(V) / 예전에는(M)'의 순으로 쓴다.

 4일 교과서 대표 전략 ①   pp. 58~61

대표 예제 **1** says   대표 예제 **2** will win → won, held → were held   대표 예제 **3** ③   대표 예제 **4** will be driving
대표 예제 **5** 노래를 부르는 사람들은 서로 만나 본 적도 없고 함께 연습을 해 본 적도 없다.   대표 예제 **6** ④   대표 예제 **7** I have always hated this number.   대표 예제 **8** told → was told   대표 예제 **9** *The Sleeping Gypsy* is considered a fantastic and mysterious work.   대표 예제 **10** One of the broken pieces has been turned into a lovely item. / 깨진 조각들 중 하나가 사랑스러운 물건으로 바뀌었다.   대표 예제 **11** ②, are been used → are being used   대표 예제 **12** ④

대표 예제 1

주어 Dr. Gregory House ~가 3인칭 단수이므로 일반동사의 현재형으로 says가 알맞다.

해석 TV 프로그램인 'House M.D.'의 Gregory House 박사는 비유적으로 "나는 밤 올빼미야. Wilson은 일찍 일어나는 새 지."라고 말한다.

어휘 metaphorically 비유적으로 owl 올빼미

대표 예제 2

in 1904는 과거를 나타내는 표현이므로, will win을 won으로 고쳐야 한다. 올림픽은 '개최되는' 것이므로 held를 수동태 were held로 고쳐야 한다.

해석 미국은 1904년 세인트루이스에서 올림픽이 개최되었을 때, 세 개의 메달을 모두 따냈다.

어휘 hold 개최하다

대표 예제 3

'~하고 있었다'는 과거진행형 「was/were + v-ing」로 나타내므로, ③ was sitting이 알맞다.

대표 예제 4

'~하고 있을 것이다'는 미래진행형 「will be + v-ing」로 나타내므로, will be driving으로 쓴다.

어휘 at least 적어도 rover 화성 표면 탐사 차

대표 예제 5

「have [has] + p.p.」의 현재완료는 '과거~현재'의 두 시점을 연결하여 완료, 계속, 경험, 결과 등의 의미를 나타낸다. never는 경험을 나타낼 때 함께 쓰이며, '결코 ~해 본 적 없다'의 의미이다.

대표 예제 6

선물을 '받은' 것이 내가 '기억한' 것보다 더 먼저 일어난 과거의 일이므로, 과거완료인 ④ had received가 알맞다.

대표 예제 7

'~해 왔다(계속)'라는 의미의 현재완료 「have [has] + p.p.」를 이용하여 '나는(S) / 항상 싫어해 왔다(V) / 이 숫자를(O)'의 순으로 쓴다.

지문 해석 하루의 마지막에 담임선생님은 우리들 각자에게 사물함을 배정해주셨다. 나는 13번 사물함을 받았다! 난 항상 이 숫자를 싫어해 왔다. 나는 나의 고등학교 생활이 쉽지 않을 것이라 생각했다. 사물함을 열었을 때, 나는 표지에 '알려지지 않은 1학년에게'라고 몇 단어가 쓰여 있는 작은 공책을 발견했다. 나는 궁금해서 공책을 열었다.

어휘 assign 배정하다 freshman 신입생, 1학년

대표 예제 8

문장 뒤에 있는 by a friend가 told의 주체이고, 주어 the modern music composer는 이야기를 '들은' 대상에 해당하므로, 수동태 was told로 바꿔야 한다.

해석 2009년 어느 날, 그 현대 음악 작곡가는 친구로부터 한 젊은 팬에 관해 들었다.

어휘 modern 현대의 composer 작곡가

대표 예제 9

「S+be+p.p.+C」 형태의 수동태를 이용하여 "잠자는 집시'는(S) / 여겨진다(V) / 환상적이고 신비한 작품으로(C)'의 순으로 쓴다.

대표 예제 10

동사는 「has been+p.p.」 형태의 완료 수동태이고, '~되었다/~되어 왔다'로 해석할 수 있다. 'One of the broken pieces(깨진 조각들 중 하나가) / has been turned(바뀌었다) / into a lovely item(사랑스러운 물건으로)'의 순으로 쓴다.

지문 해석 이것이 바로 오늘 제가 말씀드리려고 하는 것, 바로 업사이클링입니다. 그것은 리사이클링(재활용)의 새로운 경향 중 하나입니다. 몇 가지 예시를 보여 드리겠습니다. 이것들은 깨진 접시 조각들입니다. 여러분은 이것들로 무엇을 하시겠어요? 쓰레기통에 버리시겠어요? 다음 그림을 보고 나면 여러분은 마음이 바뀔 것입니다. 깨진 조각들 중 하나가 사랑스러운 물건으로 바뀌었네요. 아름답지 않나요?

대표 예제 11

② 센서가 '사용되고 있다'라는 의미가 자연스러우므로, 「am/are/is+being+p.p.」의 현재진행 수동태가 와야 한다. 따라서 are been used를 are being used로 고쳐야 한다.

지문 해석 소에 부착된 센서가 그들의 체온, 움직임, 행동 등을 확인한다. 변화가 관찰되면, 센서는 농부의 전화기나 컴퓨터로 메시지를 보낸다. 예를 들어, 이 센서는 동물의 뒷다리가 내려가기 시작하는지 감지하기 위해 사용되고 있는데, 이것은 동물이 병에 걸렸을 때 나타나는 첫 번째 징후 중 하나이다. 이것은 또한 소가 임신했는지를 감지할 수 있다. 이

기술은 센서가 없다면 농부가 소를 하나하나 면밀히 관찰하는 데 들이게 될 일주일의 수십 시간을 절약하게 해 준다. 또한 농부가 소의 질병을 너무 심각해지기 전에 처리할 수 있게 함으로써 수의사에게 지불할 돈을 절약하게 해 준다.

어휘 attach 부착하다 temperature 체온 behavior 행동 observe 관찰하다 detect 감지하다 lower 내려가다 illness 질병 otherwise 그렇지 않으면 pregnant 임신한

대표 예제 12

(A) '~와 관계가 있다'라는 의미의 수동태 표현은 be involved in이다. (B) 추력은 엔진과 프로펠러에 의해 '만들어지는' 것이므로 is 뒤에는 created가 알맞다. 「be+v-ing」는 '~하고 있다'라는 의미의 진행형이다. (C) 주어 The interaction ~이 3인칭 단수이므로 makes가 알맞다.

지문 해석 4가지 주된 힘, 즉 양력, 중력, 추력, 항력은 비행과 관계가 있다. 양력(lift)은 비행기 날개 위로 흐르는 공기와 날개 아래로 흐르는 공기 간의 압력 차이로 만들어진다. 양력은 중력(weight)에 반대되는 힘인데, 중력은 지속적으로 비행기를 아래로 끌어당기는 힘이다. 양력의 양이 중력(weight)의 양보다 더 크면 비행기는 떠오를 것이다. 동시에, 추력(thrust)은 비행기의 엔진과 프로펠러에 의해 만들어지는데 비행기를 앞으로 밀어준다. 그 힘의 반대는 항력(drag)인데, 이는 비행기를 뒤쪽으로 밀어주는 공기이다. 만약 추력이 항력보다 더 크면 비행기는 앞으로 움직일 것이다. 이 네 가지 힘이 상호 작용하면서 비행기를 날게 한다.

어휘 lift 양력 weight 중력 thrust 추력 drag 항력 pressure 압력 flow 흐르다 oppose 반대하다 gravity 중력 rise 떠오르다 interaction 상호 작용

 4일 교과서 대표 전략 ②

pp. 62~63

01 ⑤ **02** ② **03** ② **04** ④ **05** was shown a wonderful picture of the Northern Lights by Dad **06** ICT is increasingly being used in many areas such as education and health. **07** (A) lies (B) was opened **08** the original copy of a king's *Sillok* had been completed

01 ⑤ two weeks ago가 명백한 과거를 나타내는 표현이므로 현재완료를 쓸 수 없다. 따라서 has had를 had로 바꿔야 한다.

해석 ① 매일 우리는 많은 문제들에 직면한다. ② 임진왜란은 1592년에 일어났다. ③ 약 4년 후에 화성에 다시 인간들이 돌아오게 될 것이다. ④ 탄자니아의 많은 코끼리가 사라졌다. ⑤ 2주 전에 아빠가 심장 마비를 일으키셨다.

어휘 face 직면하다 break out 일어나다, 발생하다 disappear 사라지다 heart attack 심장 마비

02 '~에 근거하다'라는 의미의 수동태 표현은 be based on 이고, '~로 가득 차다'라는 의미의 수동태 표현은 be filled with이다.

해석 · 창의성은 지식과 경험에 근거한다. · 나는 완전히 혼란으로 가득 찼다.

어휘 creativity 창의성 knowledge 지식 confusion 혼란

03 ②는 꼬리가 '추가된다'라는 의미로 수동태를 만드는 과거분사가 필요하고, 나머지는 모두 진행형을 만드는 현재분사가 필요하다.

해석 ① 그는 피를 많이 흘리고 있다. ② 때때로 연에 꼬리가 추가되기도 한다. ③ 나는 긴 하루를 마치고 내 의자에서 휴식을 취하고 있었다. ④ 오늘 우리는 중요한 주제에 관해서 논의할 것이다. ⑤ 서로 다른 모양의 거대한 빙산들이 바다에 떠다니고 있었다.

어휘 bleed 피를 흘리다 tail 꼬리 couch 긴 의자 discuss 논의하다 enormous 거대한 iceberg 빙산 float (물에) 떠다니다

04 '~해 왔다(계속)'는 현재완료에 해당하므로, ④ have participated가 알맞다.

어휘 several 몇 개의 participate 참여하다

05 「S+V+IO+DO」의 수동태는 「S+be+p.p.+O+by+목적어」의 형태로 나타내므로, 동작의 대상인 목적어를 주어 자리에 쓰고, 동사를 「be+p.p.」의 형태로 바꾼 뒤, 동작의 주체(행위자)를 「by+목적어」로 덧붙인다.

해석 어느 날, 아빠는 나에게 멋진 북극광 사진 하나를 보여 주셨다. (→ 어느 날, 나는 아빠에 의해 멋진 북극광 사진 하나를 보게 되었다.)

어휘 the Northern Lights 북극광

06 현재진행 수동태 「am/are/is+being+p.p.」를 이용하여, 'ICT는(S) / 점점 더 사용되고 있다(V) / 많은 분야에서 (M) / 교육이나 보건과 같은(M)'의 순으로 쓴다.

어휘 increasingly 점점 더 area 분야

07 (A) 주어 The secret이 3인칭 단수이므로 lies가 알맞다.
(B) 실록이 '펼쳐지는' 것이므로 was opened가 알맞다.

지문 해석 실록(조선왕조실록)은 세계에서 가장 잘 보존된 문화적 기록 중 하나이다. 어떻게 그것은 그렇게 오랜 시간 동안 살아남을 수 있었을까? 그 비결은 보존 체계와 실록을 지키려는 우리 조상들의 헌신에 있다. 한 왕의 실록 원본이 완성되면, 세 개의 추가 사본이 만들어지고, 그 각각은 다른 장소인 한양(서울의 옛 이름), 충주, 전주, 성주에 보관되었다. 각 사고의 실록은 습기를 제거하기 위해 2년에서 5년에 한 번씩 펼쳐져서 환기되었는데, 이는 종이가 썩거나 벌레 먹는 것을 막아 주었다.

어휘 well-preserved 잘 보존된 cultural 문화적인 record 기록 preservation 보존 ancestor 조상 devotion 헌신 maintain 지키다 additional 추가적인 deposit 보관하다 archive 사고 air out 환기하다 eliminate 제거하다 moisture 습기 prevent 예방하다 rot 썩다 insect 벌레, 곤충

08 「had been+p.p.」의 과거완료 수동태를 이용하여, 'the original copy of a king's *Sillok*(한 실록의 원본이) / had been completed(완성되었다)'의 순으로 쓴다.

01 has evolved, 인간 언어의 모든 측면은 진화해 왔다. **02** was placed, 근처 탁자 위에 휴대 전화가 놓여 있었다. **03** ⑤ **04** ② **05** (A) exist (B) are being added **06** ①, ③ **07** ⑤ **08** had treated → had been treated **09** will be attended by many college coaches scouting prospective student athletes **10** (A) came (B) been

01 「has + p.p.」 형태의 현재완료가 쓰였고, '~해 왔다(계속)'의 의미로 해석하는 것이 자연스럽다.
어휘 aspect 측면 evolve 진화하다

02 휴대 전화가 탁자에 '놓여 있었다'라는 의미가 되도록 was placed가 와야 한다.
어휘 place 놓다, 두다 nearby 근처의

03 수동태 문장은 「S + be + p.p.(+ by + 목적어)」의 형태로 행위자가 있으면 문장 뒤에 「by + 목적어」로 표시된다. 따라서 by의 위치로 ⑤가 알맞다.
해석 1차 진료 의사들은 아마도 AI 의사들에 의해 대체될 것이다.
어휘 primary care doctor 1차 진료 의사 replace 대체하다

04 when 이하를 보아 과거 시제이므로, '잠수하고 있었다'라는 의미의 과거진행형이 되도록 was가 알맞다.
해석 심한 복통을 겪었을 때, 나는 40피트 정도의 물속에서 혼자 잠수하고 있었다.
어휘 terrible 심한 stomachache 복통

05 (A) 주어 Tens of millions of pages가 복수이므로 현재형은 exist를 쓴다. (B) '~되고 있다'는 현재진행 수동태이므로, are being added로 쓸 수 있다.
어휘 tens of millions 수천만 개의 exist 존재하다 add 추가하다

06 수동태 문장은 동작의 대상, 즉 목적어가 주어로 표현되는 문장이므로, 목적어가 없는 ①, ③은 수동태로 바꿀 수 없다. ① We(S) / are(V) / open(C) / rain or shine(M)

③ Buffalo(S) / appeared(V) / in the distance(M)
해석 ① 우리는 날씨에 상관없이 운영한다. ② 줄무늬는 얼룩말들을 시원하게 유지해 주지 않는다. ③ 버팔로 떼가 멀리서 나타났다. ④ 영국에서는 많은 사람들이 설치류를 싫어한다. ⑤ Kinzler와 그녀의 팀은 그 아기들에게 두 개의 영상을 보여 주었다.
어휘 rain or shine 날씨에 관계 없이 stripes 줄무늬 zebra 얼룩말 buffalo 버팔로, 물소 distance 먼 거리 rodent 설치류

07 '~에 직면하다'라는 의미의 수동태 표현은 be faced with이다.
해석 1996년에 한 미국 항공사가 흥미로운 문제에 직면했다.
어휘 airline 항공사

08 상처는 '치료되는' 것이고, 가족들이 모여 앉은 것보다 더 먼저 일어난 과거의 일이므로 과거완료 수동태 had been treated로 고쳐야 한다.
해석 얼마 후 그 상처가 치료된 후, 가족들은 부엌 식탁에 둘러앉아 이야기를 나누었다.
어휘 wound 상처 treat 치료하다

09 동작의 대상이 주어 자리에 오는 수동태 문장은 「S + be + p.p. + by + 목적어」의 형태로 쓸 수 있다. 동사는 will be attended의 형태로 쓰고, 문장 뒤에 by many college coaches ~를 덧붙인다.
해석 유망한 학생 선수들을 스카우트하는 많은 대학 코치들이 이 경기들에 참석할 것이다. (→ 이 경기들은

유망한 학생 선수들을 스카우트하는 많은 대학 코치들에 의해 참석될 것이다.)

어휘 college 대학 scout 스카우트하다 prospective 유망한 athlete (운동)선수 attend 참석하다

10 (A) Twenty years ago가 과거를 나타내는 표현이므로 과거형 came으로 고쳐야 한다. (B) 그때부터 지금까지 용서할 수 없었다는 의미의 현재완료(계속)가 되도록 been

으로 고쳐야 한다.

지문 해석 그 손님은 "20년 전에 저는 이 마을에 유개화차를 타고 왔어요. 3일 동안 음식을 먹지 못했죠. 저는 이 가게에 들어와 카운터 위의 20달러 지폐 한 장을 봤어요. 저는 그것을 주머니에 넣고 나갔죠. 지금까지 저는 저 자신을 용서할 수 없었어요. 그래서 저는 그것을 돌려주러 돌아와야 했어요."라고 말했다.

어휘 forgive 용서하다

2주 창의·융합·코딩 전략 ①

pp. 66~67

A 1 are creating **2** was looking **3** will be traveling
B 1 1, 2 **2** 2, 1 **3** 2, 1 **4** 1, 2

A

1 '만들어내고 있다'는 현재진행형이고, 주어가 We이므로 are creating이 알맞다.

어휘 potential 잠재적인 enemy 적 target 대상

2 '둘러보던 중이었다'는 과거진행형이고, 주어 Everyone이 단수이므로 was looking이 알맞다.

어휘 crowd 군중

3 '주행하고 있을 것이다'는 미래진행형이므로, will be traveling이 알맞다.

어휘 transportation carrier 수송 수단

B

1 대화가 '끝나고(had ended)' 나서 연구자들이 참가자들에게 '질문한(asked)' 것이므로, the conversations had ended가 먼저 일어난 일이다. 과거의 두 가지 사건 중 먼저 일어난 일을 나타낼 때 「had + p.p.」의 과거완료를 사용한다.

해석 대화가 끝난 후, 연구자들은 참가자들에게 서로에 대해 어떻게 생각하는지를 물었다.

어휘 researcher 연구자 participant 참가자

2 '대답한(replied)' 것보다 평생 그곳에 '있었던(had been there)' 것이 먼저 일어난 일이다.

해석 그는 자신이 평생 그곳에 있었다고 대답했다.

어휘 reply 대답하다

3 성장의 상한치를 '설정했기(had set)' 때문에 성장을 '거절한(turned down)' 것이므로, company leadership had set an upper limit for growth가 먼저 일어난 일이다.

해석 그 회사는 엄청난 성장을 거절했는데 회사 수뇌부가 성장의 상한치를 설정했기 때문이다.

어휘 turn down 거절하다 tremendous 엄청난 growth 성장 leadership 수뇌부 set 설정하다 upper limit 상한치

4 New York으로 '이사하고(had moved)' 그곳에서 '일을 하고 있었던(was taking jobs)' 것이므로 had moved가 먼저 일어난 일이다.

해석 1906년 즈음에 그는 New York으로 이사했고, 늘어나는 가족을 부양하기 위해 여러 가지 일을 하고 있었다.

어휘 take a job 취직하다, 일을 하다 support 부양하다

C 해설 참조

D 1 Our brand message will be conveyed by the new logo. **2** The American Psychological Association recently published an interesting study about facial expressions. **3** Your last thoughts are made part of reality by your mind.

C

1 | My arm | was being lifted | forcibly. |

해석 나의 팔은 강제로 들어 올려지고 있었다.

어휘 forcibly 강제로 lift 들어 올리다

2 | It | had been coloured | with a red dye. |

해석 그것은 빨간색 염료로 물들여졌었다.

어휘 dye 염료, 색소 colour ~을 물들이다(= color)

3 | All food | has been distributed. |

해석 모든 음식이 분배되었다.

어휘 distribute 분배하다

D

1 3형식의 수동태는 「S + be + p.p. + by + 목적어」의 형태이고 미래 시제이므로, 'Our brand message(S) / will be conveyed(V) / by the new logo(M)'의 순으로 쓴다.

해석 새로운 로고가 우리의 브랜드 메시지를 전달할 것이다. (→ 우리의 브랜드 메시지가 새로운 로고에 의해 전달될 것이다.)

어휘 convey 전달하다

2 「S + be + p.p. + by + 목적어」는 3형식 문장의 수동태이므로, by를 삭제하고 그 이하를 주어로 하여 'The American Psychological Association(S) / recently published(V) / an interesting study about facial expressions(O)'의 순으로 쓴다.

해석 표정에 관한 흥미로운 연구가 미국 심리학회에 의해 최근에 발표되었다. (→ 미국 심리학회는 표정에 관한 흥미로운 연구를 최근에 발표했다.)

어휘 facial expression 표정 publish 발표하다 psychological 심리학의 association 협회

3 5형식의 수동태는 「S + be + p.p. + C + by + 목적어」의 형태이고 현재 시제이므로, 'Your last thoughts(S) / are made(V) / part of reality(C) / by your mind(M)'의 순으로 쓴다. 능동태 문장의 주어 Your mind는 3인칭 단수이지만, 수동태 문장의 주어 Your last thoughts는 복수이므로 are made로 써야 함에 유의한다.

해석 당신의 마음은 당신의 마지막 생각들을 현실의 일부로 만든다. (→ 당신의 마지막 생각들은 당신의 마음에 의해 현실의 일부로 만들어진다.)

어휘 reality 현실

신유형·신경향·서술형 전략

pp. 72~75

1 해설 참조

2 (1) appeals, 강력하게 호소한다 (2) friends, 아주 친한 친구가 (3) difficult, 측정하기가 어렵다

3 (1) to be, want는 목적어로 to부정사가 온다. (2) reach, 지각동사는 목적격보어로 원형부정사가 온다.

4 (1) It took me over sixty years to draw this.

(2) People find it very difficult to correctly identify fruit-flavoured drinks.

5 (1) ⓐ, 일반동사의 미래형은 「will + 동사원형」이다.

(2) ⓐ, 명확한 과거를 나타내는 In 1930이 있으므로 과거 시제가 알맞다.

6 (1) were shaking (2) had filled it
7 (1) provided (2) been
8 (1) Meaningful results have been shown by our efforts to develop technologies.
  (2) A rival god called Dromerdeener defeated a god called Moinee in a terrible battle up in the stars.

1 (1) I / offered / him / some money.
  S   V   IO   DO

  ➡ 나는 그에게 약간의 돈을 제공했다.

 (2) Reading daily horoscopes in the morning / is /
                    S   V

 beneficial.
    C

  ➡ 아침에 매일 별자리 운세를 읽는 것은 유익하다.

 (3) Play / allows / children / to learn social behaviors.
    S   V   O   C

  ➡ 놀이는 아이들이 사회적 행동을 배우도록 한다.

2 (1) 부사 powerfully가 동사 appeals를 수식하고 있다.
 (2) 부사 very의 수식을 받은 형용사 close가 뒤에 있는 명사
   friends를 수식하고 있다.
 (3) to부정사 to measure가 부사처럼 쓰여 앞의 형용사
   difficult를 수식하고 있다.

3 (1) want는 목적어로 to부정사가 오는 동사이다.
   [해석] 아마 그녀는 당신의 놀이 친구가 되고 싶어 할 수도 있다.
   [어휘] playmate 놀이 친구
 (2) 지각동사 see는 목적격보어로 원형부정사가 오고, 진행
   의 의미를 강조할 때 현재분사가 올 수 있다.
   [해석] 갑자기, 나는 손 하나가 계단 사이로부터 뻗어 나와
   서 내 발목을 잡는 것을 보았다.
   [어휘] grab 잡다 ankle 발목

4 (1) 가주어 it을 주어로 하여, 'It(S) / took(V) / me(O) /
   over sixty years(M) / to draw this(S')'의 순으로 쓴다.
   [해석] 내가 이것을 그리는 데 60년 넘게 걸렸다.
 (2) 가목적어 it을 목적어로 하여 'People(S) / find(V) /
   it(O) / very difficult(C) / to correctly identify
   fruit-flavoured drinks(O')'의 순으로 쓴다.
   [해석] 사람들은 과일 맛이 나는 음료를 정확하게 식별하

는 것이 매우 어렵다는 것을 알게 된다.
   [어휘] correctly 정확하게 identify 식별하다
   fruit-flavoured 과일 맛이 나는

5 (1) 일반동사의 미래형은 「will + 동사원형」이므로, will
   receive가 알맞다.
   [해석] 모든 참가자는 캠프 배낭을 받게 될 것이다.
 (2) In 1930이 명백한 과거를 나타내는 표현이므로, 과거 시
   제가 알맞다. 현재완료는 '과거~현재'의 두 시점을 연결
   하므로 과거를 나타내는 표현과 함께 쓸 수 없다.
   [해석] 1930년에 그녀는 미국 최초의 여성 비행기 승무원
   이 되었다.
   [어휘] flight attendant 비행기 승무원

6 (1) '~하고 있었다'는 과거진행형 「was/were + v-ing」로
   나타낼 수 있다. 주어가 복수이므로 were shaking으
   로 쓴다.
 (2) Jason이 그것을 '채워 넣은 것'이 그렇다고 '말한' 것보다
   먼저 일어난 일이므로 과거완료 「had + p.p.」로 나타낼
   수 있다.

7 (1) '제공될 것이다'라는 의미가 자연스러우므로 「will
   be + p.p.」 형태의 미래 수동태를 만드는 provided가
   알맞다. 「will be + v-ing」는 '~하고 있을 것이다'라는
   의미의 미래진행형이다.
   [해석] 음식과 음료는 이벤트 내
   내 당신이 즐길 수 있도록 불꽃
   놀이 행사 시작 전에 제공될 것
   이다.

   [어휘] fireworks display 불꽃놀이 provide 제공하다
 (2) 아이디어가 '지지를 받아 온' 것이므로 「have + been +
   p.p.」 형태의 현재완료 수동태가 알맞다.
   [해석] 이러한 생각들은 학습과 발달의 많은 측면에 대한

연구에 의해 지지되어 왔다.

어휘 support 지지하다 research 연구
aspect 관점, 측면

8 (1) meaningful results가 문장의 목적어이고,
「have + p.p.」 형태의 현재완료가 쓰였으므로, 현재완료
수동태 「S + have [has] been + p.p. + by + 목적어」
의 형태로 쓴다.

해석 기술을 개발하기 위한 우리의 노력은 의미 있는 결
과를 보여 왔다. (→ 의미 있는 결과가 기술을 개발하기
위한 우리의 노력에 의해 보여져 왔다.)

어휘 effort 노력 meaningful 의미 있는

(2) 「S + was + p.p. + by + 목적어」 형태의 과거 수동태이
므로, by를 생략하고 행위자를 주어로 하는 능동태 문장
으로 바꿔 쓴다.

해석 Moinee라는 신이 하늘 위 별에서 벌어진 끔찍한
전투에서 Dromerdeener라는 경쟁하는 신에게 패배
했다. (→ Dromerdeener이라는 경쟁하는 신이
Moinee라는 신을 하늘 위 별에서 벌어진 끔찍한 전투
에서 패배시켰다.)

어휘 defeat 패배시키다 battle 전쟁

적중 예상 전략 1회

pp. 76~79

01 ②, ④ 02 ②, ④ 03 ⑤ 04 ④ 05 ② 06 ⑤ 07 ④ 08 ⑤ 09 The artist Pablo Picasso used Cubism as a way to help us see the world differently. 10 (1) Paying (2) doesn't mean 11 thinking 12 (A) to watch (B) featuring 13 (A) computerized (B) warning 14 Steinberg and Gardner randomly assigned some participants to play alone 15 ©, being → be 16 they make it clear that they value

01 문장의 주어 자리이므로, 동명사(offering) 또는 to부정사
(to offer)가 와야 한다.

해석 때때로 도움을 제공하는 것은 단순한 일이다.

어휘 matter 일 offer 제공하다

02 ② decide는 목적어로 to부정사가 오는 동사이므로
using을 to use로 바꿔야 한다. ④ quit은 목적어로 동명
사가 오는 동사이므로 to play를 playing으로 바꿔야 한다.

해석 ① 우리는 학생들에게 몇 가지 실제적인 교육을 제공
하기를 희망한다. ② 나도 당신처럼 친절한 말을 더 많이 쓰
기로 했다. ③ 많은 사람들이 봄에 야생 버섯 종을 찾아다니
는 것을 즐긴다. ④ 어린이들은 아이스하키와 테니스를 평
균적으로 같은 나이에 중단했다. ⑤ 태양은 수십억 년 동안,
계속하여 지구를 비출 것이다.

어휘 practical 실제적인 on overage 평균적으로
shine 빛나다 planet 행성 billion 10억

03 감각동사 look 뒤의 주격보어 자리이므로, 형용사가 와야

한다. ⑤ kindly는 부사이므로 보어 자리에 올 수 없다.

해석 그들은 아름답게[매력적이게/건강하게/부유하게] 보
였다.

04 allow는 목적격보어로 to부정사가 오는 동사이므로 첫 번
째 빈칸에는 to take가 알맞다. let은 목적격보어로 원형부
정사가 오는 동사이므로 두 번째 빈칸에는 take가 알맞다.

해석 오늘날의 음악 사업은 음악가들이 스스로 일을 처리
하게 해 주었다.

어휘 take matters into one's own hands 스스로
일을 처리하다

05 '기다리고 있는'의 의미로 앞의 명사 a puppy를 수식하는
현재분사 waiting이 알맞다. 분
사가 수식하는 명사와의 관계가
능동일 때 현재분사를, 수동일 때
과거분사를 쓴다.

해석 나의 일곱 번째 생일에, 엄

마는 목줄을 매고 기다리고 있는 강아지로 나를 놀라게 했다.

어휘 leash 목줄

06 ⓐ 보어 자리에는 명사 또는 형용사가 와야 하므로, 부사 greatly를 형용사 great으로 고쳐야 한다. ⓑ 목적어가 두 개일 때 별도의 전치사 없이 「간접목적어(~에게) + 직접목적어(~을/를)」 순으로 써야 한다. ⓓ see는 목적격보어로 원형부정사 또는 현재분사가 오는 동사이므로, came을 come 또는 coming으로 고쳐야 한다.

해석 ⓐ 일요일 오후 천국은 멋지게 들린다. ⓑ 그는 그들에게 구부러지는 무릎을 (만들어) 주었다. ⓒ 그것이 그의 기분을 좀 더 나아지게 했다. ⓓ 그때, 그녀는 말 한 마리가 그들 쪽으로 다가오는 것을 보았다. ⓔ 미덕이 있다는 것은 균형을 찾는 것을 의미한다.

어휘 bendable 구부러지는 virtuous 미덕이 있는

07 ④는 '~하기 위해'라는 의미로 목적을 나타내는 부사적 용법의 to부정사이고, 나머지는 모두 '~하는/~할'의 의미로 앞의 명사를 수식하는 형용사적 용법의 to부정사이다.

해석 ① 최초의 개구리와 그들의 친척은 육지로 나올 수 있는 능력을 얻었다. ② 음식은 감정을 통제하는 좋은 방법이다. ③ 그것은 그가 평생 해 온 일을 마무리하는 방식으로는 바람직하지 않았다. ④ 여러분은 거울을 사용하여 친구에게 암호로 된 메시지를 보낼 수 있다. ⑤ 일어나서 여러분을 응원할 사람이 주변에 아무도 없다.

어휘 relative 친척 gain 얻다 ability 능력 manage 다루다, 통제하다 coded 암호화된

08 〈보기〉와 ⑤의 it은 가주어이다. ①은 대명사, ②, ③은 비인칭 주어, ④는 It is ~ that 강조 구문의 주어이다.

해석 〈보기〉 요즘 세상에는 집중에 방해가 되는 것들로부터 도망치는 것이 불가능하다.
① 그것은 개인의 결심이다. ② 덥고 햇볕이 강한 날이었다. ③ 시청에서 차로 20분 걸린다. ④ 그것들(식물들)로 하여금 화학 물질을 만들도록 하는 것은 바로 식물들의 부동성(不動性)이라는 이러한 사실이다. ⑤ 네덜란드의 자전거 문화에서, 뒷좌석에 동승자를 앉히는 것은 흔하다.

어휘 distraction 집중에 방해가 되는 것 immobility 부동성(不動性) chemical 화학 물질 passenger 승객 backseat 뒷좌석

09 '예술가 Pablo Picasso는(S) / 이용했다(V) / 큐비즘을(O) / 우리가 세상을 다르게 보는 것을 돕는 방법으로써(M)'의 순으로 쓴다. to부정사구가 명사 a way를 뒤에서 수식하도록 하고, to help 뒤에 목적어와 목적격보어를 차례로 쓴다.

10 (1) 문장의 주어 자리이므로 동명사 Paying이 알맞다. (2) 동명사구 주어는 단수 취급하므로 doesn't mean이 알맞다.

해석 일부 사람들에게 주의를 기울이고 다른 사람들에게 그렇게 하지 않는 것이 여러분이  남을 무시하고 있다거나 거만하게 굴고 있다는 것을 의미하지는 않는다.

어휘 dismissive 무시하는 arrogant 거만한

11 '~했던 것을 기억하다'는 「remember + v-ing」이므로, thinking으로 써야 한다. 「remember + to-v」는 '~할 것을 기억하다'라는 의미이다.

어휘 think to oneself 마음속으로 생각하다

12 (A) ask는 목적격보어로 to부정사가 오는 동사이므로 to watch를 써야 한다. (B) '다루고 있는'의 의미로 명사 a video를 수식하는 현재분사 featuring을 써야 한다.

해석 2009년 Emily Holmes는 한 집단의 성인들에게 '사람의 수술과 치명적인 교통사고의 생생한 실제 장면을 포함한 트라우마를 일으키는 내용의 열한 개 영상'을 다루고 있는 비디오를 보라고 요청했다.

어휘 feature 다루다 traumatic 트라우마를 일으키는 fatal 치명적인

13 (A) '프로그램된(수동)'의 의미로 뒤의 명사 driving game을 수식하는 과거분사 computerized가 알맞다. (B) 전치사 without의 목적어 자리이므로 동명사 warning이 알맞다.

지문 해석 한 연구에서, Temple 대학교의 심리학자 Laurence Steinberg와 그의 공동 저자인 심리학자 Margo Gardner는 306명의 사람들을 세 연령 집단(평균 나이 14세인 어린 청소년, 평균 나이 19세인 나이가 더 많은 청소년, 그리고 24세 이상인 성인)으로 나누었다. 피

실험자들은 게임 참가자가 도로에 경고 없이 나타나는 벽에 충돌하는 것을 피해야 하는 컴퓨터 운전 게임을 했다. Steinberg와 Gardner는 무작위로 몇몇 참가자들을 혼자 게임을 하거나 혹은 두 명의 같은 나이 또래들이 지켜보는 가운데 게임을 하게 했다.

어휘 co-author 공동 저자 psychologist 심리학자 divide *A* into *B* A를 B로 나누다 adolescent 청소년 crash into ~와 충돌하다 warn 경고하다 peer 또래

14 주어와 동사를 먼저 쓰고, 뒤에 목적어와 목적격보어를 추가하여 '목적어가 ~하게 하다'는 의미를 완성한다. 'Steinberg와 Gardner는(S) / 무작위로 ~하게 했다(V) / 몇몇 참가자들을(O) / 혼자 게임을 하게(C)'의 순으로 쓴다.

어휘 randomly 무작위로 assign 배정하다

15 ⓒ '~하기 위해'라는 의미로 목적을 나타낼 때 「(in order +)to-v」를 쓴다.

지문 해석 지적 겸손이란 여러분이 인간이고 여러분이 가진 지식에 한계가 있다는 것을 인정하는 것이다. 여러분이 인지적이고 개인적인 편견을 가지고 있고, 여러분의 두뇌

가 자신의 의견과 관점이 다른 것보다 선호되는 방식으로 사물을 바라보는 경향이 있다고 인정하는 것을 포함한다. 이것은 더 객관적이고 정보에 근거한 결정들을 내리기 위해 그러한 편견들을 극복하고자 기꺼이 노력하는 것이다. 지적 겸손을 보이는 사람들은 자신들이 생각하는 것과 다르게 생각하는 다른 사람들에게 배우는 것에 더 수용적일 것이다. 그들은 다른 사람들이 제시하는 것을 존중한다는 것을 분명히 하기 때문에 다른 사람들에게 호감을 사고 존경받는 경향이 있다. 지적으로 겸손한 사람들은 더 많은 것을 배우고 싶어 하고 다양한 출처로부터 정보를 찾는 것에 개방적이다. 그들은 다른 사람들보다 우월하게 보이거나 느끼려고 애쓰는 데 관심이 없다.

어휘 intellectual humility 지적 겸손 admit 인정하다 involve 포함하다 recognize 깨닫다 possess 소유하다 cognitive 인지적인 bias 편견 viewpoint 관점 favor 선호하다 overcome 극복하다 objective 객관적인 informed 정보에 근거한 receptive 수용적인 a variety of 다양한

16 가목적어 it을 이용하여 'they(S) / make(V) / it(O) / clear(C) / that they value(O´)'의 순으로 쓴다.

적중 예상 전략 2회

pp. 80~83

01 ② **02** ⑤ **03** ③ **04** ①, ③, ④ **05** ⑤ **06** ④ **07** ② **08** ③ **09** (A) introducing (B) offering **10** (1) have forged (2) had answered **11** are being brought to fruition **12** (1) Public issues have been discussed in such public forums. (2) Your dog is covered with pieces of the cushion's stuffing. **13** (A) has made (B) be felt **14** are driving the growing popularity of car sharing **15** ⓔ, have existed → existed **16** their bones have been preserved as fossils

01 일반적인 사실은 현재 시제로 나타내므로 첫 번째 문장의 빈칸에는 guide가 알맞다. During World War II가 과거를 나타내는 표현이므로 두 번째 문장의 빈칸에는 served가 알맞다. 미래 시제는 「will + 동사원형」으로 나타내므로 세 번째 문장의 빈칸에는 graduate가 알맞다.

해석 • 흰올빼미의 얼굴 털은 소리를 귀로 인도한다.
• 제2차 세계대전 중에 그녀는 육군 간호 부대에서 대위로

복무했다. • 그는 올해 졸업할 것이다.

어휘 feather (새의) 털, 깃털 snowy owl 흰올빼미 captain (미국 육군·공군·해병대의) 대위

02 ⑤ 문장 뒤에 명백한 과거를 나타내는 last month가 있으므로 현재완료를 쓸 수 없다.

해석 ① 우리는 새로운 기술을 배웠다. ② 당신은 그들을 전

에 결코 만난 적이 없다. ③ 여러분은 여전히 그 언어를 익히지 못했다. ④ 그들은 자신들의 생활 방식에 적응했다. ⑤ 우리의 방과후 학교 수영 코치가 지난달 코치직에서 은퇴했다.

어휘 skill 기술 adapt 적응하다 retire 은퇴하다

03 '~하고 있다'는 현재진행형 「am/are/is + v-ing」로 나타낼 수 있다. 주어가 We이므로 be동사는 are를 쓴다.

어휘 run out of ~을 다 써버리다, ~이 고갈되다

04 ① In 1793-94는 명백한 과거를 나타내는 표현이므로, 현재완료와 함께 쓸 수 없다. ③ 미래 시제는 「will + 동사원형」으로 나타낸다. ④ 숙제를 '끝낸' 것이 그렇게 '생각한' 것보다 먼저 일어난 일이므로, 과거완료(had done)를 써야 한다.

해석 ① 1793~94년에 Füstenau는 독일에서 자신의 첫 콘서트 순회공연을 했다. ② 그 노인은 머리에 오래된 터번을 쓰고 있었다. ③ 각각의 학생은 수작업으로 만든 보조 탁자를 가져가게 될 것이다. ④ Fred는 자신이 문화 숙제를 끝냈다고 생각했다. ⑤ 그들은 이전에 그렇게 '형식에 구애받지 않는' 그림을 결코 본 적이 없었다.

어휘 turban 터번 hand-crafted 수작업으로 만든 informal 형식에 구애받지 않는

05 풀은 토끼에게 '먹히고', 토끼는 여우에게 '먹힌다'라는 의미가 되도록 「be + p.p.」의 수동태를 이루는 과거분사 eaten이 알맞다.

해석 초원에서 풀은 토끼에게 먹히지만 결국에 토끼는 여우에게 먹힌다.

06 5형식 문장의 수동태는 「S + be + p.p. + C + by + 목적어」이므로, our fruits를 주어로 하고, 동사를 are called로 바꾼 뒤, 보어를 쓴다. 동작의 주체가 we, you 등 일반인일 때 「by + 목적어」는 생략할 수 있다.

해석 인생에서 우리는 우리의 열매를 우리의 결과라고 부른다. (→ 인생에서 우리의 열매는 우리의 결과로 불린다.)

07 '~에 놀라다'라는 의미의 수동태 표현은 be amazed at이고, '~에 근거하다'라는 의미의 수동태 표현은 be based on이다.

해석 • 그는 바람의 힘에 놀랐다. • 직원들의 선택은 자신의 필요에 근거를 두고 있다.

어휘 employee 직원 selection 선택 need 필요

08 ③ have been adopted는 '채택되어 왔다'라는 의미의 현재완료 수동태이므로, '채택해 왔다'라는 의미가 되도록 현재완료 have adopted로 고쳐야 한다.

지문 해석 1976년에 호텔을 개업한 이래로 우리는 에너지 소비와 낭비를 줄임으로써 우리 지구를 보호하는 것에 헌신해 왔습니다. 지구를 보호하려는 노력으로, 우리는 새로운 정책을 채택했고, 여러분의 도움을 필요로 합니다. 우리의 친환경 정책에 대한 여러분의 협조에 감사드립니다.

어휘 be committed to ~에 헌신하다 consumption 소비 adopt 채택하다 policy 정책 appreciate 감사하다 eco-friendly 친환경의

09 '~하고 있을[할] 것이다'라는 의미가 자연스러우므로, 미래진행형 「will be + v-ing」가 되도록 각각 introducing과 offering을 써야 한다.

해석 그 행사에서, 우리는 우리 식당이 곧 제공할 새로운 멋진 음식들을 소개할 것입니다.

10 (1) 오랫동안 '~해 왔다'라는 의미가 되도록 현재완료 have forged가 와야 한다. (2) 올바르게 '답한' 것이 답안을 '읽은' 것보다 먼저 일어난 일이므로 had answered가 알맞다.

해석 (1) 오랫동안 공동체들은 춤 의식들을 통해 자신들의 정체성을 구축해 왔다. (2) 그 선생님은 그녀의 학생들의 답안을 크게 읽기 시작했고, 대부분은 바르게 답했다.

어휘 forge 구축하다 identity 정체성 ritual (종교적) 의식 majority 대부분

11 '~되고 있다'라는 의미의 현재진행 수동태는 「am/are/is + being + p.p.」이므로, are being brought to fruition으로 고쳐야 한다.

어휘 bring to fruition 결실을 맺다 rate 속도

12 (1) 쟁점들이 '논의되어 온' 것이므로, 현재완료 수동태 「have [has] been + p.p.」를 이용하여 have been discussed로 써야 한다. (2) '~으로 덮여 있다'라는 의미의 수동태 표현은 be covered with이다.

해석 (1) 공공의 쟁점들이 그러한 공개 토론회에서 논의되어 왔다. (2) 당신의 개는 쿠션 속 조각들로 덮여 있다.

어휘 discuss 논의하다 public forum 공개 토론회 stuffing (쿠션 등의 안에 넣는) 속, 충전재

13 (A) '영향을 끼쳤다'라는 의미가 되도록 현재완료 has made가 알맞다. (B) 강한 영향이 '느껴지는' 것이므로 be felt가 알맞다.

지문 해석 요즘 차량 공유 운동이 전 세계적으로 나타났다. 많은 도시에서 차량 공유는 도시 주민들이 이동하는 방법에 강한 영향을 끼쳤다. 북미처럼 차량 소유 문화가 강한 곳에서조차도 차량 공유가 인기를 얻었다. 미국과 캐나다에서는, 많은 도시 지역에서 이제 차량 공유 회원 수가 성인 5명 중 1명을 넘어섰다. 공유된 각 1대의 차량이 약 10대의 개인 차량을 대체함에 따라, 교통 체증과 대기 오염에 미치는 강한 영향이 토론토부터 뉴욕까지 느껴질 수 있다. 교통 체증과 주차장 부족에 고심하는 도심 지역을 가진 시 정부는 차량 공유의 늘어나는 인기를 추종하고 있다.

어휘 impact 영향 resident 주민 exceed 초과하다 urban 도시의 influence 영향 replace 대체하다 government 정부 struggle with ~으로 고심하다 lack 부족, 결핍 parking lot 주차장

14 현재진행형 「am/are/is + v-ing」를 이용하여, '추종하고 있다(V) / 차량 공유의 늘어나는 인기를(O)'의 순으로 쓴다.

15 ⓔ 명백한 과거를 나타내는 표현 around 200 million years ago가 있으므로 현재완료를 쓸 수 없다. 따라서 have existed를 existed로 고쳐야 한다.

지문 해석 내가 아주 어렸을 때, 나는 공룡과 용의 차이를 구별하는 데 어려움이 있었다. 그러나 그들 사이에는 중요한 차이가 있다. 용은 그리스 신화, 영국 Arthur 왕의 전설, 중국의 새해 행렬, 그리고 인류 역사에 걸친 많은 이야기에 등장한다. 그러나 비록 그들이 오늘날 만들어진 이야기에서 중요한 역할을 한다 해도, 그들은 항상 인간 상상의 산물이었으며 절대 존재하지 않았다. 그러나 공룡은 한때 실제로 살았다. 비록 인간이 그들을 보지는 못했지만, 그들은 오랫동안 지구에 살았다. 그들은 2억  년쯤 전에 존재했고 그들의 뼈가 화석으로 보존되어 왔기 때문에 우리는 그들에 대해 알고 있다.

어휘 significant 중요한 legend 전설 tale 이야기 feature 등장하다 imagination 상상 exist 존재하다

16 현재완료 수동태 「have [has] + been + p.p.」를 이용하여 '그들의 뼈가(S) / 보존되어 왔다(V) / 화석으로(M)'의 순으로 쓴다.

어휘 bone 뼈 preserve 보존하다 fossil 화석

Enjoy life...
HAVE A NICE DAY.

town

Book 2

정답과 해설

정답 과 해설

1주 - 명사절과 형용사절

1주 1일 개념 돌파 전략 ①

pp. 8~11

1-2 What matters to her, 그녀에게 중요한 것은

2-2 where I lost my wallet, 지갑을 어디에서 잃어버렸는지

3-2 what I bought him last year,
내가 작년에 그에게 사준 것

4-2 which contains lots of vitamin C, 많은 비타민 C가
함유되어 있는

5-2 why I couldn't tell you the truth, 내가 당신에게
사실대로 말하지 못한

6-2 where he studied music, 그는 음악을 공부했다

1주 1일 개념 돌파 전략 ②

pp. 12~13

1 (1) That he is a great cook, 그가 훌륭한 요리사라는
것이 흥미롭다.

(2) Whether you trust me, 당신이 나를 신뢰하는지
아닌지는 나에게 정말 중요하다.

2 (1) what you are talking about, 나는 네가 하고 있는
말을 이해할 수 없다.

(2) whether you will attend the meeting, 나는
당신이 회의에 참석할 것인지 알고 싶다.

3 (1) what I ordered for dinner, 이것은 내가 저녁으로
주문했던 것이다.

(2) that she gave up the audition, 진실은 그녀가
오디션을 포기했다는 것이다.

4 (1) which I gave her, 그녀는 내가 그녀에게 준 팔찌를
좋아했다.

(2) that lives in the North Pole, 북극곰은 북극에 사는
동물이다.

5 (1) when my younger brother was born, 6월 15일은
내 남동생이 태어난 날이다.

(2) why you are mad at me, 네가 나에게 화를 내는
이유를 말해 줘.

6 (1) which Tom baked, 그 초콜릿 칩 쿠키는 Tom이
구웠는데, 맛있었다.

(2) who spoke Korean fluently, 여행 중에 나는
Christine을 만났는데, 그녀는 한국어를 유창하게 했다.

1주 2일 필수 체크 전략 ①

pp. 14~17

필수 예제 **1** (1) Whether (2) What (3) How

확인 문제 **1-1** (1) That (2) What

확인 문제 **1-2** How we invest time is not our decision
alone to make.

필수 예제 **2** (1) O (2) × (3) ×

확인 문제 **2-1** (1) something strange was happening
(2) People get what they desire

확인 문제 **2-2** that → what

필수 예제 **3** (1) whether (2) why

확인 문제 **3-1** (1) that → if [whether]
(2) are you → you are

확인 문제 **3-2** how much disclosure is appropriate

필수 예제 **4** (1) that (2) what (3) whether

확인 문제 **4-1** (1) that the seesaw can also tip the
other way (2) what happens with
their writing

확인 문제 **4-2** am I → I am

필수 예제 1

(1) 주어로 쓰인 명사절이 '~인지 아닌지는'의 의미로 불확실한 정보를 나타내므로 Whether가 알맞다.

해석 내가 지저분한 방에서 사는 것을 좋아했는지 아닌지는 또 다른 문제였다.

어휘 subject 주제, 문제

(2) 명사절 내에 목적어가 없는 불완전한 구조이므로 What이 알맞다.

해석 당신이 물려받았고 더불어 살아가고 있는 것이 미래 세대의 유산이 될 것이다.

어휘 inherit 상속받다, 물려받다 inheritance 상속, 유산 generation 세대

(3) '한 사람이 하루를 어떻게 접근하는지'의 의미가 되도록 의문사 How가 알맞다.

해석 한 사람이 하루를 어떻게 접근하는지는 그 사람 인생의 다른 모든 것에 영향을 준다.

어휘 approach 접근하다 impact 영향을 주다

확인 문제 1-1

(1) 주어로 쓰인 명사절이 완전한 구조이므로 That으로 고쳐야 한다.

해석 내 아들의 팀 동료가 도움이 필요했다는 것은 명백했다.

어휘 obvious 명백한

(2) 주어로 쓰인 명사절 내에 주어가 없는 불완전한 구조이므로 What으로 고쳐야 한다.

해석 이 모든 사람들을 계속 나아가게 했던 것은 그들의 주제에 관한 열정이었다.

어휘 passion 열정

확인 문제 1-2

의문사 how가 이끄는 명사절을 주어로 하여 '우리가 시간을 어떻게 투자할지는(S) / ~이 아니다(V) / 우리의 결정(C) / 단독으로 내릴(M)'의 순으로 영작한다.

어휘 invest 투자하다 decision 결정

필수 예제 2

(1) 동사 believe의 목적어로 쓰인 명사절이 완전한 구조이므로, that은 적절하다.

해석 우리는 결정의 질이 시간과 직접적으로 연관된다고 믿는다.

어휘 quality 질 directly 직접적으로

(2) 동사 made의 목적어로 쓰인 명사절이 목적어가 없는 불완전한 구조이므로 what이 와야 한다.

해석 더 많은 생각 후, 그는 많은 이들이 믿을 수 없다고 여겼던 결정을 내렸다.

어휘 thought 생각 consider 여기다

(3) 전치사 on의 목적어로 쓰인 명사절을 이끌어야 하므로 관계대명사 what이 와야 한다.

해석 안타깝게도, 많은 사람이 그들이 가지고 있지 않은 것에 집중하는 경향이 있다.

확인 문제 2-1

(1) 목적어로 쓰인 명사절에 접속사 that이 생략되었다. 명사절 내 어순에 유의하여 'something strange(S) / was happening(V)'의 순으로 쓴다.

해석 나는 이상한 어떤 일이 일어나고 있다는 것을 깨달았다.

(2) 관계대명사 what이 이끄는 명사절을 목적어로 하여 'People(S) / get(V) / what they desire(O)'의 순으로 배열한다.

해석 사람들은 힘들게 번 그들의 돈으로 그들이 바라는 것을 얻는다.

어휘 hard-earned 힘들게 번 desire 바라다

확인 문제 2-2

전치사 from의 목적어로 쓰인 명사절을 이끌어야 하므로 what으로 고쳐야 한다. that절은 전치사의 목적어 자리에 올 수 없다.

해석 예술가는 자기 주변에 가지고 있는 것으로부터 예술을 만들어낸다.

필수 예제 3

(1) 동사 indicates의 목적어로 쓰인 명사절이 '~인지(아닌지)'라는 의미이므로 whether가 알맞다.

(2) 동사 explain의 목적어로 쓰인 명사절이 '왜 ~가 …한지를'의 의미이므로 의문사 why가 알맞다.

확인 문제 3-1

(1) '그녀가 그렇게 한 적이 있었는지를'의 의미가 되도록 that을 if 또는 whether로 고쳐야 한다.

해석 나는 그녀가 그렇게 한 적이 있었는지를 물었다.

(2) 의문사가 이끄는 명사절의 어순은 「의문사 + S + V ~」이므로 are you를 you are로 고쳐야 한다.

해석 당신은 자신이 무엇을 먹고 있는 것인지 정말 아는가?

확인 문제 3-2

전치사 about의 목적어 자리이다. 주어진 표현에 의문사 how 와 형용사 much가 있으므로 「how + 형용사 + S + V ~」 순으로 쓴다.

해석 얼마나 많은 정보를 공개하는 것 이 적절한지에 관한 생각은 문화마다 다르다.

어휘 disclosure 폭로, 정보를 공개하는 것 vary 다르다 culture 문화

필수 예제 4

(1) 문장의 보어로 쓰인 명사절이 '~라는 것(이다)'라는 의미이고 완전한 구조이므로 that이 알맞다.

해석 아리스토텔레스의 의견은 미덕은 중간 지점이라는 것이다.

어휘 virtue 미덕 midpoint 중간 지점

(2) 보어로 쓰인 명사절이 주어가 없는 불완전한 구조이므로 what이 알맞다.

해석 네 이야기가 너를 특별하게 만드는 것이다.

(3) 보어로 쓰인 명사절이 '~인지(아닌지)'의 의미이므로 whether가 알맞다.

해석 중요한 문제는 인터넷 사용자들이 온라인상의 의사소통에서 감정을 이해하는 데 이모티콘들이 도움을 주는지 아닌지이다.

어휘 emotion 감정

확인 문제 4-1

(1) 동사 is 뒤에 보어로 쓰인 명사절로, 「that + S + V ~」의 순으로 배열한다.

해석 문제는 그 시소가 반대 방향으로도 기울어질 수 있다는 것이다.

어휘 tip 기울다 seesaw 시소

(2) 동사 is 뒤에 보어로 쓰인 명사절로, 「what + V ~」의 순으로 배열한다.

해석 이것에 대한 가장 좋은 부분은 그들의 글쓰기에서 나타나는 것이다.

확인 문제 4-2

의문사가 이끄는 절이 보어로 쓰이면 「의문사 + (S +) V ~」의 구조이므로 am I를 I am으로 바꿔야 한다.

해석 내가 모르는 것은 내가 어디로 가고 있는가이다.

1주 2일 필수 체크 전략 ②

pp. 18~19

1 (A) that (B) that (C) what 2 ⑤ 3 we usually do not know how these surveys are conducted
4 (B) that (C) that

1 (A) tell의 직접목적어 자리이고 뒤에 완전한 구조의 절이 이어지므로 접속사 that이 알맞다. (B) '~하다는 것을'의 의미로 확실한 정보를 나타내도록 접속사 that이 알맞다. (C) 전치사 about의 목적어로 쓰인 명사절을 이끌도록 관계대명사 what이 알맞다.

지문 해석 당신은 다른 누군가가 어떻게 느끼고 있는지를 당신이 어떻게 알 수 있을지에 대해 생각해본 적이 있는가? 때때로, 친구들이 당신에게 그들이 행복하거나 슬프다고 말할지도 모르지만, 당신에게 말하지 않는다고 해도, 나는 당신이 그들이 어떤 기분을 느끼고 있는지에 대해 추측을 잘할 수 있을 것을 확신한다. 당신은 그들이 사용하는 목소리의 어조로부터 단서를 얻을지도 모른다.

2 ⑤ 의문사 how가 이끄는 명사절에 형용사가 있으면 「how + 형용사 + S + V ~」의 구조이므로 should they를 they should로 바꿔야 한다.

지문해석 아이들에게 선택권을 주고 그들이 얼마나 많이 먹기를 원할지, 그들이 먹고 싶어 할지 또는 아닐지, 그리고 그들이 무엇을 먹기를 원할지에 대해 자신이 결정하게 허락하라. 예를 들어 "Lisa야, 파스타와 미트볼을 먹고 싶니, 아니면 닭고기와 구운 감자를 먹고 싶니?"라고 여러분이 저녁 식사를 위해 만들려고 생각하고 있는 것에 대한 의사결정 과정에 그들을 포함하라. 그들이 저녁 식사를 하는 동안 얼마나 먹어야 하는지를 의논할 때, 그들에게 적당량의 음식을 차려 줘라.

3 의문사가 이끄는 명사절을 목적어로 하여 '우리는(S) / 보통 모른다(V) / 이러한 조사들이 어떻게 실시되는지를(O)'의 순으로 배열한다.

지문해석 많은 광고는 통계 조사를 인용한다. 하지만 우리는 보통 이러한 조사들이 어떻게 실시되는지를 모르기 때문에

신중해야 한다. 예를 들면, 한 치약 제조업체가 예전에 "80% 보다 많은 치과의사들이 Smiley Toothpaste를 추천한다." 라고 적혀 있는 포스터를 올렸다. 이것은 대부분의 치과의사들이 다른 브랜드보다 Smiley Toothpaste를 선호한다고 말하는 것처럼 보인다. 하지만 그 조사 항목이 치과의사들에게 한 가지 이상의 브랜드를 추천할 수 있게 했다는 것과 실제로 또 다른 경쟁업체의 브랜드도 Smiley Toothpaste만큼 많이 추천되었다는 것이 드러났다! 2007년에 영국 Advertising Standards Authority는 그 포스터가 잘못된 정보를 준다고 판결을 내렸고 그것이 더 이상 게시될 수 없었음은 당연했다.

4 (B) say의 목적어로 쓰인 명사절이 완전한 구조이므로 접속사 that이 알맞다. (C) '~라는 것이 드러났다'라는 의미가 자연스러우므로 접속사 that이 알맞다.

1주 3일 필수 체크 전략 ①

pp. 20~23

필수예제 **5** (1) who (2) is (3) whose
확인문제 **5-1** (1) that[which] (2) whose
확인문제 **5-2** (1) who[that] (2) that[which]
필수예제 **6** (1) × (2) O (3) ×
확인문제 **6-1** (1) The praise that he received
　　　　　 (2) a long reply in which he dealt with
확인문제 **6-2** all the people upon whom your participation in your class

필수예제 **7** (1) when (2) why (3) where
확인문제 **7-1** (1) the way[how] (2) where
확인문제 **7-2** Change is one of the main reasons why technology is often resisted.
필수예제 **8** (1) which (2) where
확인문제 **8-1** (1) who (2) where
확인문제 **8-2** Written language is more formal and distant, which makes the readers lose attention.

필수예제 5

(1) 선행사 A person이 사람이고, 관계대명사절에 주어가 없으므로, 주격 관계대명사 who가 알맞다.

해석 결코 위험을 무릅쓰지 못하는 사람은 아무것도 배울 수 없다.

어휘 take a risk 위험을 무릅쓰다

(2) 주격 관계대명사절에서 동사의 수는 선행사에 일치시키므로,

is가 알맞다.

해석 운동과 계절에 적절한 의류는 당신의 운동 경험을 향상시킬 수 있다.

어휘 clothing 의류 appropriate 적절한

(3) 선행사가 사람이고, 뒤에 명사가 이어지므로, 소유격 관계대명사 whose가 알맞다.

해석 심장이 멎은 환자는 더 이상 사망한 것으로 간주될 수

없다.

어휘 be regarded as ~로 간주되다

확인 문제 5-1

(1) 선행사 faces는 신체 일부일 뿐 사람은 아니므로, 관계대명사 that 또는 which로 고쳐야 한다.

해석 그들은 컴퓨터 화면에서 무작위로 바뀌는 감정 중립적인 얼굴을 봤다.

어휘 emotion-neutral 감정 중립적인

(2) 선행사가 사람이고 뒤에 명사가 이어지므로, 소유격 관계대명사 whose가 알맞다.

해석 그는 자신의 연구가 경영사 연구에 집중되어 온 경영사학자였다.

어휘 economic historian 경영 사학자
center on ~에 초점을 맞추다

확인 문제 5-2

(1) 선행사가 사람이고, 관계대명사절에 주어가 없으므로 주격 관계대명사 who 또는 that이 들어가야 한다.

(2) 선행사가 사물이고, 관계대명사절에 주어가 없으므로 주격 관계대명사 that 또는 which가 들어가야 한다.

해석 실제로, 촉감에 대한 욕구가 많은 소비자는 이런 기회를 제공하는 제품을 좋아하는 경향이 있다.

어휘 consumer 소비자 opportunity 기회

필수 예제 6

(1) 목적어가 없는 불완전한 절의 수식을 받고 있으므로 소유격 관계대명사 whose가 아니라 목적격 관계대명사 who(m) 또는 that이 와야 한다.

해석 몇몇 참가자들은 그들이 오래 알았던 가까운 친구들 옆에 섰다.

어휘 participant 참가자

(2) 목적어가 없는 불완전한 절이 선행사 everything을 수식하고 있다. 목적격 관계대명사는 생략할 수 있으므로 바르게 쓰였다.

해석 종이 한 장을 꺼내서 여러분이 언젠가 하고 싶은 모든 것을 기록해라.

어휘 record 기록하다 someday 언젠가

(3) 관계대명사 that은 「전치사＋관계대명사」 형태로 쓸 수 없

으므로, that을 which로 바꾸거나 in을 문장 뒤로 보내야 한다.

해석 그 감정 자체는 그것이 일어나는 상황과 연결되어 있다.

어휘 situation 상황 originate in ~에서 비롯하다

확인 문제 6-1

(1) 선행사 the praise가 「관계대명사＋S＋V」의 수식을 받도록 배열한다.

해석 그가 받은 칭찬이 그의 인생 전체를 바꿨다.

어휘 praise 칭찬

(2) 선행사 a long reply가 「전치사＋관계대명사」로 시작하는 절의 수식을 받도록 배열한다.

해석 그 선생님은 질문 중 열세 개를 다룬 긴 답장을 써 보냈다.

어휘 write back 답장을 써 보내다

확인 문제 6-2

「whom＋S＋V ~＋전치사」 형태의 관계대명사절은 「전치사＋whom＋S＋V ~」의 형태로 전치사를 관계대명사 앞에 쓸 수 있다.

해석 그냥 당신의 수업 참여를 좌우하는 모든 사람들을 생각해 보라.

어휘 depend upon ~에 달려있다, 의존하다

필수 예제 7

(1) 선행사 times가 시간을 나타내므로 관계부사 when이 알맞다.

해석 사실, 역사적으로 음식이 꽤 부족했던 수많은 시기가 있었다.

어휘 numerous 수많은 scarce 부족한

(2) 선행사 the reason이 이유를 나타내므로 관계부사 why가 알맞다.

해석 그것은 인간이 도로에서 그렇게 비협조적이 될 수 있는 이유이다.

어휘 noncooperative 비협조적인

(3) 선행사 a diversified team은 장소·상황을 나타내므로, 관계부사 where가 알맞다.

해석 우리는 구성원들이 서로를 보완하는 다채로운 팀을 찾고 있다.

어휘 diversified 다채로운 complement 보완하다

확인 문제 7-1

(1) 관계부사 how는 선행사 the way와 같이 쓰지 않으므로 둘 중 하나를 생략해야 한다.

해석 우리는 사람들이 행동하고 상황이 작동하는 방식에 대해 일반화하는 경향이 있다.

어휘 form 형성하다　generalization 일반화　behave 행동하다

(2) 선행사 the grocery store는 장소를 나타내므로 관계부사 where로 고쳐야 한다.

해석 여러분이 가장 많이 쇼핑하는 식료품점을 상상해 보라.

어휘 grocery store 식료품점

확인 문제 7-2

이유를 나타내는 선행사를 수식하는 관계부사 why를 이용하여 '변화는(S) / ～이다(V) / 주된 이유들 중 하나(C) / 과학기술이 흔히 저항을 받는(M)'의 순으로 쓴다.

필수 예제 8

(1) 관계대명사 that은 보충 설명하는 절을 이끌지 않으므로,

(2) 장소에 대한 보충 설명이 이어지므로 관계부사 where가 알맞다.

확인 문제 8-1

(1) the rich man을 보충 설명하는 절을 이끌며, 절 내에서 주어 역할을 하는 주격 관계대명사 who를 써야 한다.

해석 경비병은 그를 부자에게 데리고 갔고, 그 부자는 그를 호되게 벌하기로 마음먹었다.

어휘 guard 경비병　punish 벌하다　severely 호되게

(2) 장소 Phoetus, Virginia에 대해 보충 설명하는 절을 이끄는 관계부사 where를 써야 한다.

해석 1907년에, 그는 Virginia 주 Phoetus로 이사했고, 그는 그곳에서 Chamberlin 호텔의 식당에서 일했다.

어휘 dining room 식당

확인 문제 8-2

관계대명사절이 앞 절 전체를 보충 설명하도록 '문어체는(S) / ～하다(V) / 더 형식적이고 거리감이 들게하는(C) / (그런데) 이것은 독자들이 주의를 잃게 만든다(M)'의 순으로 배열한다.

1주 3일 필수 체크 전략 ②

pp. 24~25

1 (A) who　(B) who　(C) reach　**2** ②　**3** ⓒ, whom → whose　**4** The man spoke with him on the Friendship Line at a stage when he wanted to end his life.

1 (A) 선행사 marketers가 사람이므로 who가 알맞다. (B) 접속사 and로 이어져 선행사 marketers를 수식하며, 뒤에 주어가 없는 불완전한 절이 이어지므로 who가 알맞다. (C) 주격 관계대명사절의 동사는 선행사의 수에 일치시키므로 reach가 알맞다.

지문 해석 비록 많은 작은 사업체가 훌륭한 웹 사이트를 가지고 있지만, 그들은 보통 매우 적극적인 온라인 캠페인을 할 여유가 없다. 소문나게 하는 한 가지 방법은 광고주들이 서로의 웹 사이트에 무료로 배너를 게시하는 광고 교환을 통해서이다. 광고 교환은 인기를 얻고 있는데, 특히 돈이 많지 않거

나 대규모 영업팀이 없는 마케팅 담당자들 사이에서 그러하다. 공간을 교환함으로써, 광고주들은 그러지 않으면 접촉할 여유가 없는 자신의 목표 광고 대상자와 접촉할 수 있는 새로운 출구를 찾는다.

2 ② 관계대명사 that은 보충 설명하는 절을 이끌지 않으므로 that을 which로 고쳐야 한다.

지문 해석 흔히 사용되는 '주의력을 지불하다'라는 어구는 통찰력이 있다. 당신이 활동들에 할당할 수 있는 제한된 예산의 주의력을 소비하고, 만약 당신이 당신의 예산 한도를 넘어서

려고 한다면, 당신은 실패할 것이다. 활동들이 서로 간섭한다는 것은 수고스러운 활동의 신호이고, 이는 한꺼번에 여러 일을 수행하기 어렵거나 불가능한 이유이다. 여러분은 빽빽이 들어선 차량 속으로 좌회전을 하는 동안에 17 곱하기 24를 계산할 수 없을 것이고, 분명히 시도해서도 안 된다. 여러분은 한 번에 여러 일을 할 수 있지만, 오직 그 일들이 쉽고 벅차지 않을 경우에 한해서만이다.

3 ⓒ 선행사 a 24-hour hotline을 수식하는 절을 이끌며, 절 내에서 소유격 대명사 역할을 하는 소유격 관계대명사 whose가 와야 한다. ⓑ, ⓓ에서와 같이 선행사가 일반적인 시간/장소/이유를 나타낼 때 선행사와 관계부사 둘 중 하나를 생략할 수 있다.

[지문 해석] 당신이 나이가 들어감에 따라 외로움이 당신의 삶에 스며들 수 있는데, 이것이 외롭지 않기 위한 몇몇 방법을 찾는 것이 좋은 이유이다. Patrick Arbore는 이것을 알고 있으며, 이것이 그가 의미 있는 대화를 가치 있게 여기는 이유이

다. Elderly Suicide Prevention의 관리자이자 설립자인 Arbore는 자원봉사자들이 잠재적으로 자살할 가능성이 있는 노인들에게 연락을 취하는 24시간 긴급 직통전화인 Friendship Line을 만들었다. 그는 "내게 즐거움을 주는 것은 누군가 관계에 목마를 때 내가 청자가 될 수 있을 때이다."라고 말한다. Arbore는 그의 아내가 죽은 후 70대에 자살 충동을 느끼고 있던 한 남자를 특별히 기억한다. 그 남자는 그가 자신의 삶을 마감하고 싶어 하는 단계에서 Friendship Line을 통해 그와 이야기했다. 얼마 후에 그는 그에게 "사람들이 나에게 관심을 가지기 때문에 나는 더 이상 자살을 생각하지 않아요."라고 말했다.

4 관계부사 when이 이끄는 관계부사절이 선행사 a stage를 수식하도록, '그 남자는(S) / ~와 이야기했다(V) / 그(O) / Friendship Line을 통해(M) / 단계에서(M) / 그가 자신의 삶을 마감하고 싶어 하는(M)'의 순으로 배열한다.

1주 4일 교과서 대표 전략 ①
pp. 26~29

대표 예제 1 are → is　　대표 예제 2 if, 그 탄 빵이 정말 좋았는지　　대표 예제 3 ①　　대표 예제 4 Nobody knows exactly when the *juldarigi* tradition started in Korea.　　대표 예제 5 ④　　대표 예제 6 Do you know that the *Joseonwangjosillok* is registered as one of UNESCO's Memories of the World?　　대표 예제 7 (1) Mom and I followed what they did without knowing why. (2) Dad later told me that it is an old tradition　　대표 예제 8 who[that]　　대표 예제 9 Basically, I am the mission's engineer who[that] plays with plants.　　대표 예제 10 that → which　　대표 예제 11 ④　　대표 예제 12 ②　　대표 예제 13 He posted a video where he conducted along with piano music.　　대표 예제 14 ⑤

대표 예제 1
명사절 which team wins가 주어로 쓰였고, 명사절 주어는 단수 취급하므로 are를 is로 바꿔야 한다.
[해석] 사실 어느 팀이 이기는지는 그렇게 중요하지 않다.

대표 예제 2
'그 탄 빵이 정말 좋았는지'라는 의미가 되도록 if가 알맞다.

대표 예제 3
'~라는 것(이다)'의 의미로 완전한 구조의 명사절을 이끄는 접속

사 that이 알맞다.

대표 예제 4
의문사 when이 이끄는 명사절을 목적어로 하여 '누구도(S) / 알지 못한다(V) / 줄다리기 전통이 한국에서 정확히 언제 시작됐는지를(O)'의 순으로 쓴다. 「의문사+(S+)V ~」의 어순에 유의한다.

대표 예제 5
첫 번째 빈칸에는 보어 역할을 하는 명사절을 이끄는 접속사가 필요하고, 뒤에 불완전한 구조의 절이 이어지므로 관계대명사

what이 알맞다. 두 번째 빈칸에는 목적어 역할을 하는 명사절을 이끄는 접속사가 필요하며 뒤에 완전한 구조의 절이 이어지므로, 접속사 that이 알맞다.

해석 • 가상 합창단은 나를 세상과 연결시켜 준 것이다.
• 그 조직은 줄다리기가 예전의 영광을 되찾기를 희망한다.
어휘 virtual 가상의 choir 합창단 tug of war 줄다리기

대표 예제 6
첫 번째 문장의 동사 know의 목적어 자리가 비어 있으므로 접속사 that을 이용하여 두 번째 문장을 명사절로 만들어 두 문장을 연결한다.
해석 • 당신은 …을 아는가? • 조선왕조실록이 유네스코의 세계 기록 유산에 등재되었다. (→ 당신은 조선왕조실록이 유네스코의 세계 기록 유산에 등재된 것을 알고 있는가?)
어휘 be registered as ~로 등재되다

대표 예제 7
(1) 목적어가 없는 불완전한 구조의 명사절이 동사 followed의 목적어 역할을 하고 있으므로 that을 what으로 고쳐야 한다.
지문 해석 밖이 추워 보였지만, 장거리 비행 후 나는 비행기에서 내리고 싶어 참을 수 없었다. 밖으로 나갔을 때, 나는 다른 승객들이 내리면서 박수를 치고 있는 것을 봤다. 엄마와 나는 이유도 모른 채 그들이 했던 것을 따라 했다. 아빠는 후에 이것이 안전하게 도착한 것을 축하하는 오랜 전통이라고 내게 말씀해 주셨다. 흥미롭다!
어휘 passenger 승객 clap 박수를 치다
(2) 접속사 that이 이끄는 명사절이 told의 직접목적어 역할을 하도록 '아빠는(S) / 후에 말씀해 주셨다(V) / 내게(IO) / 이것이 안전하게 도착한 것을 축하하는 오랜 전통이라고(DO)'의 순으로 배열한다.

대표 예제 8
선행사가 사람이고, 관계대명사절에 주어가 없으므로, 주격 관계대명사 who 또는 that이 알맞다.
해석 공자는 예전에 '질문을 하는 사람은 잠깐 바보이지만 묻지 않는 사람은 평생 바보이다.'라고 말했다.

대표 예제 9
두 번째 문장에 반복된 the mission's engineer가 주어 역할을 하므로, 주격 관계대명사 who 또는 that을 이용하여 두 문장을 한 문장으로 만든다.

해석 • 기본적으로, 나는 탐사대의 기술자다. • 탐사대의 기술자는 식물을 갖고 논다. (→ 기본적으로, 나는 식물을 갖고 노는 탐사대의 기술자이다.)
어휘 basically 기본적으로 mission 탐사대

대표 예제 10
관계대명사 that은 「전치사 + 관계대명사」의 형태로 쓸 수 없으므로 that을 which로 고쳐야 한다.
해석 지원이는 우리를 위해 일해 주시는 분들에게 감사를 표현하는 학급 프로젝트를 하자고 제안했다.
어휘 suggest 제안하다 gratitude 감사

대표 예제 11
장소를 나타내는 a remote mountain area를 보충 설명하는 완전한 구조의 절을 이끌고 있으므로 관계부사 where가 알맞다.
해석 모두가 실록을 외진 산간 지역으로 옮기기 위해 함께 일했고, 그들은 그곳에서 370일 동안 그것을 지켰다.
어휘 remote 떨어진, 외진 defend 방어하다, 지키다

대표 예제 12
선행사 the day가 시간을 나타내므로 관계부사 when이 알맞다.

대표 예제 13
비디오 속에서 그가 피아노 음악에 맞춰 지휘한 것이므로 관계부사 where를 포함해야 한다. '그는(S) / 게시했다(V) / 비디오를(O) / 자신이 피아노 음악에 맞춰 지휘한(M)'의 순으로 쓴다.

대표 예제 14
(A) 선행사가 장소를 나타내는 the places이므로 where이 알맞다. (B) 주어가 없는 불완전한 구조의 절이 이어지므로 주격 관계대명사 that이 와야 한다. (C) 관계대명사 that은 보충 설명하는 절을 이끌지 않으므로 which가 알맞다.
지문 해석 그들은 이동 스튜디오를 가지고 전 세계를 여행하며 거리 음악가들이 활동하는 곳에서 그들을 녹화했다. Johnson

과 Kroenke는 "변화를 위한 연주"가 음악을 통해 세상을 더 살기 좋은 장소로 만들 수 있길 소망한다. 그들은 무료 교습을 하는 음악 학교를 세우는 것을 돕는다. 그들이 이 일을 하는 이유는 음악 제작을 배우려면 자원, 선생님, 악기가 필요한데 이것들은 개

발도상국에서는 구하기가 항상 쉽지는 않다는 것을 알기 때문이다. 훨씬 더 중요한 점은 그들은 음악을 통해 영감을 불어 넣고 세계를 연결함으로써 사람들 사이의 장벽을 없애는 데 도움을 준다는 것이다.

 교과서 대표 전략 ②

pp. 30~31

01 ② 02 ② 03 Have you ever thought about how many plastic products you use a day? 04 ①
05 (1) where (2) why 06 (A) that [which] (B) which 07 (A) who (B) that 08 I asked Mr. Nielsen what it was for.

01 ② 주어 역할을 하는 명사절이 목적어가 없는 불완전한 구조이므로 관계대명사 What이 와야 한다.
해석 ① 저게 바로 내가 찾고 있던 것이다! ② Gutenberg가 했던 것은 두 개의 기구들을 새로운 방식으로 본 것이다. ③ 나는 결코 그가 한 말을 잊지 못할 것이다. ④ 이제, 당신이 다른 수수께끼를 풀 수 있을지 봐라. ⑤ 그녀의 엄마는 그저 내게 그녀가 바쁘다고만 말씀하셨다.
어휘 device 기구 riddle 수수께끼

02 동사 hope의 목적어 역할을 하는 명사절을 이끌도록 ②에 들어가야 한다.
해석 나는 그것이 당신이 당신의 고등학교 시절을 최대한 활용하는 것을 돕기를 바란다.
어휘 make the most of ~을 최대한 활용하다

03 의문사 how가 이끄는 명사절이 전치사 about의 목적어 역할을 하도록 「how + 형용사 + (S +) V ~」의 순서에 유의하여 '여러분은 생각해 본 적이 있는가?(S + V) / 여러분이 하루에 얼마나 많은 플라스틱 제품을 사용하는지에 관해(전치사 + O)'의 순으로 배열한다.

04 선행사 someone이 사람이고 관계대명사절에 주어가 없으므로 주격 관계대명사 who가 알맞다.
해석 올빼미는 밤늦게 일하는 것을 좋아하는 사람이고, 반면에 일찍 일어나는 새는 아침에 일하는 것을 좋아하는 사람이다.

어휘 whereas 반면에

05 (1) 선행사가 장소를 나타내므로 관계부사 where가 알맞다.
(2) 선행사가 이유를 나타내므로 관계부사 why가 알맞다.
해석 (1) 그 책에서 말하기를, 그것은 벼농사가 흔했던 한국의 중부와 남부 지방에서 널리 인기가 있었다고 한다. (2) 아마도 그것이 당신이 충분한 시간을 갖지 못하는 한 이유다.
어휘 widely 널리 common 흔한

06 (A) 선행사가 사물이고, 관계대명사절에 목적어가 없으므로 목적격 관계대명사 that 또는 which가 알맞다. (B) 앞의 190,000 tons를 보충 설명하는 절을 이끄는 관계대명사 which가 알맞다.
해석 해양 과학자에 따르면, 고래가 바다의 밑바닥으로 가져가는 탄소의 양은 대략 연간 19만톤이나 되는데, 그것은 8천대의 자동차에 의해 만들어지는 탄소량과 같다.
어휘 marine 해양의 carbon 탄소 annually 연간 equal (수·양 등이) 같다 produce 만들어내다

07 (A) 선행사가 사람이고 관계대명사절에 주어가 없으므로 주격 관계대명사 who가 알맞다. (B) 선행사 the first thing을 수식하는 절을 이끄는 관계대명사 that이 알맞다. 관계대명사 what은 'the thing(s) which'의 의미로 선행사를 포함하는 명사절이다.
지문해석 아침 식사 후, 나의 가족은 닐슨 씨와 Ilulissat로 향했다. 그는 'ilulissat(일루리사트)'라는 말이 그린란드어로 '빙산들'을 뜻한다고 설명해 주었다. 나는 빙산들을 보

기 위해 그곳에 온 수많은 여행객들을 볼 수 있었다. 가장 먼저 내 눈을 사로잡은 것은 썰매 그림이 있는 어느 도로 표지판이었다. 나는 닐슨 씨에게 그것이 무엇을 위한 것인지 물었다. 그는 "그것은 사람들에게 이 지역을 통과하는 개 썰매들에 대해 경고하는 것이야."라

고 말했다. 나는 개 썰매를 보고 싶었지만, 그것들이 지나다니기에는 아직 눈이 충분히 덮여 있지 않았다.

어휘 iceberg 빙산 sled 썰매 warn 경고하다

08 의문사 what이 이끄는 명사절이 직접목적어로 쓰였으므로, 「의문사＋(S＋)V ～」의 형태로 써야 한다. 따라서 what was it for를 what it was for로 고쳐야 한다.

1주 누구나 합격 전략

pp. 32~33

01 ③ **02** (A) whether (B) whether **03** adds **04** it is not their fault that your apartment doesn't absorb sound as well as a rain forest **05** how many countless other people have that same scenario **06** the normal robot cannot do **07** (A) which (B) when **08** ①, ④ **09** Once upon a time, there lived a young king who [that] had a great passion for hunting **10** that → which

01 첫 번째 문장의 빈칸 이하는 문장의 목적어이고, 두 번째 문장의 빈칸 이하는 전치사 on의 목적어이다. 빈칸 뒤에 이어지는 절이 불완전한 구조이므로 관계대명사 what이 들어가야 한다.

해석 • 꿀벌들은 우리가 '집단 지성'이라고 부르는 것을 발전시켜 왔다. • 우리는 우리가 안다고 생각하는 것에 근거하여 결정을 내린다.

어휘 honeybee 꿀벌 evolve 발달시키다 swarm intelligence 집단 지성

02 '흥미로운 질문은 ～인지(아닌지)이다'라는 의미가 되도록 보어로 쓰인 명사절을 이끄는 접속사 whether가 알맞다.

해석 흥미로운 질문은 그 남은 25%가 사실상 잊혀지는 것인가 아니면 고의로 수집되지 않는 것인가이다.

어휘 remaining 남은, 남아 있는 deliberately 고의로 collect 수집하다

03 관계대명사 what이 이끄는 명사절이 주어로 쓰였고, 명사절 주어는 단수 취급하므로, adds로 써야 한다.

04 접속사 that이 이끄는 명사절이 주어로 쓰였으므로, 주어 자리에 가주어 it을 쓰고, 진주어 that절을 문장 뒤로 보낸다.

해석 마코앵무새들은 천성적으로 시끄럽고 감정에 사로잡히기 쉬운 동물이며 여러분의 아파트가 열대우림만큼 소리를 잘 흡수하지 못하는 것은 그들의 잘못이 아니다.

어휘 by nature 천성적으로 creature 생물 absorb 흡수하다 rain forest 열대우림

05 동사 imagine의 목적어 자리이고, 주어진 표현에 의문사 how와 형용사가 있으므로 「how＋형용사＋S＋V ～」 순으로 쓴다.

06 뒤에 목적어가 없는 불완전한 절이 이어지므로, 목적격 관계대명사가 생략된 절이 선행사 two things를 수식하는 구조이다.

해석 인공지능 로봇은 일반 로봇이 할 수 없는 두 가지 일들을 할 수 있다.

07 (A) 관계대명사 that은 「전치사＋관계대명사」의 형태로 쓸 수 없으므로 which가 알맞다. (B) 선행사 a day가 시간을 나타내므로 관계부사 when이 알맞다.

해석 James Walker는 유명한 레슬링 선수였고 그는 레슬링으로 생계를 유지했다. 그의 마을에는, 그 마을의 지도

자가 James가 그의 기술들을 보여 주는 날을 정하는 전통이 있었다.

어휘 renowned 유명한 wrestler 레슬링 선수
make one's living 생계를 유지하다
demonstrate 설명하다, 보여 주다

08 '~하는 방식'은 the way 또는 how로 나타낼 수 있다. 관계부사 how는 선행사 the way와 함께 쓸 수 없고, 둘 중 하나를 생략해야 한다.

어휘 perceive 인식하다 interpret 해석하다
conflict 갈등

09 두 번째 문장의 He는 첫 번째 문장의 a young king을

가리키므로, 주격 관계대명사 who 또는 that을 이용하여 한 문장으로 연결한다.

해석 옛날 옛적에 한 왕이 살았다. 그는 사냥에 대해 엄청난 열정을 가졌다. (→ 옛날 옛적에 사냥에 대해 엄청난 열정을 가진 젊은 왕이 살았다.)

10 콤마(,) 이하가 앞 절을 보충 설명하고 있으므로, 관계대명사 which로 고쳐야 한다. 관계대명사 that은 보충 설명하는 관계대명사절을 이끌지 않는다.

해석 재생 가능한 자원의 사용 또한 그 자체의 결과를 수반하는데, 이를 고려할 필요가 있다.

어휘 renewable 재생 가능한 consequence 결과

1주 창의·융합·코딩 전략 ①

pp. 34~35

A 1 Jenny **2** Emily **3** Ron
B 해설 참조

A

1 동사 believe의 목적어로 쓰인 명사절이 '~라고'라는 의미이므로 접속사 that이 알맞다.

해석 과학자들은 개구리의 조상이 물에 사는, 물고기 같은 동물이었다고 믿는다.

2 주어로 쓰인 명사절이 목적어가 없는 불완전한 구조이므로 관계대명사 what이 알맞다.

해석 여러분이 쓴 것에는 잘못 쓴 철자, 사실의 오류, 무례한 말, 명백한 거짓말이 있을 수 있다.

3 동사 reconsider의 목적어로 쓰인 명사절이 '~인지(아닌지)'의 의미이므로 접속사 whether가 알맞다.

해석 제안된 산책로가 정말로 필요한지 재고해 주시기 바랍니다.

어휘 ancestor 조상 water-dwelling 물에 사는
rude 무례한 obvious 명백한 reconsider 재고하다
trail 산책로 absolutely 정말로, 절대적으로

B

1

| He | asked | why the beast | didn't try | to escape. |

해석 그는 왜 그 짐승이 탈출하려고 애쓰지 않는지를 물었다.

어휘 beast 짐승 escape 탈출하다

2

| Before a trip, | research | how the native inhabitants | dress, |
| work, and eat. |

해석 여행 전에, 토착 주민들이 어떻게 옷을 입고, 일하고, 먹는지를 조사해라.

어휘 native 토착의 inhabitant 거주자, 주민

3

| Sophie | is cluless | about | what Angela | wants. |

해석 Sophie는 Angela가 무엇을 원하는지에 관해 전혀 모른다.

어휘 clueless 전혀 모르는

C 1 who **2** which **3** whose **4** whom
D 1 There are times when you don't want to be bothered.   **2** Wildlife animals need space where they can hide from human activity.   **3** Color can impact how you perceive wight.

C

1 선행사가 사람이고, 관계대명사절에 주어가 없으므로 주격 관계대명사 who가 필요하다.

> **해석** 계속 똑바로 앉아 있는 동승자는 말 그대로 뒤에서 골칫거리가 될 것이다.

> **어휘** passenger 승객, 동승자 literally 말 그대로
> pain in ~의 골칫거리

2 선행사가 사물이고 관계대명사절에 목적어가 없으므로 목적격 관계대명사 which가 필요하다.

> **해석** 농구, 필드하키, 그리고 골프는 아이들이 평균적으로 그들이 12살이 되기 전에 그만두는 스포츠였다.

> **어휘** quit 그만두다 on average 평균적으로

3 선행사가 사람이고 관계대명사절에 소유격 대명사가 없으므로 소유격 관계대명사 whose가 필요하다.

> **해석** 의사들은 심폐소생술과 같은 여러 기술로 심장이 멎은 많은 환자들을 소생시킬 수 있다.

> **어휘** revive 소생시키다 beat (심장이) 고동치다
> cardiopulmonary resuscitation 심폐소생술

4 선행사 the dealer를 수식하는 「전치사＋관계대명사＋S＋V ~」의 관계대명사절이 되도록 목적격 관계대명사 whom이 필요하다. 관계대명사 that은 전치사 뒤에 쓸 수 없다.

> **해석** 당신의 새로운 토스터를 받으려면, 그저 당신의 영수증과 결함이 있는 토스터를 당신이 그것을 샀던 판매자에게 가져가라.

> **어휘** faulty 결함이 있는 dealer 판매자

D

1 '방해받고 싶지 않은 그런 때'의 의미에 맞게 시간을 나타내는 선행사와 이를 수식하는 관계부사 when을 연결한다.

2 '숨을 수 있는 공간'이라는 의미에 맞게 장소를 나타내는 선행사와 관계부사 where를 연결한다.

3 '인식하는 방식'이라는 의미에 맞게 선행사 the way 또는 관계부사 how가 포함된 카드를 연결한다.

> **어휘** wildlife 야생의 space 공간 impact 영향을 주다
> bother 방해하다 perceive 인식하다 hide 숨다

"I want you to be happy"

정답 과 해설

2주 - 부사절과 기타 구문

2주 1일 개념 돌파 전략 ①

pp. 40~43

1-2 Because I had a cold, 감기에 걸렸기 때문에

2-2 Although I missed the bus, 비록 버스를 놓쳤지만

3-2 Feeling so exhausted, 너무 기진맥진해서

4-2 body, mind, 몸과 마음 둘 다에

5-2 the biggest building in my town, 우리 마을에서 가장 큰

6-2 If she had not gone, she wouldn't have caught, 그녀가 외출하지 않았, 감기에 걸리지 않았을

2주 1일 개념 돌파 전략 ②

pp. 44~45

1 (1) When I was young, 어렸을 때, 나는 탐험가가 되고 싶었다.

(2) because I was so frightened, 나는 너무 무서워서 움직일 수 없었다.

2 (1) Unless you get up right now, 지금 당장 일어나지 않으면, 너는 회의에 늦을 것이다.

(2) Although she was very tired, 비록 피곤했지만, 그녀는 잠을 잘 수 없었다.

3 (1) Walking down the street, 길을 걷다가 나는 오랜 친구 하나를 만났다.

(2) Being covered with snow, 눈으로 덮여서 길이 매우 미끄러웠다.

4 (1) on land, in water, 양서류는 땅 위와 물속 둘 다에서 살 수 있다.

(2) playing soccer, reading novels, baking cookies, watching movies, 그는 축구하기, 소설책 읽기, 쿠키 굽기, 그리고 영화 보기를 좋아한다.

5 (1) more expensive than, 새로 출시된 이 휴대 전화는 그 노트북보다 더 비싸다.

(2) the most famous actor in Korea, 그는 한국에서 가장 유명한 영화배우이다.

6 (1) If I knew, I could text, 내가 그의 전화번호를 안다면, 그에게 문자를 보낼 수 있을 텐데.

(2) If you had taken, you could have arrived, 네가 전철을 탔다면, 제시간에 도착할 수 있었을 텐데.

2주 2일 필수 체크 전략 ①

pp. 46~49

필수 예제 **1** (1) when (2) because (3) As

확인 문제 **1-1** (1) As soon as (2) because

확인 문제 **1-2** will arrive → arrives

필수 예제 **2** (1) If (2) Although

확인 문제 **2-1** (1) Even though Fred thought

(2) in case it disturbs his prayers

확인 문제 **2-2** Families don't grow strong unless parents invest precious time in them.

필수 예제 **3** (1) lifting (2) Feeling (3) not knowing
확인 문제 **3-1** (1) Dorothy told her, sobbing and sniffing.
(2) Feeling shameful, Mary handed the doll back to the child.
확인 문제 **3-2** The dog leapt into the room, proudly wagging his tail.

필수 예제 **4** (1) Armed (2) having experienced
확인 문제 **4-1** (1) after becoming a priest
(2) her eyes darting around
확인 문제 **4-2** With my suitcase packed, I started for the front door of our bungalow.

필수 예제 1

(1) when은 '~할 때', until은 '~할 때까지'의 의미로 시간의 부사절을 이끄는 접속사이다. '그녀가 10세였을 때'라는 의미가 자연스러우므로, when이 알맞다.
〔해석〕 화학에 대한 그녀의 흥미는 그녀가 단지 10세였을 때 생겼다.
〔어휘〕 interest 흥미 chemistry 화학

(2) before는 '~하기 전에'의 의미로 시간의 부사절을 이끌고, because는 '~이기 때문에'의 의미로 이유의 부사절을 이끈다. '중요한 것 같지 않아서'의 의미가 되도록 because가 알맞다.
〔해석〕 우리는 흔히 작은 변화들이 당장은 크게 중요한 것 같지 않아서 그것들을 무시한다.
〔어휘〕 ignore 무시하다 matter 중요하다

(3) As는 '~할 때'의 의미로 시간의 부사절을 이끌거나 '~이기 때문에'의 의미로 이유의 부사절을 이끌고, once는 '일단 ~하면'의 의미로 시간의 부사절을 이끈다. '운전하는 것을 좋아했기 때문에'의 의미가 되도록 As가 알맞다.
〔해석〕 내가 운전하는 것을 매우 좋아했기 때문에, 우리는 자동차에 관한 이야기로 옮겨 갔다.

확인 문제 1-1

(1) '~하자마자'의 의미로 시간의 부사절을 이끄는 as soon as가 알맞다.
〔해석〕 한 사람과 침팬지가 달리기를 시작하자마자 그들은 둘 다 더위를 느낀다.
〔어휘〕 chimp 침팬지

(2) 무대 위에서 집중이 어렵다는 주절의 내용에 이유를 덧붙이는 부사절 접속사 because가 알맞다.
〔해석〕 관객이 자신이 원하는 어느 곳이든 자유롭게 볼 수 있기 때문에 무대 위에서는 (관객의) 집중이 훨씬 더 어렵다.
〔어휘〕 stage 무대 focus 집중 be free to 자유롭게 ~하다 wherever 어디든지

확인 문제 1-2

시간의 부사절에서는 현재 시제가 미래 시제를 대신하므로, As soon as가 이끄는 부사절의 will arrive를 arrives로 바꿔야 한다.
〔어휘〕 immediately 즉시 arrange 결정하다

필수 예제 2

(1) if는 '~한다면', unless는 '~하지 않는다면(if ~ not)'의 의미로 조건의 부사절을 이끄는 접속사이다. 부사절 내에 부정어 never가 있으므로 if가 알맞다.
〔어휘〕 take a risk 위험을 무릅쓰다 reject 거절하다

(2) '비록 ~일지라도'의 의미로 양보의 부사절을 이끄는 접속사 although가 알맞다. as long as는 '~하는 한'의 의미로 조건의 부사절을 이끈다.
〔어휘〕 self-correcting 스스로 수정하는, 자기 수정적인

확인 문제 2-1

(1) 부사절은 「접속사＋주어＋동사 ~」의 형태로 완전한 구조이다. 양보의 부사절을 이끄는 접속사 Even though로 시작하여 주어 Fred와 동사 thought를 차례로 쓴다.
〔해석〕 비록 Fred는 자신이 문화 숙제를 끝냈다고 생각했지만, 그는 한 가지 특정한 실수를 저질렀다.
〔어휘〕 particular 특정한

(2) 조건의 부사절을 이끄는 접속사 in case를 먼저 쓰고, 주어 it, 동사 disturbs, 목적어 his prayers를 차례로 쓴다.
〔해석〕 그 성자는 그것이 자신의 기도를 방해할 경우를 대비하여 개구리에게 조용히 하라고 말한다.

어휘 saint 성자 disturb 방해하다 prayer 기도

확인 문제 2-2

'가족은(S) / 강해지지 않는다(V + C)'를 먼저 쓰고, 부사절 접속사 unless 다음에는 '부모가(S) / 투자하지 않으면(V) / 소중한 시간을(O) / 가정에(M)'의 순으로 배열한다. 부사절을 앞에 쓸 경우에는 부사절 뒤에 콤마(,)를 넣어야 한다.

어휘 invest 투자하다 precious 소중한

필수 예제 3

(1) '나를 들어 올리면서'의 의미로 동시동작을 나타내는 분사구문이 되도록 lifting이 와야 한다.

해석 그 동물은 수면으로 나를 들어 올리며 보호해 주고 있었다.

어휘 protect 보호하다 lift 들어 올리다 surface 표면

(2) '최악의 고비가 끝났다고 느끼며'의 의미를 나타내는 분사구문이 되도록 Feeling이 와야 한다. 분사구문은 부사절과 주절의 주어가 같을 때 접속사와 주어를 생략하고 동사를 분사로 바꾼 것이므로, 분사구문 앞에 주어가 없어야 한다.

해석 최악의 고비가 끝났다고 느끼며, 나는 온몸의 긴장이 풀리고 마음이 편안해짐을 알게 된다.

어휘 loosen up (긴장을) 풀다 at ease 마음이 편안한

(3) 분사구문의 부정형은 「not [never] + v-ing ~」이므로, not knowing이 알맞다.

해석 그는 다시 말을 하려고 했지만, 무슨 말을 해야 할지 몰랐다.

확인 문제 3-1

(1) 분사구문은 부사절의 접속사와 주어를 생략하고 동사를 현재분사(v-ing)로 바꿔 쓰는 것이므로, sobbed and sniffed를 sobbing and sniffing으로 바꿔야 한다.

해석 Dorothy는 흐느껴 울면서 코를 훌쩍거리며 그녀에게 말했다.

어휘 sob 흐느끼다 sniff 코를 훌쩍거리다

(2) She와 Mary가 동일한 대상이므로, She를 생략하고, 현재분사 Feeling으로 시작하는 분사구문이 되어야 한다.

해석 창피해하면서 Mary는 그 인형을 그 아이에게 돌려주었다.

어휘 shameful 창피해하는 hand ~ back 돌려주다

확인 문제 3-2

'그 개는(S) / 뛰어들어왔다(V) / 방으로(M)'의 순으로 주절을 먼저 쓰고, 이어서 연속동작을 나타내는 분사구문 '자랑스럽게 자신의 꼬리를 흔들었다(M)'를 쓴다.

필수 예제 4

(1) 사람들이 과학적 지식으로 '무장되는' 것이므로, 과거분사 Armed로 시작하는 수동 분사구문이 알맞다.

어휘 arm with ~으로 무장시키다 tool 도구

(2) 주절보다 앞선 시제를 나타내는 완료 분사구문은 「Having + p.p. ~」의 형태이므로, having experienced가 알맞다.

어휘 mysterious 신비한 fascinating 흥미로운

확인 문제 4-1

(1) 분사구문은 주절과의 관계를 분명히 하기 위해 「접속사 + v-ing/p.p. ~」의 형태로 분사 앞에 접속사를 표시하기도 하므로, 「접속사 + v-ing ~」의 순으로 배열한다.

해석 사제가 되고 난 후, 1580년대에 그는 스페인으로 돌아왔다.

어휘 priest 사제

(2) 분사구문의 의미상 주어가 주절의 주어와 다를 때 분사 앞에 표시하기도 하므로, 「S′ + v-ing ~」의 순으로 배열한다.

해석 "우리가 어떤 길로 왔는지 알고 있어?" Lauren이 시선을 여기저기 던지며 물었다.

어휘 dart 휙 눈길을 던지다

확인 문제 4-2

'~한 채로/~된 채로'의 의미로 부대상황을 나타낼 때 「with + 목적어(O) + v-ing/p.p. ~」 형태의 분사구문을 이용할 수 있다. 「With + my suitcase(O) + packed(p.p.)」를 먼저 쓰고, '나는(S) / 향했다(V) / 우리 방갈로의 앞문으로(M)'를 이어서 쓴다.

어휘 bungalow 방갈로 suitcase 여행 가방

2^주 2^일 필수 체크 전략 ②

1 (A) Because (B) If (C) before **2** ② **3** As soon as the wedding ceremony was over, the celebration began.
4 (B) making (C) shaking (D) raised

---

1 (A) '나무가 기후에 예민한 것은' 나무가 기후에 대한 정보를 주는 이유에 해당하므로, 이유의 부사절을 이끄는 접속사 because가 알맞다. (B) 나무가 힘든 기후 조건을 '경험한다면'의 의미가 되도록 조건의 부사절을 이끄는 접속사 if가 알맞다. (C) 특히 아주 오래된 나무들이 관측이 기록되기 훨씬 '이전'의 기후에 관한 정보를 준다는 의미가 되도록 접속사 before가 알맞다.

지문 해석 나무는 비와 온도 같은, 지역의 기후 조건에 민감하므로, 그것들은 과거의 그 지역 기후에 대한 약간의 정보를 과학자에게 제공해  준다. 예를 들어, 나이테는 온화하고 습한 해에는 (폭이) 더 넓어지고 춥고 건조한 해에는 더 좁아진다. 만약 나무가 가뭄과 같은 힘든 기후 조건을 경험하게 되면, 그러한 기간에는 나무가 거의 성장하지 못할 수 있다. 특히 아주 오래된 나무는 관측이 기록되기 훨씬 이전에 기후가 어떠했는지에 대한 단서를 제공해 줄 수 있다.

2 ② 그(Turner)가 자신의 연구를 '계속한'의 의미가 되도록, 현재분사 Proceeding으로 시작하는 분사구문이 되어야 한다.

지문 해석 1867년 Ohio 주의 Cincinnati에서 태어난 Charles Henry Turner는 곤충 행동 분야의 초기 개척자였다. 그의 아버지는 Turner가 곤충의 습성과 행동에 관한 독서에 매료될 수 있었던 광범위한 도서를 가지고 있었다. 자

신의 연구를 계속하면서 Turner는 동물학에서 박사 학위를 받았고, 그렇게 한 최초의 아프리카계 미국인이었다. 아마도 인종 차별의 결과로, 학위를 받은 후에도 Turner는 어떤 주요 대학에서도 교직이나 연구직을 얻을 수 없었다.

3 '~하자마자'의 의미로 시간의 부사절을 이끄는 접속사 as soon as를 이용하여 '결혼식이 끝나자마자(M), / 축하 행사가(S) / 시작되었다(V)'의 순으로 쓴다.

지문 해석 추장이 Little Fawn을 나오라고 불러, 그녀의 오른손과 Sam의 오른손을 잡고 그 두 손을 한 가닥의 작은 가죽끈으로 함께 묶었다. 그는 큰 소리로 Sam에게 말했다. "너는 이제 결혼한 사람이다." 결혼식이 끝나자마자, 축하 행사가 시작되었다. 어린 소년들과 소녀들이 피리 소리와 북장단에 맞춰 춤을 추기 시작하자 Fawn과 Sam은 담요를 깔고 앉았다. 그들은 흥겨운 소리를 지르고 머리 위로 손을 올려 흔들며 원을 이뤄 춤을 추었다. Fawn은 일어서서 그들과 함께했다. 사람들은 박수를 치고 노래를 부르기 시작했다. Fawn과 Sam은 행복한 두 사람이었다.

4 (B), (C) 흥겨운 소리를 '만들면서', 손을 '흔들면서'의 의미를 나타내는 분사구문이 되도록 각각 making과 shaking을 써야 한다. (D) 손이 '들어 올려지는'이라는 수동의 의미이므로 「with + 목적어 + p.p. ~」 형태의 분사구문을 이루는 과거분사 raised를 써야 한다.

2^주 3^일 필수 체크 전략 ①

필수 예제 **5** (1) knowledge (2) instructing
　　　　　　 (3) remembered
확인 문제 **5-1** (1) thanked (2) (to) let
확인 문제 **5-2** Antibiotics either kill bacteria or stop them from growing.

필수 예제 **6** (1) O (2) × (3) ×
확인 문제 **6-1** (1) move as little as possible (2) twice as high as that
확인 문제 **6-2** small → smaller

필수 예제	**7**	(1) the biggest (2) choices (3) more
확인 문제	**7-1**	(1) more closely
		(2) one of the most valuable things
확인 문제	**7-2**	Nothing is more important to us than the satisfaction of our customers.

필수 예제	**8**	(1) were (2) did
확인 문제	**8-1**	(1) lived (2) have been
확인 문제	**8-2**	had not been

필수 예제 5

(1) 등위접속사 or 앞의 명사 education과 병렬구조를 이루도록 명사 knowledge가 와야 한다.

해석 교육이나 지식은 아무리 많이 있어도 지나치지 않다.

어휘 knowledgeable 지식이 있는

(2) 전치사 of의 목적어로 쓰인 동명사 coaching과 병렬구조를 이루도록 동명사 instructing이 와야 한다.

해석 나는 고등학교 3년간 Ashley의 축구 코치를 맡아 지도하고, 그녀가 1학년 때는 스페인어를 가르치는 기쁨을 누렸다.

어휘 pleasure 기쁨 instruct 가르치다
freshman (대학·고등학교의) 신입생, 1학년

(3) 상관접속사 neither A nor B로 두 개의 동사가 병렬구조를 이루도록 remembered가 와야 한다.

해석 그는 그를 알아보지도, 이름을 기억해 내지도 못했기 때문에 미안함을 느꼈다.

어휘 recognize 알아보다

확인 문제 5-1

(1) '내게 와서 고맙다고 했다'라는 의미로 동사 came과 병렬구조를 이루도록 thanking을 thanked로 바꿔야 한다.

해석 그는 눈물을 글썽이며 그 편지를 들고 내게 와서 고맙다고 했다.

(2) 문장의 목적어로 쓰인 to부정사와 병렬구조를 이루도록 letting을 (to) let으로 바꿔야 한다. to부정사가 병렬구조를 이룰 때 뒤에 나오는 to는 생략할 수 있다.

해석 여러분은 과거를 잊고 놓아주기로 결심해야 한다.

어휘 let go of ~을 놓아주다

확인 문제 5-2

상관접속사 either A or B를 이용하여 두 개의 동사가 병렬구조를 이루도록 배열한다.

필수 예제 6

(1) '~만큼 …하지 않은/…하지 않게'라는 의미의 비교 표현은 「not + as + 원급 + as」이므로 바르게 쓰였다.

해석 온라인 평가는 사람 간의 직접적인 의견 교환만큼 강력하지는 않다.

어휘 direct 직접적인 interpersonal 사람 간의

(2) '~보다 더 …한/…하게'라는 의미의 비교 표현은 「비교급 + than」이므로 loud의 비교급 louder가 와야 한다.

해석 다른 사람의 행동은 종종 그들이 하는 말보다 더 큰 목소리를 낸다.

(3) '~하면 할수록 더 …하다'라는 의미의 비교 표현은 「the + 비교급 ~, the + 비교급 …」이므로 the more difficult가 와야 한다.

해석 기대감이 더 높아질수록 만족하기는 더욱 어려워진다.

어휘 expectation 기대감
satisfied 만족하는

확인 문제 6-1

(1) '가능한 한 …하게'라는 의미의 비교 표현은 「as + 원급 + as possible」로 나타낸다.

해석 코알라들은 가능한 한 적게 움직이는 경향이 있다.

어휘 tend to ~하는 경향이 있다

(2) '~보다 ~배 …한'이라는 의미의 비교 표현은 「배수 표현 + as + 원급 + as」로 나타낸다.

해석 건강 과학 발명 분야에서, 여성 응답자의 비율은 남성 응답자의 비율보다 2배만큼 높았다.

어휘 percentage 비율 respondent 응답자

확인 문제 6-2

'점점 더 …한'이라는 의미의 비교 표현은 「비교급 + and + 비교급」이므로, small을 smaller로 바꿔야 한다.

어휘 break down into ～로 분해되다 expose 노출시키다
ultraviolet 자외(선)의

필수 예제 7

(1) '…에서 가장 ～한 (명사)'라는 의미의 비교 표현은
「the + 최상급 + (명사 +)in/of + 명사(구)」이므로 최상급
the biggest가 알맞다.
해석 1800년대 후반에 철도 회사는 미국에서 가장 큰 기업
들이었다.
(2) '가장 ～한 … 중 하나'라는 의미의 비교 표현은 「one of
the + 최상급 + 복수 명사」이므로 복수 명사 **choices**가 알
맞다.
해석 가구 선택은 소비자가 하는 가장 인지적으로 힘든 선택
중 하나이다.
어휘 cognitively 인지적으로 demanding (일이) 힘든
consumer 소비자
(3) '(다른) 어떤 A도 B보다 ～하지 않다'라는 의미의 비교 표현
은 「No (other) A ～ + 비교급 + than B」이므로 비교급
more가 알맞다.
해석 2012년에는 다른 어떤 나라도 인도보다 더 많은 쌀을
수출하지 않았다.
어휘 export 수출하다

확인 문제 7-1

(1) '다른 어떤 …보다도 더 ～하게'라는 의미의 비교 표현은 「비
교급 + than any other + 단수 명사」이므로, 최상급 most
closely를 비교급 **more closely**로 고쳐야 한다.
해석 결혼의 성공은 다른 어떤 요인보다도 의사소통 기술들
에 더욱 긴밀히 연관되어 있다.
어휘 marital 결혼의 factor 요인
(2) '가장 ～한 … 중 하나'라는 의미의 비교 표현은 「one of
the + 최상급 + 복수 명사」이므로 최상급 the
most valuable로 써야 한다.
해석 플라스틱병에 든 물 한 병이 갑자기 세
상에서 가장 귀중한 것이 될 수도 있다.
어휘 valuable 귀중한

확인 문제 7-2

'아무것도 …보다 ～하지 않다'라는 의미의 비교 표현인

「Nothing ～ + as + 원급 + as」를 이용하여 '아무것도 / 더 중요
하지 않다 / 우리에게 / 우리 고객들의 만족보다'의 순으로 쓴다.
어휘 customer 고객 satisfaction 만족

필수 예제 8

(1) '만약 ～라면, …할 텐데.'의 의미로 현재 사실의 반대를 나타낼
때 「If + S + V(과거) ～, S + 조동사의 과거형 + V(원형) ....」
의 가정법 과거를 이용하므로, 과거형 **were**가 알맞다.
어휘 balcony 발코니 floor 층
(2) '마치 ～인 것처럼 …한다'는 「S + V + as if + S + V(과거) ～.」
형태의 as if 가정법 과거로 나타낼 수 있으므로, 과거형 **did**
가 알맞다.
어휘 advertise 광고하다 product 제품
competitor 경쟁자 exist 존재하다

확인 문제 8-1

(1) 현재 사실의 반대를 나타내는 if 가정법 과거는 「If +
S + V(과거) ～, S + 조동사의 과거형 + V(원형) ....」의 형태
이므로 과거형 **lived**를 써야 한다.
해석 만약 우리가 아무것도 변하지 않는 행성에서 산다면,
할 일이 거의 없을 것이다.
어휘 planet 행성
(2) 과거 사실의 반대를 나타내는 if 가정법 과거완료는 「If + S +
V(과거완료) ～, S + 조동사의 과거형 + have p.p. ....」의 형태
이므로 과거완료 **have been**을 써야 한다.
해석 만약 트럭이 좀 더 가까웠더라면, 커다란 재앙이 발생
했을 것이다.
어휘 disaster 재앙

확인 문제 8-2

주절에 「S + 조동사의 과거형 + have p.p.」가 쓰인 것으로 보아
가정법 과거완료로 써야 하므로, **had not been**을 넣어야 한다.
해석 그러한 열정이 없었더라면, 그들은 아무것도 이루지 못했을
것이다.
어휘 passion 열정 achieve 이루다, 성취하다

과 해설

2주 3일 필수 체크 전략 ②

1 (A) immediate (B) to make (C) to have **2** ③ **3** ⓓ, loudly → loud **4** as if someone were dropping pennies on the roof

1 (A) 앞의 형용사 creative와 병렬구조를 이루도록 형용사 immediate가 와야 한다. (B), (C) 앞의 to부정사 to delight, to say와 병렬구조를 이루도록 to make와 to have가 와야 한다.

지문 해석 아이들은 창의적이고 즉각적인 언어 놀이에서 즐거움을 찾고, 실없는 말을 해놓고 웃기도 하고, 언어 놀이의 속도, 타이밍, 방향, 흐름에 대한 주도권을 가질 수 있을 필요가 있다. 아이들이 자신의 언어 놀이를 발전시키도록 허용될 때, 광범위한 이점이 생긴다.

2 ③ '…에서 가장 ~한 (명사)'라는 의미의 비교 표현은 「the + 최상급 + (명사 +)in/of + 명사(구)」이므로 smallest가 와야 한다.

지문 해석 위 그래프는 2012년과 2014년에 최소 주 5일 이상 재미를 위해 책을 읽는 여러 다른 연령대에 속한 아이들의 비율을 보여 준다. 2012년에 6-8세 연령대의 아이들의 비율은 15-17세 연령대의 아이들의 비율의 두 배였다. 2014년에 6-8세 연령대 아이들의 비율은 다음 두 연령대 그룹, 12-14세와 15-17세 비율의 합보다 컸다. 2012년과 2014년의 비율의 차이는 12-14세 연령대에서 가장 작았다.

3 ⓓ 앞의 형용사 strong과 병렬구조를 이루도록 형용사 loud로 고쳐야 한다.

지문 해석 Garnet은 촛불들을 불어서 끄고 누웠다. 심지어 홑이불 한 장조차 너무 더운 날이었다. 그녀는 땀을 흘리면서 비를 가져오지 않는 공허한 천둥소리를 들으며 그곳에 누워 있었고, "나는 이 가뭄이 끝났으면 좋겠어."라고 속삭였다. 그날 밤늦게, Garnet은 그녀가 기다려 온 무언가가 곧 일어날 것 같은 기분이 들었다. 그녀는 귀를 기울이며 가만히 누워 있었다. 그 천둥은 더 큰 소리를 내면서 다시 우르르 울렸다. 그러고 나서 천천히, 하나하나씩, 마치 누군가가 지붕에 동전을 떨어뜨리는 것처럼 빗방울이 떨어졌다. Garnet은 희망에 차서 숨을 죽였다. 그 소리가 잠시 멈췄다. "멈추지 매! 제발!" 그녀는 속삭였다. 그런 다음 그 비는 세차고 요란하게 세상에 쏟아졌다. Garnet은 침대 밖으로 뛰쳐나와 창문으로 달려갔다. 그녀는 기쁨에 차서 소리쳤다. "비가 쏟아진다!" 그녀는 그 뇌우가 선물처럼 느껴졌다.

4 as if 가정법 과거 「as if + S + V(과거) ~」를 이용하여 '누군가가(S) / 떨어뜨리는 것처럼(V) / 동전을(O) / 지붕에(M)'의 순으로 배열한다.

2주 4일 교과서 대표 전략 ①

대표 예제 1 While King Odysseus was away, Mentor was a friend and a teacher to Telemachus. 대표 예제 2 ②

대표 예제 3 ③ 대표 예제 4 Although[(Even) Though/Even if] 대표 예제 5 ③ 대표 예제 6 (Being) Inspired by the video

대표 예제 7 (A) saying (B) held 대표 예제 8 ④ 대표 예제 9 ② 대표 예제 10 The angrier I became, the more I needed to calm myself down and act carefully. 대표 예제 11 record → records 대표 예제 12 have done, hadn't taken

대표 예제 13 ①, ③, ⑤ 대표 예제 14 It looked as if the lights were slowly dancing to the music of nature.

52 내신전략 고등 영어 · 구문

대표 예제 1

'~하는 동안'이라는 의미의 부사절 접속사 while을 이용하여 첫 번째 문장을 시간의 부사절로 바꾸고, 두 번째 문장을 이어서 쓴다.

해석 오디세우스 왕이 떠나 있었다. 멘토르는 텔레마쿠스에게 친구이자 스승이었다.

어휘 be away 떨어져 있다, 떠나 있다

대표 예제 2

부사절은 「접속사 + S + V ~」의 형태이고, '추상적인 이론들을 명확하게 이해할 수가 없어서'가 이유를 나타내는 부사절에 해당하므로, 접속사 because는 ②에 들어가야 한다.

어휘 get ~ straight ~을 분명히 하다 abstract 추상적인 theory 이론

대표 예제 3

'만약 ~한다면'의 의미로 조건의 부사절을 이끄는 접속사 If가 알맞다.

해석 ① ~할 때 ② ~하지 않으면(if ~ not) ④ 비록 ~일지라도 ⑤ ~이기 때문에

어휘 think outside the box 고정관념을 깨다 realize 깨닫다

대표 예제 4

'비록 실수를 했지만, 녹음을 성공적으로 마쳤다'라는 의미가 되도록 양보의 부사절을 이끄는 접속사를 이용한다.

해석 나는 실수를 좀 했다. 하지만, 나는 나의 첫 녹음을 성공적으로 마쳤다. (→ 비록 나는 실수를 좀 하긴 했지만, 나의 첫 녹음을 성공적으로 마쳤다.)

어휘 recording 녹음

대표 예제 5

while we waited ~는 시간의 부사절이다. 부사절과 주절의 주어가 일치하므로, 접속사 while과 주어 we를 생략하고 동사 waited를 현재분사 waiting으로 바꿔 분사구문으로 만들 수 있다.

해석 우리는 어느 언덕 위에 자리를 잡고 북극광을 조용히 기다리는 동안 저녁을 먹었다.

어휘 calmly 조용히 the Northern Lights 북극광

대표 예제 6

분사구문의 의미상 주어 Whitacre가 '영감을 받은' 것이므로 「(Being +)P.P. ~」의 수동 분사구문이 되도록 현재분사 Inspiring을 (Being) Inspired로 바꿔야 한다.

어휘 inspire 영감을 주다 virtual 가상의 choir 합창단

대표 예제 7

(A) '~라고 말하며'라는 의미의 분사구문을 이루는 현재분사 saying이 알맞다. (B) 「with + 목적어 + v-ing/p.p. ~」 형태의 분사구문에서 목적어와 분사의 관계가 수동일 때 과거분사를 써야 하므로 held가 알맞다.

지문 해석 오빠는 나를 반 학생들에게 소개해 주었고, '쿠마리'라는 이름의 학생을 도와주라고 나에게 부탁했다. 그녀는 네팔 출신이다. 그녀는 나에게 "나마스떼"라고 말하며 합장한 채 인사를 했다. 그녀가 한글로 낱말 쓰는 것을 내가 도와주었을 때, 그녀의 눈은 기쁨으로 빛났다. 그녀는 한국어를 배우는 데 열정적이었고, 나는 가르치는 데 큰 기쁨을 느꼈다.

어휘 bow 허리를 굽히다, 인사하다 palm 손바닥 light up with ~으로 빛나다 enthusiastic 열정적인

대표 예제 8

병렬구조로 연결된 두 대상은 문법적 구조나 성격이 일치해야 하므로, (by) spreading이 와야 한다.

해석 유럽 토끼들은 식물을 먹고 그 씨앗을 퍼뜨림으로써 생태계에 영향을 미친다.

어휘 affect 영향을 미치다 ecosystem 생태계

대표 예제 9

'A뿐만 아니라 B도'라는 의미의 상관접속사는 not only [just] A but (also) B이므로, 빈칸에는 but이 들어가야 한다.

어휘 be regarded as ~로 여겨지다 ritual 의식

대표 예제 10

'~하면 할수록 더 …하다'라는 의미의 비교 표현 「the + 비교급 ~, the + 비교급 ….」을 이용하여, '더 화가 나게 / 내가 / 될수록, / 더 많이 / 나는 / 필요가 있다 / 스스로를 진정시킬 / 그리고 조심스럽게 행동할'의 순으로 쓴다.

어휘 calm down 진정하다, ~을 진정시키다

대표 예제 11

'가장 ~한 … 중 하나'라는 의미의 비교 표현은 「one of the + 최상급 + 복수 명사」이므로 복수 명사 records로 써야 한다.

[해석] 조선왕조실록은 세계에서 가장 잘 보존된 문화적 기록 중 하나이다.

[어휘] well-preserved 잘 보존된

대표 예제 12

과거의 사실과 반대되는 상황을 가정할 때 가정법 과거완료 「If + S + V(과거완료) ~, S + 조동사의 과거형 + have p.p. .....」를 쓸 수 있으므로, didn't do는 would have done으로, took는 hand't taken으로 바꿔야 한다.

[해석] 내가 온라인으로 새것을 주문하는데 그렇게 오래 걸렸기 때문에 나는 그것을 더 일찍 끝내지 않았다. (→ 만약 내가 온라인으로 새것을 주문하는데 그렇게 오래 걸리지 않았다면 나는 그것을 좀 더 일찍 끝냈을 텐데.)

[어휘] order 주문하다

대표 예제 13

Without 가정법 문장에서 Without 대신 But for를 쓸 수 있다. 또한, 주절에 「주어 + 조동사의 과거형 + have p.p.」가 쓰였

으므로, 가정법 과거완료로 보아 If it had not been for ~ 또는 Had it not been for ~로도 바꿀 수 있다.

[해석] 그들의 노력이 없었다면, 조선왕조실록은 영원히 사라졌을 것이다.

[어휘] effort 노력 lose 잃다(-lost-lost)

대표 예제 14

'마치 ~인 것처럼 …했다'는 as if 가정법 과거 「S + V + as if + S + V(과거) ~.」를 이용하여 나타내므로, 동사 are를 과거형 were로 바꿔야 한다.

[지문 해석] 하늘에서 북극광에 관한 어떤 조짐도 없이 수 시간이 흘렀다. 나는 우리가 북극광을 볼 수 있을지 의심하기 시작했다. 그때, 엄마가 외쳤다. "저 위를 봐!" 약간의 불빛들이 하늘에 나타나기 시작했다! 처음에는, 그것들이 바람에 흔들리는 양초 불길처럼 보였다. 그러더니, 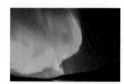 그것들은 점차 색깔과 모양이 서서히 변하는 녹색 불빛의 커튼들로 변했다. 그것은 마치 저 불빛들이 자연의 음악에 맞춰 천천히 춤을 추고 있는 것처럼 보였다.

[어휘] sign 조짐, 징후 shout (큰 소리로) 외치다 candle 양초 flame 불길, 불꽃 gradually 서서히 shape 모양

2주 4일 교과서 대표 전략 ②

pp. 62~63

01 ④ 02 ③, ⑤ 03 beaten → beating 04 Not just meat-eating animals but also plant-eating animals can be keystone species. 05 (1) better (2) better than (3) good as 06 (A) got (B) touched 07 (A) the toughest (B) is covered 08 Without the hole, it would not be easy to control.

---

01 '비록 ~일지라도/~에도 불구하고'라는 의미의 부사절 접속사는 ④ Although이다.

[해석] ① ~할 때 ② ~이후로; ~이기 때문에 ③ ~할 때까지 ⑤ ~이기 때문에

[어휘] mind 신경을 쓰다, 꺼리다

02 ③ 「접속사 + v-ing ~」형태의 분사구문을 이루는 현재분사 reading은 빈칸에 들어갈 수 있다. ⑤ 부사절 접속사 뒤에는 「S + V ~」가 이어지므로, I read도 들어갈 수 있다.

[해석] 그의 책을 읽으면서[읽는 동안] 나는 그의 흥미로운 이야기와 창의적인 등장인물에 매료되었다.

[어휘] fascinated by ~에 매료된

03 부대상황을 나타내는 「with + 목적어 + v-ing/p.p. ~」의 분사구문이 쓰였다. '심장이 매우 빠르게 뛰는 채로'의 의미로 목적어 my heart와 능동 관계를 이루도록 과거분사 beaten을 현재분사 beating으로 바꿔야 한다.

[해석] 나는 심장이 매우 빠르게 뛰는 채로 책을 낭독하기

시작했다.

어휘 beat (심장이) 뛰다, 고동치다

04 'A뿐만 아니라 B도'라는 의미의 상관접속사 Not only [just] *A* but (also) *B*를 이용하여 '육식 동물뿐만 아니라 채식 동물도(S) / ~일 수 있다(V) / 핵심종(C)'의 순으로 쓴다.

어휘 meat-eating 육식의 plant-eating 초식의 keystone species 핵심종(일정 지역의 생태 군집 유지에 큰 영향을 미치는 종)

05 주어진 문장에는 「the + 최상급 + 명사」 형태의 최상급 구문이 쓰였으므로, 원급, 비교급을 이용한 최상급 표현으로 바꿀 수 있다.
해석 내 인생의 최고의 밤이었다.
(1) 「비교급 + than any other + 단수 명사」 형태의 비교급 표현을 이용하여 최상급의 의미를 나타낼 수 있다.
해석 내 인생의 다른 어떤 밤보다도 더 좋았다.
(2) 「No (other) *A* ~ + 비교급 + than *B*」 형태의 비교급 표현을 이용하여 최상급의 의미를 나타낼 수 있다.
해석 내 인생의 다른 어떤 밤도 이보다 더 좋지 않았다.
(3) 「No (other) *A* ~ + as + 원급 + as *B*」 형태의 원급 비교 표현을 이용하여 최상급의 의미를 나타낼 수 있다.
해석 내 인생의 다른 어떤 밤도 이만큼 좋지 않았다.

06 If를 이용한 가정법 문장으로, 주절이 「S + 조동사의 과거형 + V(원형)」의 형태이므로 if절은 「If + S + V(과거) ~」의 형태가 되어야 한다. if 뒤에 두 개의 절이 and로 연결되어 있으므로, 두 동사 모두 과거형이 와야 한다.
해석 만약 여러분의 연이나 풍선이 전깃줄에 걸리고 여러

분이 그 줄을 만진다면, 무슨 일이 벌어질까?

어휘 power line 전깃줄
string 줄

07 (A) 뒤에 of all kites ~가 특정 범위를 나타내고 있으므로, 「the + 최상급 + (명사 +)of + 명사구」 형태의 최상급 구문이 되도록 the toughest가 와야 한다. (B) 앞의 동사 is traditionally made ~와 병렬구조를 이루도록 동사 is covered가 와야 한다.
지문 해석 가장 인기 있는 한국의 연인 방패연은 단순해 보인다. 그러나 한국의 연 중에서 가장 날리기 어렵다. 이 직사각형 연은 전통적으로 5개의 대나무 살로 만들어지며 전통 한지를 붙인다. 다른 나라의 연과 달리, 이 연은 중앙에 연의 가로 길이의 절반이 지름인 원형 구멍이 있다. 이 구멍이 하는 역할은 공기를 조절하는 것이다. 연의 정면에 있는 공기가 미는 힘은 바람의 일부가 이 구멍을 통해 뒤로 빠져나가기 때문에 크게 감소한다. 이것은 여러분이 연을 재빠르게 돌릴 수 있게 해 준다. 구멍이 없다면, 통제하기가 쉽지 않을 것이다.
어휘 tough 힘든, 어려운 rectangular 직사각형의 traditionally 전통적으로 bamboo 대나무 circular 원형의 diameter 지름 width 길이, 너비 control 통제하다 reduce 줄이다 pass through 관통하다

08 Without 가정법을 이용하여 「Without + 명사, S + 조동사의 과거형 + V(원형) ~」의 순으로 배열한다. 주어진 표현 중 it은 가주어이므로, 진주어 to부정사를 문장 뒤에 써야 한다.

②주 누구나 합격 전략

pp. 64~65

01 since he wanted to say something to him, 그가 그(James)에게 할 말이 있었기 때문에 그 노인은 James에게 더 가까이 와 줄 것을 청했다. **02** ①, ③ **03** ② **04** looking, 지켜보는 채 **05** ① **06** ④ **07** the more, the slower **08** respond → have responded **09** as if he were taking dictation **10** Without, were not, Were, not

정답과 해설 **55**

01 부사절 접속사 since는 '~이후/~한 이래로'의 의미로 시간의 부사절을 이끌거나, '~이기 때문에'의 의미로 이유의 부사절을 이끈다. 문맥상 '할 말이 있었기 때문에'와 줄 것을 청했다는 이유의 의미로 해석하는 것이 자연스럽다.

02 '~할 때'라는 의미로 시간의 부사절을 이끄는 접속사는 when과 as이다. as는 '~이기 때문에'의 의미로 이유의 부사절을 이끌 수도 있다.

03 부사절과 주절의 주어가 같을 때 접속사와 주어를 생략하고 동사를 분사로 바꿔 분사구문으로 만들 수 있으므로, (being) exhausted의 수동 분사구문으로 쓸 수 있다.
[해석] 나는 슬픔에 지쳐 마침내 잠이 들었다.
[어휘] exhaust 지치게 하다 grief 슬픔

04 「with + 목적어 + v-ing/p.p. ~」 형태의 분사구문은 목적어와 분사의 관계가 능동일 때 현재분사를 써야 하므로 looking이 알맞다.
[어휘] randomly 무작위로
assign (임무·일 따위를) 부여하다, 주다 peer 또래

05 '~보다 ~배 …한/…하게'라는 의미의 비교 표현은 「배수표현 + as + 원급 + as」이고, be동사의 보어 자리이므로 형용사 heavy가 알맞다.
[해석] 사실, 검은색은 흰색보다 두 배 무겁게 인식된다.
[어휘] perceive 인식하다

06 ④는 남태평양에서 Nauru가 '가장 작은 나라들 중 하나'라는 의미이고, 나머지는 모두 'Nauru가 가장 작은 나라'라는 의미이다.

[해석] ① Nauru는 남태평양에서 가장 작은 나라이다.
② 남태평양에서 다른 어떤 나라도 Nauru만큼 작지 않다.
③ 남태평양에서 다른 어떤 나라도 Nauru보다 작지 않다.
④ Nauru는 남태평양에서 가장 작은 나라 중 하나이다.
⑤ Nauru는 남태평양에서 다른 어떤 나라보다도 작다.
[어휘] the South Pacific 남태평양

07 '~하면 할수록 더 …하다'라는 의미의 비교 표현은 「the + 비교급 ~, the + 비교급 …」이므로 the more와 the slower로 써야 한다.

08 「If + S + V(과거완료) ~」의 가정법 과거완료가 쓰였으므로, 주절은 「조동사의 과거형 + have p.p. …」가 되도록 respond를 have responded로 고쳐야 한다.
[해석] 만약 그 수표가 동봉되었다면, 그들이 그렇게 빨리 답장을 보냈을까?
[어휘] check 수표 enclose 동봉하다

09 '마치 ~인 것처럼 …했다'라는 의미의 as if 가정법 과거를 이용하여 「as if + S + V(과거) ~」의 순으로 쓴다.
[어휘] spring (갑자기) 나타나다, 떠오르다

10 '~이 없다면/~이 없었다면'이라는 의미의 But for는 Without으로 바꿔 쓸 수 있다. 또한, 주절에 「S + 조동사의 과거형 + V(원형)」가 쓰였으므로, 가정법 과거로 보아 If it were not for ~ 또는 Were it not for ~로도 바꿀 수 있다.
[해석] 돈이 없다면, 사람들은 물물교환만 할 수 있을 것이다.
[어휘] barter 물물 교환하다

---

②주 창의·융합·코딩 전략 ①
pp. 66~67

A 1 Please send us your logo design proposal once you are done with it. **2** It's not a mistake if it doesn't end up in print. **3** Maybe you are avoiding extra work because you are tired.
B 1 thinking **2** Terrified **3** working **4** asked

A

1 '~하는 대로, ~하자마자'의 의미를 나타내는 부사절 접속사는 once이다.

2 '~하지 않으면'의 의미를 나타내는 부사절 접속사는 unless 또는 if ~ not이다.

3 '~이기 때문에'의 의미를 나타내는 부사절 접속사는 beause이다.

어휘 avoid 피하다 extra 추가적인 end up 결국 ~하다 proposal 제안서

B

1 '농담이라고 생각하며'라는 의미의 분사구문이 되도록 현재분사 thinking이 와야 한다.

해석 모두가 그것이 농담이라고 생각하며 웃음을 터뜨렸다.

어휘 burst out laughing 웃음을 터뜨리다

2 '열악한 치료에 놀라서'라는 의미의 수동 분사구문이 되도록 과거분사 Terrified가 와야 한다.

해석 여성 환자들에 대한 열악한 치료에 놀라서, 그녀는 여성들을 위한 병원을 설립했다.

어휘 terrify 놀래다, 겁나게 하다

3 '편집자로 일하는 동안'의 의미로 접속사를 포함한 분사구문이 되도록 working이 와야 한다.

해석 편집자로 일하는 동안, 그녀는.Harlem Renaissance (흑인 예술 문화 부흥 운동)의 많은 유명한 작가들을 고무시켰다.

어휘 editor 편집자 encourage 고무시키다

4 '질문을 받았을 때'의 의미로 접속사를 포함한 분사구문이 되도록 asked가 와야 한다.

해석 그들 '소유의' 주택 가격에 관해 질문을 받았을 때, 62%는 그것이 인상되었다고 믿었다.

---

②주 창의·융합·코딩 전략 ②

pp. 68~69

C 해설 참조

D 1 were, die **2** hadn't been made, have been killed **3** Without [But for], get

---

C

1 | A story | is only | as believable as | the storyteller. |

해석 이야기는 오직 이야기하는 사람만큼 믿을 만하다

어휘 believable 믿을 만한

2 | Her eyes | were | brighter than | diamonds. |

해석 그녀의 눈은 다이아몬드보다 더 밝았다.

3 | It was | the start of | one of the worst nights | of my life. |

해석 내 인생의 최악의 밤 중 하나의 시작이었다.

D

1 주어진 문장이 현재 시제이므로, 「If + S + V(과거) ~, S + 조동사의 과거형 + V(원형) .....」의 가정법 과거로 바꿔야 한다. are not은 were로, do not die는 would die로 바꾼다.

해석 기체가 교환되는 대신에 소모되지 않으므로, 생명체는 죽지 않는다. (→ 만약 기체가 교환되는 대신에 소모된다면, 생명체는 죽을 것이다.)

어휘 gas 기체 exchange 교환하다

2 주어진 문장이 과거 시제이므로, 「If + S + V(과거완료) ~, S + 조동사의 과거형 + have p.p. .....」의 가정법 과거완료로 바꿔야 한다. was made는 hadn't been made로, was not killed는 have been killed로 바꾼다.

해석 건물을 빠져나오라는 결정이 내려졌기 때문에 그 팀 전체가 사망하지 않았다. (→ 만약 건물을 빠져나오라는 결정이 내려지지 않았다면 그 팀 전체가 사망했을지도 모른다.)

어휘 entire 전체의

3 Thanks to(~덕분에)는 Without(~이 없다면)으로 바꿔 쓸 수 있다. 문장의 시제가 현재이므로, 가정법 과거가 되도록 get을 would get으로 바꿔야 한다.

해석 eustress(긍정적 스트레스) 덕분에 당신은 유리한 출발을 한다. (→ eustress가 없다면 당신은 유리한 출발을 할 수 없을 것이다.)

어휘 get a head start 남보다 유리한 출발을 하다

신유형·신경향·서술형 전략

1 해설 참조

2 (1) if, '~인지(아닌지)'의 의미가 되도록 if가 알맞다. (2) What, 주어가 없는 불완전한 구조의 절이 이어지므로 What이 알맞다.

3 (1) The koala is the only known animal whose brain only fills half of its skull.

　(2) Bait worms from Maine are commonly packed in seaweed which contains many other organisms.

4 (1) The bath is a time when the child is comfortable with her imagination.

　(2) There is a reason why so many of us are attracted to recorded music.

5 (1) unless　(2) Even though　(3) because

6 (1) ⓑ, '자신의 성공에 놀란 상태로'라는 수동의 의미이므로, 과거분사 Amazed가 알맞다.

　(2) ⓑ, 재판관의 해결책을 들은 것이 더 먼저 일어난 일이므로, 완료 분사구문이 알맞다.

7 (1) seven times as much misinformation as　(2) one of the most important means

8 (1) If you were at a zoo, you might say you are 'near' an animal.

　(2) If Wills had allowed himself to become frustrated by his outs, he would have never [not] set any records.

---

1 (1) The most important instruction / is [that musical
　　instruments are not toys].
　　　C(명사절: that + S + V ~)　
　　그림 that + S + V ~

　➡ 가장 중요한 가르침은 악기들이 장난감이 아니라는 것이다.

　(2) Science / can only tell / us [how the world
　　　　　　　　　　　　　　　　DO(명사절: how + S + V ~)
　　appears to us].

　➡ 과학은 우리에게 세상이 어떻게 보이는지를 말해 줄 수
　　있을 뿐이다.

2 (1) '~인지 (아닌지) 물어보았다'의 의미로 불확실한 정보를
나타내는 절을 이끄는 접속사 if가 알맞다. that은 '~라는
것'의 의미로 확실한 정보를 나타내는 절을 이끈다.

　해석 사장은 그가 집을 한 채만 더 지어줄 수 있는지 물어보
았다.

　(2) happened next는 주어가 없는 불완전한 구조의 절이
므로, 관계대명사 What이 알맞다. That은 완전한 구조의
절을 이끈다.

　해석 다음에 일어난 일은 내 간담을 서늘하게 한 어떤 것이었다.

　어휘 chill a person's blood ~의 간담을 서늘하게 하다

3 (1) 두 번째 문장의 Its는 첫 번째 문장의 The koala를 가리
키므로, 소유격 관계대명사 whose를 이용하여 한 문장으로
연결한다.

　해석 코알라는 알려진 유일한 동물이다.
그것의 뇌는 겨우 두개골의 절반을 채운
다. (→ 코알라는 뇌가 겨우 두개골의 절
반을 채운다고 알려진 유일한 동물이다.)

　어휘 skull 두개골

　(2) 두 번째 문장의 It은 첫 번째 문장의 seaweed를 가리키
므로, 목적격 관계대명사 which를 이용하여 한 문장으로 연
결한다.

　해석 Maine의 미끼용 벌레들은 해초에 싸여 있다. 그것은 보
통 많은 다른 유기체들을 포함한다. (→ Maine의 미끼용 벌레
들은 보통 많은 다른 유기체들을 포함하는 해초에 싸여 있다.)

　어휘 bait worm 미끼용 벌레　contain 포함하다
seaweed 해초　organism 유기체

4 (1) 관계부사 when이 이끄는 절이 선행사 a time을 수식하
도록, 'The bath(S) / is(V) / a time(C) / when ~'의 순으
로 배열한다. 관계부사절 내 어순은 'the child(S) / is(V) /
comfortable(C) / with her imagination(M)'이다.

　해석 목욕은 그 아이가 상상하며 편안해하는 시간이다.

　(2) 관계부사 why가 이끄는 절이 선행사 a reason을 수식
하도록, 'There is a reason(V + S) / why ~'의 순으로 배
열한다. 관계부사절 내 어순은 'so many of us(S) / are
attracted(V) / to recorded music(M)'이다.

　해석 우리 중 그렇게나 많은 사람이 녹음된 음악에 끌리는

이유가 있다.

어휘 be attracted to ~에 끌리다

5 (1) '양쪽 모두가 ~을 원하지 않는다면'의 의미가 되도록 unless가 들어가야 한다.

해석 양쪽 모두가 상대방이 제공하는 것을 원하지 않으면 거래는 발생하지 않을 것이다.

(2) '시력이 좋지 않음에도 불구하고'의 의미가 되도록 Even though가 들어가야 한다.

해석 아기는 시력이 좋지 않음에도 불구하고 얼굴을 보는 것을 좋아한다.

어휘 sight 시력 prefer ~을 (더) 좋아하다

(3) '내 곁에 있어 주기 때문에'의 의미가 되도록 because가 들어가야 한다.

해석 당신은 항상 내 곁에 있어 주기 때문에 당신은 내게 천사이다.

6 (1) 그가 자신의 성공에 '놀라게 된' 것이므로 (Being) Amazed ~의 수동 분사구문을 이루는 과거분사 Amazed가 알맞다.

해석 자신의 성공에 놀란 상태로 그는 이제 결승전에 진출했다.

(2) 재판관의 해결책을 들은 것이 먼저 일어난 일이므로, 완료 분사구문 「Having + p.p. ~」가 알맞다. 「(Being +)P.P. ~」는 수동 분사구문이다.

해석 재판관의 해결책을 듣고, 농부는 동의했다.

7 (1) '~보다 ~배 …한'이라는 의미의 비교 표현은 「배수 표현 + as + 원급 + as」로 나타내므로, 비교급과 함께 쓰는 than을 제외한 나머지를 이용한다.

해석 65세 이상의 사람들이 젊은이들보다 7배나 더 많은 잘못된 정보를 공유했다.

어휘 share 공유하다 misinformation 잘못된 정보 counterpart 상대, 대응 관계에 있는 사람

(2) '가장 ~한 … 중 하나'라는 의미의 비교 표현은 「one of the + 최상급 + 복수 명사」이므로 비교급 more를 제외한 나머지를 이용한다.

해석 눈은 가장 중요한 협동 수단 중 하나이다.

어휘 means 수단, 방법 cooperation 협동

8 (1) 주어진 문장이 현재 시제이므로, 「If + S + V(과거) ~, S + 조동사의 과거형 + V(원형) …..」의 가정법 과거로 바꿔야 한다. are not은 were로, may not say는 might say로 바꾼다.

해석 당신은 동물원에 있지 않기 때문에 동물 '가까이'에 있다고 말하지 않을 것이다. (→ 만약 당신이 동물원에 있다면 당신은 동물 '가까이'에 있다고 말할지도 모른다.)

(2) 주어진 문장이 과거 시제이므로, 「If + S + V(과거완료) ~, S + 조동사의 과거형 + have p.p. …..」의 가정법 과거완료로 바꿔야 한다. didn't allow는 had allowed로, set some은 would have never[not] set any로 바꾼다.

해석 Wills가 아웃된 것에 의해서 자신이 좌절하도록 내버려 두지 않았기 때문에 그는 몇몇 기록을 세웠다. (→ 만약 Wills가 아웃된 것에 의해서 자신이 좌절하도록 내버려 두었다면, 그는 결코 어떠한 기록도 세우지 못했을 것이다.)

어휘 frustrated 좌절한

적중 예상 전략 1회

pp. 76~79

01 ④ 02 ⑤ 03 ④ 04 ⑤ 05 ④ 06 ④ 07 ③ 08 ④ 09 whether 10 Someone had to decide when the class would be held. 11 at that → at which 12 the phenomenon where someone reads or hears something very general 13 ⓓ, that → which 14 What you may not appreciate is that the quality of light may also be important. 15 (A) when (B) where 16 that[which] he took in Vietnam earned him the Pulitzer Prize

정답과 해설

01 '그들이 어떻게 자신들의 생활 방식에 적응했는가'이 문장의 주어이므로, 의문사 How가 알맞다.
어휘 adapt 적응하다 environment 환경

02 첫 번째 빈칸 뒤에는 주어가 없는 불완전한 구조의 절이 이어지므로 관계대명사 what이 알맞다. 두 번째 빈칸은 '~라는 것을 시사한다'라는 의미로 완전한 구조의 절을 이끄는 접속사 that이 알맞다.
해석 • 첫 추종자가 외로운 괴짜를 지도자로 바꾸는 것이다. • 최근의 연구는 진화하는 인간의 개와의 관계가 두 종 모두의 뇌 구조를 바꿨다는 것을 시사한다.
어휘 follower 추종자
transform A into B A를 B로 바꾸다
nut 괴짜 suggest 시사하다 evolve 진화하다
structure 구조

03 ④ 의문사 what이 이끄는 명사절은 「what(+ 명사(구))+(S +)V」 순으로 써야 하므로 were they를 they were로 바꿔야 한다.
해석 ① 많은 요인들이 우리가 해야 할 일들을 결정한다. ② 당신은 그 과학자가 한쪽으로 치우치지 않았는지 물어야 한다. ③ 이 이론은 왜 시간이 아이들에게 더 천천히 가는 것으로 느껴지는지를 부분적으로 설명할 수 있다. ④ 그는 그 인류학자를 바라보고 그것들이 무슨 종류의 곤충들인지 물어보았다. ⑤ 당신은 그 동물이 안전한지 아닌지에 관해서 매우 빨리 추측해야 한다.
어휘 factor 요인 determine 결정하다
unbiased 한쪽으로 치우치지 않은 theory 이론
anthropologist 인류학자 assumption 가정

04 ⓐ '~라는 것을 분명히 말했다'라는 의미가 되도록 whether를 that으로 바꿔야 한다. ⓒ that이 이끄는 절은 전치사의 목적어 자리에 올 수 없다. '과거가 어땠는지'라는 의미가 되도록 that을 what으로 바꿔야 한다.
해석 ⓐ 그들은 나에게 해야 할 일이 있어 떠나야 한다는 것을 분명히 말했다. ⓑ 좋은 소식은 도시가 믿을 수 없을 정도로 회복력이 있다는 것이다. ⓒ 과거가 어땠는지에 근거하여 결정을 내리지 말라. ⓓ 나는 그 어린 소년이 만 장의 셔츠 중 하나를 받을지 궁금하다. ⓔ 그녀가 말한 것이

Victoria를 한동안 깊은 생각에 잠기게 했다.
어휘 duty 의무 incredibly 믿을 수 없을 정도로
resilient 회복력 있는

05 ④는 '~라는 것을'의 의미로 명사절을 이끄는 접속사 that이고, 나머지는 모두 선행사를 수식하는 절을 이끄는 관계대명사이다.
해석 ① 당신에게 흥미로울 만한 것이 한 가지 있다. ② 어쩌면 당신은 거기서 전에 만난 적이 없는 사람들을 만나게 될 것이다. ③ 그들을 갈라놓았던 분노의 벽은 무너져 내렸다. ④ 연구는 이모티콘들이 온라인상의 텍스트 기반 의사소통에서 유용한 도구라는 것을 보여 준다. ⑤ 공간을 교환함으로써, 광고주들은 자신의 목표 접속자와 접촉할 수 있는 새로운 (광고의) 출구를 찾는다.
어휘 come down 무너져 내리다 indicate 보여 주다
text-based 텍스트 기반의 outlet 출구
audience 청중, 독자

06 선행사 the outcomes of sporting contests를 보충 설명하는 「콤마(,) + 관계대명사절」이 되도록 관계대명사 which가 와야 한다.
해석 우리는 스포츠 경기의 결과를 예측할 수 없고, 이것은 매주 달라진다.
어휘 predict 예측하다 vary 다르다

07 선행사 the water가 장소를 나타내므로, 관계부사 where가 들어가야 한다.
어휘 take a dip 잠깐 담그다
every now and then 이따금

08 ④ 관계부사 how와 선행사 the way는 함께 쓸 수 없고, 둘 중 하나를 생략해야 한다. 선행사가 일반적인 시간/장소/이유를 나타낼 때에도 선행사 또는 관계부사를 생략할 수 있다.
해석 ① 사람들은 무언가 일이 일어나고 있는 곳에 모인다. ② 매일 밤 여러분이 잠잘 때, 이 배터리는 재충전된다. ③ 이 피가 사진에서 눈이 빨갛게 보이는 이유이다. ④ 우리가 의사소통하는 방식은 강하고 건강한 공동체를 만드는

우리의 능력에 영향을 미친다. ⑤ 개는 자기가 가려고 하는 방향으로 몸의 앞부분을 내던진다.

어휘 gather 모이다 recharge 충전하다

09 '~인지 아닌지'의 의미로 각각 주어, 전치사의 목적어 역할을 하는 명사절을 이끄는 접속사 whether가 알맞다.

해석 당신이 그녀를 좋아하는지 안 좋아하는지는 그녀가 좋은 충고를 가지고 있는지 없는지와는 별개의 문제이다.

어휘 separate 서로 다른, 별개의

10 의문사 when이 이끄는 명사절을 목적어로 하여, '누군가가(S) / 결정해야 했다(V) / 언제 그 수업이 열릴지를(O)'의 순으로 배열한다.

11 관계대명사 that이 이끄는 절은 전치사의 목적어 자리에 올 수 없으므로, at that을 at which로 고쳐야 한다.

해석 관광업이 기후 변화에 기여하는 많은 방식과 공간적 위계가 있다.

어휘 spatial scale 공간적 위계 contribute 기여하다
climate change 기후 변화

12 선행사 the phenomenon이 상황을 나타내므로, 관계부사 where를 이용하여, '누군가가(S) / 읽거나 듣는다(V) / 매우 일반적인 것을(O)'의 순으로 배열한다.

어휘 phenomenon 현상 apply to ~에 적용되다

13 ⓓ Artificial light를 보충 설명하는 절을 이끌도록 that을 which로 바꿔야 한다. 관계대명사 that은 보충 설명하는 관계사절을 이끌지 않는다.

지문 해석 너무 밝은 빛이나, 눈에 직접적으로 비추는 빛처럼, 나쁜 조명은 여러분의 눈에 스트레스를 증가시킬 수 있다. 형광등 또한 피로감을 줄 수 있다. 여러분이 인식하지 못할 수도 있는 것은 빛의 질 또한 중요할 수 있다는 것이다. 대부분의 사람들은 밝은 햇빛 속에서 가장 행복하다 — 이것은 아마 정서적인 행복감을 주는 체내의 화학 물질을 분비할지도 모른다. 전형적으로 단지 몇 개의 빛 파장만 있는 인공조명이 분위기에 미치는 효과는 햇빛(이 미치는 효과)과 똑같지 않을 수 있다. 창가에서 작업하거나 책상 전등에 있는 모든 파장이

있는 전구를 사용하여 실험해 보아라. 이것이 여러분의 작업 환경의 질을 향상시킨다는 것을 아마도 알게 될 것이다.

어휘 lighting 조명 fluorescent lighting 형광등
tiring 피로하게 만드는 release 분비하다; 분비
artificial 인공적인 typically 전형적으로
wavelength 파장 bulb 전구 quality 질

14 what이 이끄는 명사절을 주어로, that이 이끄는 명사절을 보어로 하여 '여러분이 인식하지 못할 수도 있는 것은(S) / ~이다(V) / 빛의 질 또한 중요할 수 있다는 것(C)'의 순으로 쓴다.

어휘 appreciate (제대로) 인식하다

15 (A) 선행사 his teens가 시간을 나타내므로 관계부사 when이 알맞다. (B) 선행사 the United States Marine Corps가 장소를 나타내므로 관계부사 where가 알맞다.

지문 해석 Eddie Adams는 Pennsylvania 주의 New Kensington에서 태어났다. 그는 자신의 고등학교 신문 사진 기자가 되어, 십 대 시절에 사진에 대한 열정을 키웠다. 졸업 후, 그는 미국 해병대에 입대했고, 그곳에서 그는 종군 사진 기자로 한국 전쟁 장면을 촬영했다. 1958년, 그는 필라델피아에서 발간된 석간신문 'Philadelphia Evening Bulletin'의 직원이 되었다. 1962년에 그는 연합통신사(AP)에 입사했고, 10년 뒤, 그는 Time 잡지사에서 프리랜서로 일하기 위해 연합통신사를 떠났다. 그가 베트남에서 촬영한 Saigon Execution 사진은 그에게 1969년 특종기사 보도 사진 부문의 퓰리처상을 가져다주었다.

어휘 passion 열정 school paper 학교 신문
combat photographer 종군 사진 기자
Associated Press 연합통신사(AP)
freelancer 프리랜서 execution 사형 집행, 처형

16 선행사가 사물이므로 관계대명사 that 또는 which를 이용하여 'Saigon Execution 사진은(S) / 그가 베트남에서 촬영한(M) / 가져다주었다(V) / 그에게(IO) / 1969년 특종기사 보도 사진 부문의 퓰리처상을(DO)'의 구조가 되도록 배열한다.

어휘 earn (이익 등을) 가져오다

적중 예상 전략 2회

01 ③ **02** ② **03** ③ **04** ⑤ **05** ④ **06** ③ **07** ①, ②, ④ **08** ②, ⑤ **09** Actually, I use my cell phone until the battery no longer holds a good charge. **10** With a smile stretching from ear to ear **11** The more options we have, the harder our decision making process will be. **12** have attended, had not been laid up **13** if they didn't succeed, the army would blame them **14** (B) handing (C) Horrified **15** ⓑ, to have → have **16** the brain is the most expensive of our organs

01 첫 번째 빈칸에는 밖이 춥기 때문에 외투를 입어야 한다는 의미가 되도록 because 또는 since가 알맞다. 두 번째 빈칸에는 경험이 많은 소비자일지라도 속는다는 의미가 되도록 Though 또는 Although가 들어가야 한다.
[해석] • 밖이 춥기 때문에 나는 외투를 입어야 한다.
• 우리가 모두 경험이 많은 소비자일지라도, 우리는 여전히 속는다.
[어휘] fool 속이다

02 '~하지 않으면'의 의미로 조건의 부사절을 이끄는 접속사 unless가 알맞다.
[어휘] untouched 본래 그대로의, 손을 대지 않은

03 부사절과 주절의 주어가 같을 때 접속사와 주어를 생략하고 동사를 분사로 바꿔 분사구문으로 만들 수 있으므로 sharing으로 시작하는 분사구문으로 쓸 수 있다.
[해석] 가십을 통해 우리는 친구들과 흥미로운 세부 사항을 공유하면서 유대를 형성한다.
[어휘] bond 유대를 형성하다 detail 세부 사항

04 ⑤ 「with + 목적어 + v-ing/p.p. ~」 형태의 분사구문은 목적어와 분사의 관계가 능동일 때 현재분사를 써야 하므로 appealed를 appealing으로 바꿔야 한다.
[해석] ① 어쩔 줄 몰라서 그녀는 꼼짝 못 한 채 서 있었다. ② 7살에 고아가 되고 그녀의 어린 시절은 고난으로 특징지어졌다. ③ 이 말을 듣고 난 뒤, 그녀는 그녀의 방으로 달려갔다. ④ 사람들 숫자가 수백 명으로 늘어났고, 각자 100달러 지폐를 전달했다. ⑤ 인상주의는 보기에 '편하고', 밝은 색깔이 눈길을 끈다.
[어휘] at a loss 어쩔 줄을 모르는 orphan 고아로 만들다

impressionism 인상주의
appeal to the eye 눈길을 끌다

05 전치사 By의 목적어로 쓰인 동명사 grabbing과 병렬구조를 이루도록 동명사 donating이 알맞다.
[해석] 망치나 페인트 붓을 쥐고 시간을 기부함으로써, 여러분은 공사를 도울 수 있습니다.
[어휘] donate 기부하다 construction 공사

06 ⓐ '~만큼 …하지 않은'이라는 의미의 비교 표현은 「not + as + 원급 + as」이므로 not as appealing as가 되어야 한다. ⓓ '가장 ~한 … 중 하나'라는 의미의 비교 표현은 「one of the + 최상급 + 복수 명사」이므로 animal을 animals로 바꿔야 한다.
[해석] ⓐ 계획의 이행은 그 계획만큼 매력적이지 않다. ⓑ 또래들의 영향은 부모의 영향보다 훨씬 더 강하다. ⓒ 그녀는 세 자매 중 첫째 딸이었다. ⓓ 임팔라는 가장 우아한 네발 동물 중 하나이다. ⓔ 그녀는 북 치는 사람에게 점점 더 가까이 다가왔다.
[어휘] implementation 이행 graceful 우아한

07 Without 가정법 문장에서 Without 대신 But for를 쓸 수 있다. 또한, 주절에 「주어 + 조동사의 과거형 + V(원형)」가 쓰였으므로, 가정법 과거로 보아 If it were not for ~ 또는 Were it not been for ~로도 바꿀 수 있다.
[해석] 곤충에 의한 꽃가루받이가 없다면, 과일들은 귀하게 되고 값이 비싸지게 될 것이다.
[어휘] pollination 꽃가루받이
insect 곤충 rare 귀한
expensive 값비싼

08 ② '마치 ~인 것처럼 …한다'는 as if 가정법 과거 「S + V + as if + S + V(과거) ~」를 이용하여 나타내므로, 동사 works를 과거형 worked로 바꿔야 한다. ⑤ 과거 사실의 반대를 나타내는 if 가정법 과거완료는 「If + S + V(과거완료) ~, S + 조동사의 과거형 + have p.p. .....」의 형태이므로 would do를 would have done으로 바꿔야 한다.

[해석] ① 만약 그가 턱으로 올라서려는 시도를 한다면 아마도 셋 다 죽을 수도 있을 것이다. ② Marie Curie는 그녀가 방사능을 발견하기 위해 홀로 연구한 것처럼 여겨진다. ③ 그녀가 없었다면 그는 형편없는 삶을 살았을 것이다. ④ 마치 하늘 전체가 검게 변한 것처럼 보였다. ⑤ 그것은 당신이 경기를 보러 가지 않았다면 했을 일이다.

[어휘] attempt 시도하다 ledge (벽에서 튀어나온) 턱 radioactivity 방사능 entire 전체의

09 '~할 때까지'라는 의미로 시간의 부사절을 이끄는 접속사 until을 이용하여 한 문장으로 연결한다.

[어휘] no longer 더 이상 ~ 않다 hold 유지하다

10 「with + 목적어 + v-ing/p.p. ~」 형태의 분사구문은 목적어와 분사의 관계가 능동일 때 현재분사를 써야 하므로 stretching이 알맞다.

11 '~하면 할수록 더 …하다'라는 의미의 비교 표현 「the + 비교급 ~, the + 비교급 ....」을 이용하여, '더 많은 선택권을 / 우리가 / 가질수록, / 더 어려워지는 / 우리의 의사결정 과정은 / ~할 것이다'의 순으로 쓴다.

12 주어진 문장이 과거 시제이므로, 「If + S + V(과거완료) ~, S + 조동사의 과거형 + have p.p. .....」의 가정법 과거완료로 바꿔야 한다. could not attend는 could have attended로, was laid up은 had not been laid up으로 바꿔야 한다.

[해석] 그는 고열로 몸져누워 있었기 때문에 가게에 나올 수 없었다. (→ 만약 그가 고열로 몸져누워 있지 않았다면 그는 가게에 나올 수 있었을 텐데.)

[어휘] be laid up (병으로) 몸져눕다

13 현재 사실의 반대를 나타내는 if 가정법 과거는 「If + S + V(과거) ~, S + 조동사의 과거형 + V(원형) ....」의 형태이므로 주절의 동사 will blame을 would blame으로 고쳐야 한다.

[지문 해석] 소아시아를 통과하는 진군 중에 알렉산더 대왕은 위독해졌다. 그의 의사들은 만약 성공하지 못한다면 군대가 그들을 비난할 것이기에 그를 치료하기를 두려워했다. 단 한 명, Philip만이 그가 왕과의 우정과 자신의 약에 확신을 갖고 있었기 때문에 기꺼이 위험을 감수했다. 약이 준비되는 동안, 알렉산더는 그 의사가 그의 주군을 독살하도록 뇌물을 받았다고 고발하는 편지를 받았다. 알렉산더는 그것을 누구에게도 보여 주지 않은 채 그 편지를 읽었다. Philip이 약을 가지고 막사로 들어왔을 때, 알렉산더는 그로부터 컵을 받아들고 Philip에게 그 편지를 건넸다. 그 의사가 편지를 읽는 동안 알렉산더는 차분하게 컵에 든 것을 마셨다. Philip은 공포에 질려서 왕의 침대 옆에 엎드렸지만, 알렉산더는 자신이 그의 신의를 완전히 믿고 있다고 그를 안심시켰다. 3일 후 왕은 그의 군대 앞에 다시 설 수 있을 만큼 충분히 회복되었다.

[어휘] march 진군, 행진 Asia Minor 소아시아(아시아 서부의 반도로 현 터키 대부분의 지역이 이에 해당함) physician 의사 treat 치료하다 blame ~을 비난하다 accuse 고발하다 bribe 뇌물을 주다 contents 내용물 assure 안심시키다

14 (B) 분사구문의 의미상 주어 Alexander가 '편지를 건넨' 것이므로 현재분사 handing이 알맞다. (C) 분사구문의 의미상 주어 Philip이 '겁에 질린' 것이므로 「(Being +)P.P. ~」의 수동 분사구문이 되도록 과거분사 Horrified가 알맞다.

15 ⓑ why가 이끄는 절 내에서 동사 sleep과 병렬구조를 이루도록 to have를 have로 고쳐야 한다.

[지문 해석] 뇌는 몸무게의 2%만을 차지하지만 우리의 에너지의 20%를 사용한다. 갓 태어난 아기의 경우, 그 비율은 65%에 달한다. 그것은 부분적으로 아기들이 항상 잠을 자고 (뇌의 성장이 그들을 소진시키고), 체지방을 보유하는 이유인데, 이는 필

요할 때 보유한 에너지를 사용하기 위한 것이다. 근육은 약 4분의 1 정도로 훨씬 더 많은 에너지를 사용하지만, 우리는 많은 근육을 가지고 있기도 하다. 실제로, 물질 단위당, 뇌는 다른 기관보다 훨씬 많은 에너지를 사용한다. 그것은 우리 장기 중 뇌가 가장 에너지 소모가 많다는 것을 의미한다. 하지만 그것은 또한 놀랍도록 효율적이다. 뇌는 하루에 약 400 칼로리의 에너지만 필요로 하는데, 블루베리 머핀에서 얻는 것과 거의 같다. 머핀으로 24시간 동안 노트북을 작동시켜서 얼마나 가는지 보라.

어휘 newborn 갓태어난 아기 exhaust 소진시키다 body fat 체지방 reserve 보유, 비축 muscle 근육 a quarter 4분의 1 marvelously 놀랍도록 efficient 효율적인 require 필요로 하다 laptop 노트북

16 '…에서 가장 ～한 (명사)'라는 의미의 비교 표현 「the + 최상급 + (명사 +)of + 명사(구)」를 이용하여, '뇌가 / ～하다 / 에너지가 가장 많이 드는 / 우리 장기 중'의 순으로 쓴다.
어휘 expensive 에너지가 많이 드는

Smile again.

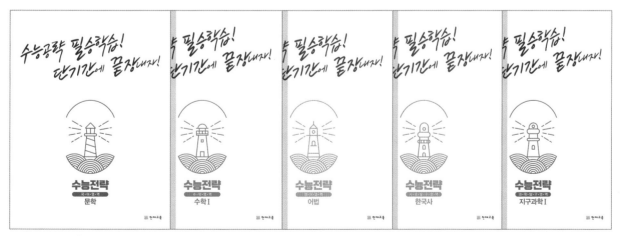

정답은
이안에
있어!